L'EMPLOI DU TEMPS

MICHEL BUTOR

L'EMPLOI DU TEMPS

LES ÉDITIONS DE MINUIT

ISBN 978-2-7073-1521-2

I

L'ENTRÉE

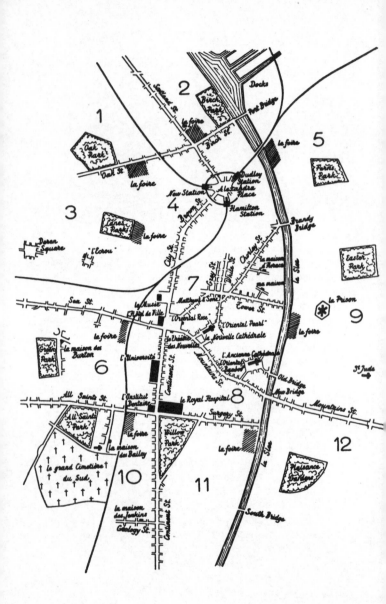

1

Les lueurs se sont multipliées.

C'est à ce moment que je suis entré, que commence mon séjour dans cette ville, cette année dont plus de la moitié s'est écoulée, lorsque peu à peu je me suis dégagé de ma somnolence, dans ce coin de compartiment où j'étais seul, face à la marche, près de la vitre noire couverte à l'extérieur de gouttes de pluie, myriade de petits miroirs, chacun réfléchissant un grain tremblant de la lumière insuffisante qui bruinait du plafonnier sali, lorsque la trame de l'épaisse couverture de bruit, qui m'enveloppait depuis des heures presque sans répit, s'est encore une fois relâchée, défaite.

Dehors, c'étaient des vapeurs brunes, des piliers de fonte passant, ralentissant, et des lampes entre eux, aux réflecteurs de tôle émaillée, datant sans doute de ces années où l'on s'éclairait au pétrole, puis, à intervalles réguliers, cette inscription blanche sur de longs rectangles rouges : « Bleston Hamilton Station ».

Il n'y avait que trois ou quatre voyageurs dans mon wagon, car ce n'était pas le grand train direct, celui que j'aurais dû prendre, celui à l'arrivée duquel on m'attendait, et que j'avais manqué de quelques minutes à Euston, ce pourquoi j'en avais été réduit à attendre indéfiniment ce convoi postal dans une gare de correspondance.

Si j'avais su à quel point son heure d'arrivée était incongrue dans la vie d'ici, je n'aurais pas hésité, certes, à retarder mon voyage d'un jour, en télégraphiant mes excuses.

Je revois tout cela très clairement, l'instant où je me suis levé, celui où j'ai effacé avec mes mains les plis de mon imperméable alors couleur de sable.

J'ai l'impression que je pourrais retrouver avec une exactitude absolue la place qu'occupait mon unique lourde valise dans le filet, et celle où je l'ai laissée tomber, entre les banquettes, au travers de la porte.

C'est qu'alors l'eau de mon regard n'était pas encore obscurcie ; depuis, chacun des jours y a jeté sa pincée de cendres.

J'ai posé mes pieds sur le quai presque désert, et je me suis aperçu que les derniers chocs avaient achevé de découdre ma vieille poignée de cuir, qu'il me faudrait soigneusement appuyer le pouce à l'endroit défait, crisper ma main, doubler l'effort.

J'ai attendu ; je me suis redressé, les jambes un peu écartées pour bien prendre appui sur ce nouveau sol, regardant autour de moi : à gauche, la tôle rouge du wagon que je venais de quitter, l'épaisse porte qui battait, à droite, d'autres voies, avec quelques éclats de lumière dure sur les rails, et plus loin, d'autres wagons immobiles et éteints, toujours sous l'immense voûte de métal et de verre, dont je devinais les blessures au-delà des brumes ; en face de moi enfin, au-dessus de la barrière que l'employé s'apprêtait à fermer juste après mon passage, la grande horloge au cadran lumineux marquant deux heures.

Alors j'ai pris une longue aspiration, et l'air m'a paru

amer, acide, charbonneux, lourd comme si un grain de limaille lestait chaque gouttelette de son brouillard.

Un peu de vent frôlait les ailes de mon nez et mes joues, un peu de vent au poil âpre et gluant, comme celui d'une couverture de laine humide.

Cet air auquel j'étais désormais condamné pour tout un an, je l'ai interrogé par mes narines et ma langue, et j'ai bien senti qu'il contenait ces vapeurs sournoises qui depuis sept mois m'asphyxient, qui avaient réussi à me plonger dans le terrible engourdissement dont je viens de me réveiller.

Je m'en souviens, j'ai été soudain pris de peur (et j'étais perspicace : c'était bien ce genre de folie que j'appréhendais, cet obscurcissement de moi-même), j'ai été envahi, toute une longue seconde, de l'absurde envie de reculer, de renoncer, de fuir ; mais un immense fossé me séparait désormais des événements de la matinée et des visages qui m'étaient les plus familiers, un fossé qui s'était démesurément agrandi tandis que je le franchissais, de telle sorte que je n'en percevais plus les profondeurs et que son autre rive, incroyablement lointaine, ne m'apparaissait plus que comme une ligne d'horizon très légèrement découpée sur laquelle il n'était plus possible de discerner aucun détail.

Vendredi 2 mai.

J'ai arraché ma valise et je me suis mis à marcher sur ce sol nouveau, dans cet air étranger, au milieu des trains immobiles.

L'employé a fermé la grille et s'en est allé.

J'avais faim, mais, dans le grand hall, les mots « bar », « restaurant », s'étalaient au-dessus de rideaux de fer baissés.

Voulant fumer, j'ai fouillé dans la poche de mon veston, mais le paquet de gauloises était vide, et il n'y avait rien d'autre.

Pourtant c'était là que je croyais avoir rangé, quelques instants plus tôt, quelques heures plus tôt, je ne savais déjà plus, la lettre du directeur de Matthews and Sons qui me donnait l'adresse de l'hôtel où ma chambre était réservée.

Je l'avais relue dans le train une dernière fois, il était donc impossible qu'elle fût dans ma valise, puisque je n'avais pas ouvert celle-ci de tout le trajet ; mais après avoir cherché en vain dans mes vêtements, il a fallu que je vérifie, que je glisse ma main entre mes chemises, en vain.

Elle devait être tombée dans le compartiment où je ne pouvais plus retourner à ce moment, mais je n'accordais à cela nulle importance, convaincu que je trouverais facilement un gîte provisoire dans les environs immédiats.

Le chauffeur de taxi, dont j'étais le dernier espoir pour la nuit, m'a demandé où je voulais être mené (ses paroles ne pouvaient avoir d'autre sens), mais les mots qu'il employait, je ne les reconnaissais pas, et ceux par lesquels j'aurais voulu le remercier, je ne parvenais pas à les former dans ma bouche ; c'est un simple murmure que je me suis entendu prononcer.

Il m'a regardé en hochant la tête, et, tandis que je m'éloignais de la gare, silencieusement, droit devant moi, j'ai vu sa voiture noire faire le tour de la plateforme, descendre par la pente bordée de parapets, disparaître par la rue déserte en bas.

Les hauts réverbères éclairaient de lumière orange les enseignes éteintes, les hautes façades sans volets, où toutes les fenêtres étaient obscures, où toutes les vitrines étaient fermées, où rien ne signalait un hôtel.

Je suis arrivé à un endroit où les maisons s'écartaient,

et dans l'espace libre là-bas, j'apercevais des bus à deux
étages qui démarraient.

Les rares personnes que je croisais semblaient se
hâter, comme s'il ne restait plus que quelques instants
avant un rigoureux couvre-feu.

Je sais maintenant que la grande rue que j'ai prise à
gauche, c'est Brown Street ; je suis, sur le plan que je
viens d'acheter à Ann Bailey, tout mon trajet de cette
nuit-là ; mais en ces minutes obscures, je n'ai même pas
cherché à l'angle les lettres d'un nom, parce que les inscriptions que je désirais lire, c'étaient « Hôtel », « Pen-
sion », « Bed and Breakfast », ces inscriptions que j'ai
vues depuis, repassant de jour devant ces maisons, éclat-
ter en émail sur des vitres au premier ou second étage,
alors si bien cachées dans l'ombre de cette heure indue.

Je suis retourné vers la place qui s'était vidée entre-
temps ; j'ai traîné dans quelques-unes de ces ruelles sur
lesquelles donne l'arrière des immeubles, m'arrêtant
tous les dix pas pour poser ma lourde valise et changer
de bras ; puis, comme le brouillard devenait pluie, j'ai
décidé de remonter à la gare pour y attendre le matin.

Parvenu en haut de la pente, j'ai été surpris par la
largeur de la façade ; certes, je ne l'avais pas regardée
avec attention tout à l'heure, mais était-il possible que
je fusse passé sous ce portique ? N'y avait-il pas une
marquise ? Et cette tour, comment ne l'avais-je pas
aperçue ?

Quand je suis entré, j'ai dû me rendre à l'évidence :
déjà ce court périple m'avait égaré ; j'étais arrivé dans
une autre gare, Bleston New Station, tout aussi vide que
la première.

Mes pieds me faisaient mal, j'étais trempé, j'avais des
ampoules aux mains ; mieux valait en rester là.

Je lisais au-dessus des portes : « Renseignements »,
« Billets », « Bar », « Chef de gare », « Sous-chef de
gare », « Consigne », « Salle d'attente de première

13

classe » (j'ai tourné la poignée, j'ai tenté d'ouvrir),
« Salle d'attente de deuxième classe » (même insuccès),
« Salle d'attente de troisième classe » (c'était allumé à
l'intérieur).

M'introduisant, j'ai vu deux hommes qui dormaient
sur les bancs de bois, deux hommes très sales, l'un
allongé sur le côté, le visage caché sous un chapeau,
l'autre couché sur le dos, les genoux en l'air, la tête renversée, la bouche ouverte, presque sans dents, avec une
barbe de quinze jours et une croûte sur la pommette
droite, laissant traîner par terre sa main droite à laquelle
il manquait deux doigts.

Un troisième, assis près de la cheminée froide, plus
âgé, le dos courbé, les bras croisés sur son ventre, m'a
examiné de la tête aux pieds, m'a montré des yeux ses
deux compagnons comme pour me mettre en garde,
puis m'a désigné d'un mouvement de menton un emplacement que j'ai nettoyé sommairement avant d'y poser
ma valise et de m'asseoir à côté d'elle, en appuyant mon
coude sur son couvercle.

Au bout d'un quart d'heure, comme on entendait un
pas lourd s'approcher, l'homme éveillé a fermé les yeux.

J'ai vu la poignée tourner lentement ; les gonds se
sont mis à grincer ; dans l'entrebâillement est passé le
casque bleu-noir, puis le visage d'un policeman qui a
paru satisfait du calme, et qui a éteint ; les gonds se sont
remis à grincer ; la serrure a claqué doucement.

Peu après, malgré mes efforts, je me suis endormi.

2

Une douleur dans le côté droit m'a réveillé ; j'essayais de me retourner ; ma main frottait sur une surface rugueuse ; j'avais l'impression d'être couvert de boue gelée.

Quand je me suis redressé, il y avait comme un grésillement dans mes muscles, toutes mes articulations étaient durcies ; il m'a fallu les déplier une par une.

Quand j'ai ouvert les yeux, une lumière grise comme de l'eau de lessive coulait dans la salle ; les trois vagabonds respiraient régulièrement.

J'ai vérifié le contenu de mes poches (un train sifflait), j'ai ramassé par terre un long bout de ficelle blanche qui traînait parmi les papiers déchirés, puis, après avoir réparé tant bien que mal ma poignée, je suis sorti, m'efforçant de faire peu de bruit, et je me suis dirigé vers le bar enfin ouvert.

Il y avait une dizaine de personnes qui buvaient dans des tasses de faïence blanche sans soucoupes, assises près de petites tables rondes de part et d'autre d'une cheminée semblable à celle de la salle d'attente, mais où brûlait un feu de boulets sur une grille.

Trois ou quatre autres, debout, attendaient, accoudées au comptoir derrière lequel deux femmes s'affairaient avec de grands brocs.

Ayant examiné la liste des prix pendue devant l'étagère où brillaient quantité de bouteilles, je me suis approché et j'ai demandé un grand verre de rhum.

« Qu'avez-vous dit, monsieur ? »

Tout à fait fanée, osseuse, les gestes nerveux, elle avait au moins quarante ans, et il devait y avoir déjà bien des cheveux gris derrière sa petite coiffe empesée.

« Un verre de rhum. »

J'aurais voulu dire : « je vous prie », mettre de l'amabilité dans ma demande, mais j'avais déjà le plus grand mal à retrouver les quelques substantifs indispensables, et je les prononçais de façon si fausse que moi-même je m'en rendais compte et que j'en souffrais.

« Du rhum ?

– Oui.

– Ah, non, monsieur, je suis désolée.

– Mais... »

Elle est passée à un autre client qui lui tendait une tasse dans laquelle elle a versé du thé.

Devant le mur je voyais s'arrondir sur des étiquettes des cartes de la Jamaïque, des visages de nègres, des plants de canne.

« Un verre de whisky, alors.

– Ah, non monsieur, je suis désolée. Du thé ? De l'orangeade ? »

A côté d'elle, sa compagne, plus âgée, soixante ans, me dévisageait d'un œil sévèrement intrigué.

« Rien d'autre ?

– Eau minérale, soda, café, bouillon...

– Pas d'alcool ?

– Pas d'alcool, monsieur, inutile d'insister, pas avant onze heures et demie.

– Du thé. »

Je suis allé boire en face du feu, dans la vapeur de mon imperméable alors couleur de sable.

Quand j'ai posé la tasse vide sur une des tables, j'ai vu que mes doigts y avaient laissé leurs empreintes ; j'ai passé mes mains sur mes joues râpeuses et j'ai eu honte de m'être présenté sous un tel aspect à cette serveuse ; j'étais devenu presque aussi sale que mes compagnons de sommeil.

Dans le lavabo où je suis descendu, il n'était pas question de se raser, bien sûr, et il n'y avait pas de savon, mais c'était déjà une délivrance que ce premier décrassage.

Ma chemise collait à ma peau, et dans le miroir où j'avais peine à me reconnaître, je voyais sur son col des coulées grises et les points noirs des escarbilles qui tombaient encore de mes cheveux.

Mercredi 7 mai.

Après m'être débarrassé de ma valise à la consigne, j'ai serré un peu ma ceinture, j'ai enfoncé mes mains dans mes poches et j'ai commencé mon exploration à la recherche d'un coiffeur.

La grande horloge à l'extérieur marquait six heures et demie ; il ne pleuvait plus ; quelques taxis noirs stationnaient le long du portique ; quelques porteurs en manches de chemise roulaient des caisses sur des diables et les chargeaient sur un camion ; quelques voyageurs pressés s'éloignaient, en pardessus sombres, en chapeaux melon un peu trop étroits, le parapluie pendu au bras.

Je me suis retourné pour examiner la façade, avec sa tour à ma droite, et sur le long rectangle rouge, l'inscription en lettres blanchâtres : Bleston New Station.

Je me répétais en descendant la pente : « ce n'est pas

par ici que je suis arrivé, c'est par Hamilton Station,
c'est la première fois que je fais ce trajet dans ce sens » ;
mais j'avais du mal à m'en persuader ; les deux bâtiments se confondaient dans mon esprit ; je n'arrivais
pas à me représenter leurs situations respectives.

C'était comme s'il y avait eu quelque chose de tru-
qué dans ces maisons encore mortes qui s'élevaient de
plus en plus autour de moi.

Sur la place, il y avait un grand ciel d'octobre, avec
un soleil pâle et bas, un peu rose, dans la course des
nuages semblables à des troupeaux d'animaux de toun-
dras au pelage humide, et le vent soulevait en tour-
billons sur les trottoirs tickets, fétus, copeaux et feuilles
mortes.

Au milieu, les grands bus rouges à deux étages
s'étaient à nouveau massés.

Sur deux plaques de fonte vissées dans une pierre
d'angle, j'ai déchiffré : New Station Street, Alexandra
Place, et en face, sur une flèche pointant à droite, jaillis-
sant à mi-hauteur de la hampe d'un réverbère : Hamilton Station.

Je me suis attaché à reconstituer en gros mon itinéraire nocturne, j'ai identifié Brown Street que j'avais
parcourue en vain.

A quelque deux cents mètres, j'ai aperçu ce que
m'avaient caché la nuit et la brume, le pont épais, haut
de deux étages, qui la franchit, sur lequel passait un
train, le pont semblable à ceux que j'ai vus peu après,
en tournant autour de cette place en forme de triangle,
à une distance équivalente, dans chacune des rues
rayonnantes, à part celles qui mènent directement aux
gares, et comme toutes ces arches ressemblaient à autant
de portes dans une enceinte, je m'imaginais être au
centre de Bleston.

Au point où se rencontrent les deux grands côtés, je
suis passé sous l'architrave que soutiennent quatre

colonnes doriques trapues, si couvertes d'écorce noire qu'elles font penser à des fûts de conifères restés debout après l'incendie de la forêt et l'effondrement de leurs parties hautes ; puis, au sommet de la troisième pente, sur lequel la façade récemment refaite en briques de Dudley Station était encore rouge, je suis entré dans le grand hall où l'horloge marquait sept heures.

Comme ces minutes étaient lentes à passer ! Comme elles seraient lentes encore avant que je puisse aller frapper chez Matthews and Sons qui n'ouvrirait qu'à neuf heures, avant que les choses rentrent enfin dans leur ordre prévu !

Il m'a fallu attendre près d'une heure, buvant tasse de thé sur tasse de thé, avant que les boutiques se soient ouvertes sur la place, avant qu'un coiffeur ait délivré mon cou de son poil malpropre, et près d'une autre heure après cela, épuisant mon premier paquet de cigarettes anglaises, affalé sur un banc près des bus.

Ayant entendu sonner les neuf coups, je suis monté reprendre ma valise à la consigne de New Station ; le portique déversait alors une silencieuse foule grouillante et il y avait une longue file de taxis en mouvement régulier.

Je me suis jeté dans l'un d'eux, donnant l'adresse de Matthews and Sons que je savais par cœur pour l'avoir tant de fois écrite sur des enveloppes, ne serait-ce que pour régler mon arrivée ici.

Le chauffeur, qui, naturellement, n'avait pas compris, a démarré immédiatement pour ne pas encombrer le trafic, puis il a ouvert le carreau de communication et il a crié pour m'interroger, tordant la tête.

Il m'a fallu lui répéter plusieurs fois : « soixante-deux, White Street », en m'efforçant d'améliorer ma prononciation, tandis que nous descendions la pente au ralenti, puis il a fermé, viré sur la droite, viré encore, et nous nous sommes enfoncés dans Brown Street sous le pont.

Je voyais défiler des rues, des maisons, des affiches, des feux rouges aux croisements, de grands bus que nous dépassions, et je m'étonnais de la longueur du trajet, quand, tout d'un coup, je me suis aperçu que nous nous étions arrêtés, et qu'il sortait pour m'ouvrir la porte.

Alors j'ai jeté un coup d'œil sur le compteur, et je l'ai payé largement afin d'éviter toute discussion, puis je suis resté plusieurs minutes sur le trottoir, auprès de ma valise, à regarder, de part et d'autre des vantaux grands ouverts, les plaques de cuivre, trois de chaque côté, toutes, je le sentais, astiquées du matin, sauf une, déjà rugueuse de vert de gris, avec des lettres en relief proclamant les noms des firmes et leurs étages, en particulier celle de Matthews and Sons, à hauteur de mon œil, à gauche, entre Bloomfield Limited et Habersmith and Company, à regarder au-dessus du numéro « soixante-deux » les cinq rangées de fenêtres s'amincissant jusqu'au ciel qui se chargeait, les six corniches enjambées par le tuyau de la gouttière.

Vendredi 9 mai.

Je suis monté jusqu'au premier palier, lentement, m'accrochant à la rampe à cause du poids de ma valise, m'efforçant de reprendre possession du peu d'anglais que je savais, me serinant des formules de politesse usuelles.

Tendu, crispé, dans l'appréhension de ne pas comprendre, j'ai sonné et la porte s'est ouverte toute seule sur la grande pièce où je travaille maintenant tous les jours de semaine.

Un seul des neuf gentlemen penchés sur leurs papiers ou leurs machines à écrire, a relevé la tête, s'adressant à moi comme à un client.

« Oui monsieur ?

– Je voudrais voir monsieur Matthews, je suis Jacques Revel, je...

– Ah, le Français, n'est-ce pas ? Avez-vous fait un bon voyage ? Enchanté de faire votre connaissance, monsieur Revel ; je suis Ardwick. Attendez ici juste un instant ; je vais voir si monsieur Matthews peut vous recevoir. »

Je regardais la dixième table, près de la dernière fenêtre, cette table inoccupée qui, de toute évidence, allait être la mienne.

« Monsieur Revel ? »

Un petit homme replet, rougeaud, sautillant, le cou engoncé dans un haut col dur, m'a fait entrer dans son bureau.

« Enchanté de vous voir, monsieur Revel, je suis John Matthews, John Matthews le jeune, comme on dit. Vous excuserez mon père ; il ne veut pas qu'on le dérange en ce moment. L'hôtel vous a plu ? James Jenkins était allé vous attendre à la gare...

– J'ai pris un autre train ; je ne suis arrivé que ce matin... Je regrette...

– Ce n'est rien, monsieur Revel, rien du tout, mais vous auriez dû nous prévenir. Vous semblez vraiment très fatigué. Jenkins ! Vous accompagnerez monsieur Revel à l'Ecrou, après lui avoir présenté ses *nouveaux* collègues, naturellement. Reposez-vous bien, monsieur Revel, installez-vous, et soyez ici à neuf heures demain. »

Puis James Jenkins, ayant fermé la porte derrière moi, m'a fait faire le tour des tables, et j'ai entendu ces huit noms que je n'ai commencé à retenir que plusieurs jours plus tard : Blythe, Greystone, Ward, Dalton, Cape, Slade, Moseley, Ardwick enfin, les noms de ces huit personnages que j'ai revus tous les jours de semaine à la même place depuis sept mois.

« C'est tout votre bagage, monsieur Revel ? »

Sa voix douce, timidement gaie, me réconfortait.

J'ai vu sa main se fermer sur la poignée de ma valise, son pouce cacher soigneusement la ficelle blanche qui la réparait ; son œil bleu clair avait cligné ; je me suis senti rougir de honte et presque vaciller.

« Vous allez à l'Ecrou, évidemment ; le vieux Matthews y expédie toujours les nouveaux arrivants ; c'est devenu presqu'un proverbe parmi nous. C'était tout près de son ancienne demeure, et comme personne ne s'est jamais plaint, il n'a pas jugé utile de changer. Vous verrez, le quartier est assez plaisant, vous avez même un cinéma tout à côté ; je pense que cela vous conviendra, au moins pour quelques jours. Nous y serons dans un quart d'heure avec la voiture. »

Nous roulions ; la pluie s'était mise à tomber ; les essuie-glaces passaient et repassaient dans le ruissellement ; James continuait à parler doucement, m'expliquant que cette Morris noire appartenait à Matthews and Sons, mais qu'il en avait la garde parce qu'il y avait un garage libre dans la maison de sa mère ; j'étais incapable de lui répondre, incapable bientôt de suivre ce qu'il me disait.

Nous nous sommes arrêtés devant un porche à colonnettes couvert d'une épaisse couche de peinture blanchâtre, au-dessus duquel, pendue à sa potence par des chaînes, l'enseigne, un grand écrou hexagonal doré, se balançait.

Au guichet de la réception, James s'est entretenu pendant longtemps avec une jeune fille aux cheveux trop blonds, aux offensantes lunettes d'écaille, et moi, perdu dans cette conversation rapide, j'en attendais le résultat en les regardant tour à tour, souriant pour me donner une contenance.

A la fin, lentement, James Jenkins s'est tourné vers moi, et m'a dit, s'efforçant d'articuler bien distinctement, conscient de son rôle d'interprète :

« La chambre retenue pour vous est au troisième. Ils n'en ont pas d'autre. Cela ne vous ennuie pas ? »

J'ai approuvé de la tête ; j'ai inscrit mon nom et mon numéro de passeport sur le registre à la page du mardi 2 octobre ; puis James a insisté pour monter ma valise, et l'a déposée dans la petite pièce, sur le petit lit.

« Jenkins », c'était la première fois que je l'appelais par son nom, et je ne me suis servi de son prénom que plusieurs mois plus tard, « excusez-moi si je prononce mal ; je voudrais savoir : celui qui était avant moi à la dixième table, c'était un Français ?

– Non, monsieur Revel, il n'y a pas eu d'étrangers chez Matthews and Sons depuis la guerre, et avant, je n'y étais pas encore, vous comprenez. Vous êtes le premier que j'aie rencontré.

– Est-il possible de prendre ses repas dans cet hôtel ?

– Non, monsieur Revel, le petit déjeuner seulement. Mais vous avez un restaurant pas très loin, la jeune fille vous indiquera.

– Merci, Jenkins, à demain, Jenkins. »

Il n'y avait pas de table ; la fenêtre donnait sur un mur de briques au fond d'une cour.

Je me disais en me déshabillant dans la salle de bains de l'étage : « je ne puis pas rester ici, je ne dois pas rester ici, je suis perdu si je reste ici, dès demain je vais me mettre en quête d'un logement meilleur ».

Quand je me suis couché ce matin-là, ma montre marquait dix heures et demie, quand je me suis levé l'après-midi, six heures.

J'ai avalé dans le snack-bar tout proche des sandwiches au jambon et des tasses de thé.

Ah, dans cette seconde nuit à Bleston, comme le vrai sommeil a été long à revenir !

3

Tandis que mon réveil sonnait, tandis que j'écartais mes draps dans la lumière blafarde qui traversait les minces rideaux, tandis que j'épaississais sur mon menton la couche de mousse froide, je me murmurais : « chez Matthews and Sons à neuf heures, soixante-deux, White Street », et peu à peu cela prenait la forme d'une question : « comment y parvenir ? » ; j'ai préparé soigneusement mes mots pour interroger la demoiselle en bas.

Elle s'est appuyée à son dossier, faisant taper son crayon sur ses dents.

« White Street, dites-vous ? C'est dans quelle partie de la ville ?

– Je ne sais pas exactement ; près du centre, je suppose...

– Si ce n'est pas trop loin de l'Ancienne Cathédrale, le mieux est de prendre le bus 17. La station est toute proche, la deuxième rue à droite. Demandez au contrôleur, il saura peut-être. »

Celui-ci m'a répondu :

« Vous ferez bien de descendre à Tower Street. »

Je suis monté à l'étage supérieur d'où j'ai regardé les

automobiles glisser au-dessous de moi comme des poissons de rivière.

« Tower Street, monsieur, Tower Street ! »

Je me suis trouvé entre de grands immeubles à plaques de cuivre, devant lesquels passaient des employés pressés, et j'ai arrêté l'un d'eux, tandis qu'une horloge sonnait neuf heures.

« Excusez-moi. White Street ?

– Mais, vous y êtes, monsieur. »

Alors j'ai reconnu la porte, la première après le croisement, le numéro soixante-deux, les six corniches, la gouttière, les trois marches, puis l'escalier.

« Bonjour, monsieur Revel », m'a dit John Matthews le jeune, en interrompant sa conversation avec Ardwick, « vous avez passé une bonne nuit ? Tout va bien ? Pour aujourd'hui vous enregistrerez la correspondance. Tout est préparé sur votre table, au coin, près de la fenêtre. Si vous avez besoin de quelque explication, demandez à Jenkins. »

Je me suis assis à ma place, j'ai regardé à gauche, au travers des vitres, les étages supérieurs, les lucarnes, le toit d'ardoises, les cheminées et les paratonnerres de la compagnie d'assurances « La Vigilante », devant moi, me tournant le dos, dans un fauteuil rotatif dont le pivot grince à chaque mouvement, Blythe (je ne sais toujours pas son prénom, je n'ai jamais affaire à lui), à ma droite James Jenkins, tout cet environnement qui n'a pas changé depuis plus de sept mois.

Ce matin-là, le vieux John Matthews, que je n'avais encore jamais vu, semblable au squelette de son fils, sur lequel la peau se serait racornie, a fait une apparition dans la salle, et m'apercevant, m'a lancé :

« C'est vous, Revel ? très bien, ne vous dérangez pas. »

A midi et demie, j'ai suivi le mouvement général, surpris de voir Ardwick et Greystone rester assis à leurs tables, comme si rien ne se passait.

« Ils n'iront déjeuner que lorsque nous serons revenus », m'a expliqué James. « Nous ne fermons pas de
neuf à six heures. »

Je l'ai suivi dans une gargotte de Tower Street, un
sous-sol sans fenêtres.

« On peut trouver moins cher, mais il faut se servir
soi-même ; je crois que ceci est plus agréable. »

Il y avait un peu de soupe, un peu de poisson frit,
quelques pommes de terre dures, la bouteille de sauce
rouge sur la table, pour assaisonner, un petit pain rond
de la taille d'une balle de tennis, une tasse de thé, et
pour finir, une pâtisserie justement nommée « éponge »,
couverte de cette immanquable crème couleur de jon-
quille fanée, qui laisse dans la bouche un goût de colle.

« Si vous avez encore faim, je peux demander du fro-
mage et des biscuits... »

Que sa voix douce et attentive m'a manqué le soir,
quand je suis revenu dans ce souterrain, par paresse de
chercher mieux !

Que le repas, toujours le même, sauf quelques varia-
tions insignifiantes (le potage plus vert ou plus brun,
quelques raisins secs ou de la confiture dans les des-
serts), m'a paru fade sans l'agrément de ses questions
prononcées si distinctement et suivies de tant de
patience, de tant d'indulgence pour mes réponses
bafouillées !

Il se considérait comme attaché à ma personne ; je
lui inspirais de la curiosité, du respect, et en même
temps une certaine pitié, car il sentait que je me trouvais aux prises avec de multiples difficultés qu'il s'effor-
çait de se représenter et d'aplanir.

C'est grâce à lui que j'ai pu me débrouiller rapidement dans mon travail chez Matthews and Sons, et il
est le seul de mes collègues avec qui j'aie jamais eu des
relations autres que strictement professionnelles, car si
j'ai déjeuné souvent à la même table que Dalton ou

Cape, habitués du restaurant Lancaster qui possède l'immense avantage sur celui de James, le Burlington, d'être en même temps débit de boissons, jamais ils n'ont cherché à me faire parler, jamais ils n'ont tenté de savoir, dans ce mois d'octobre, si j'avais réussi à accrocher un sens à leurs rares syllabes, dont je sais maintenant qu'elles se réduisent à « jolie pluie fine, ce matin », « le vieux Matthews est en colère », « vous avez l'air très affamé », ou « l'équipe de Bradford a encore eu le dessus cette année » ; et pourtant, comme il était visible que je peinais pour comprendre et me faire comprendre !

Mardi 13 mai.

Encore tout étourdi de mon voyage, accablé par ces premières journées de travail, qui, malgré la simplicité des tâches que l'on m'y avait proposées, ont été les plus dures de mon année, parce que l'effort de traduction était encore constant, et que j'avais à m'habituer aux mille détails d'une routine administrative nouvelle, je me retrouvais, le soir, dans une solitude absolue, incapable de la moindre décision, n'ayant qu'une hâte, la dernière bouchée fade avalée, grimper dans l'étage du bus 17, voir défiler ces rues encore sans nom pour moi, rejoindre cette chambre que je m'efforçais de ne pas regarder, une fois que j'y étais entré.

Dans mes draps, dans le noir, je me disais : « samedi, cela va changer, j'aurai le temps d'aller à la recherche d'un logement, de m'y reconnaître dans cette ville dont j'ignore encore les ressources ».

A midi donc, le 6 octobre, au sortir de chez Matthews and Sons, tous les visages étant un peu détendus par le soulagement qu'apporte la fin de la semaine (et pour mes neuf compagnons de salle, ç'avait été une

longue semaine comme toutes les autres, dont mon arrivée avait constitué le seul, bien mince, événement),
réconforté par cette amélioration des regards et par le
temps doux et clair, je me suis engagé dans Tower Street
vers la droite, avec l'espoir d'y découvrir un restaurant
plaisant.

C'est entre ces façades funèbres que je voyais s'éloigner le matin, après l'avoir quitté, le haut rectangle
rouge du bus 17, entre ces façades funèbres sur lesquelles s'alignent de guingois, telles celles de craie sur
les tableaux noirs des écoles élémentaires, d'épaisses
majuscules d'or terni.

Je pensais être tout près de l'Ancienne Cathédrale, le
terminus de cette ligne, et je la croyais devant moi,
cachée par quelque haute maison, alors qu'elle était à
ma droite.

Les rues, les places que j'avais traversées, les bâtiments que j'avais vus et même ceux dont je ne connaissais que l'existence, s'étaient déjà organisés dans mon
esprit, s'agglomérant en une vague représentation géné-
rale très fausse de la ville par laquelle je m'orientais sans
en prendre clairement conscience, de cette ville dont je
n'avais pas encore vu de plan, et dont j'étais encore
incapable d'apprécier les véritables dimensions.

De toutes les portes sortaient des employés en imperméables et chapeaux melons ; les voitures passaient lentement, serrées ; mais alors que je m'attendais à voir la
foule et le nombre des magasins augmenter à mesure
que j'avancerais, au contraire j'entrais dans des zones
de plus en plus calmes où les vitrines, les enseignes, déjà
rares près de chez Matthews and Sons, s'espaçaient
encore, et où il y avait de moins en moins de bruits.

Pressant le pas, je suis arrivé dans une région où la
chaussée déserte était défoncée, où les maisons
n'avaient plus que deux ou trois étages, où le chemin
était barré par un petit mur derrière lequel, au fond

d'une fosse large de vingt mètres, aux parois droites comme celles des douves d'un château, j'ai découvert une eau épaisse, noire et mousseuse, une sueur de tourbe, avec cette odeur que j'avais sentie en aspirant pour la première fois l'air de la ville, sur le quai de Hamilton Station, mais plus violente et macabre.

Le ciel s'était obscurci ; j'avais faim.

Au bruit de mes pas, un homme, assis sur les premières marches d'un des escaliers de fer qui plongent, a retourné vers moi son visage du même noir que l'eau.

« Excusez-moi, monsieur. Pourriez-vous m'indiquer le moyen le plus rapide pour regagner le centre ?

– Pardon ? »

Il avait une prononciation pénible, comme dégoûtée ; ramassé, tel un bloc de terre couvert d'un manteau, le corps penché en avant, les jambes repliées, les mains tenant les coudes appuyés sur les genoux à la hauteur de mes chevilles, la peau, même celle des lèvres, semblable à du cuir mince depuis longtemps déverni, il levait ses yeux jaunes et bruns vers les miens.

« Pour aller au centre ?

– Qu'est-ce que vous voulez dire par centre ? »

Tous ses mots étaient un peu déformés, comme assombris, mais il les détachait avec une telle lenteur, de sa voix grave et rouillée, que j'avais le temps de les identifier un par un.

« Alexandra Place. »

C'était le premier exemple qui m'était venu à l'esprit ; j'aurais pu lui dire tout aussi bien : « l'Ancienne Cathédrale », ou « l'Hôtel de Ville » que je ne connaissais ni l'un ni l'autre.

« Alexandra Place, je ne sais pas. »

Il faisait lentement pivoter sa tête pour ponctuer.

« Non, vraiment, je ne sais pas ; il y a des années que je ne suis pas allé là-bas.

– Vous ne sortez jamais de ce quartier ?

– Ce n'est pas mon quartier, vous savez ; j'habite près du pont que vous pouvez voir.

– Est-ce qu'il y a des restaurants par ici ?

– Je ne sais pas.

– Je m'excuse de vous importuner ; je suis un étranger, je ne suis arrivé que cette semaine...

– Pas besoin de le dire, monsieur, cela se voit bien.

– Et près de chez vous, du côté du pont ?

– Un étranger, Seigneur ! Mais qu'est-ce que vous êtes venu faire par ici ? Bien, bien, ne partez pas. »

Quand il s'est relevé, j'ai été surpris de sa hauteur (il me dépasse de la tête).

« Ainsi vous avez faim, monsieur ! Vous voulez déjeuner, monsieur ! Eh bien, moi aussi ! Allons-y ! »

Il a éclaté de ce rire bruyant qui n'efface jamais tout à fait sa tristesse, de ce rire imprévisible auquel, même aujourd'hui, je ne parviens à m'associer que rarement.

Mercredi 14 mai.

Nous longions la rivière sans la regarder ; il faisait tinter des sous dans ses poches ; et comme nous passions devant une grille, il s'est arrêté pour me dire :

« C'est là mon travail, filature de coton, vous savez ; et vous ?

– Je suis chez Matthews and Sons, je m'occupe de la correspondance avec la France.

– Comment ?

– J'écris des lettres en français.

– Vous êtes employé, quoi ! Toute la journée sur une chaise, hein ? C'est bien. Et Français ? Jamais rencontré de Français ; il ne doit pas y en avoir beaucoup, par ici.

– Je ne peux pas vous dire ; je ne connais encore personne en dehors des gens avec qui je travaille. »

Il tombait de très fines gouttes de pluie.

« Quant à vous ?

– Quoi ?

– D'où venez-vous ?

– Moi ? Ce n'est pas pareil ; il y a longtemps que je suis ici.

– Mais avant ?

– D'Afrique, naturellement, comme eux tous. »

Il s'était arrêté devant une porte entrouverte, de part et d'autre de laquelle étaient vissées des plaques publicitaires de bières, en tôle émaillée, sur fonds blancs, le triangle rouge de Bass, la harpe de Guiness.

« C'est ici, votre restaurant ?

– Entrez, ça vous fera du bien. Nous irons manger après. »

C'est alors que j'ai fait connaissance avec ce froid des pubs à demi vides et leur poussière grasse.

« Qu'est-ce que vous prenez, monsieur le Français ? »

J'ignorais le goût des boissons de Bleston, leurs prix, et les formules pour les commander.

« N'importe.

– Deux pintes de stout, madame. »

Ce liquide sombre et poisseux qui débordait des grands verres cannelés à anses, il me semblait que c'était l'eau même de la rivière, recuite et concentrée.

Il a payé sans me laisser le temps de protester ; il a bu d'un seul trait, s'essuyant ensuite les lèvres du revers de sa main noire ; il m'a fallu bien plus longtemps.

Comme je ne voulais pas être en reste, il y a eu une seconde tournée, et comme j'avais très faim, les murs se sont mis à se balancer tout autour de moi ; j'ai dû rester quelques instants, les doigts accrochés au rebord de cuivre à contempler sur le linoléum acajou les ronds de mousse et leurs bulles, chacune agrémentée d'un petit reflet des fenêtres.

Dehors, quand nous sommes sortis, tout était déjà ruisselant.

Il a repris de lui-même la conversation, mais sur un tout autre ton, plus bas, grondant, les yeux fixés sur le sol.

« Il y en a des nègres à Bleston, il y en a beaucoup d'autres que moi, surtout quand on va un peu plus au nord, mais il n'y en a pas qui soient de mon pays vraiment ; ils viennent presque tous de la Sierra Leone, et ils parlent entre eux la langue de là-bas que les Anglais ne comprennent pas, mais moi non plus.

Ils vivent ensemble dans de grandes maisons avec des femmes, et ils ont des phonos et des disques ; je vais les voir de temps en temps, les uns ou les autres, mais vous comprenez, je ne suis pas tout à fait de la même race. »

A travers une grande vitre sur laquelle le menu du jour était peint en blanc, j'ai vu un petit borgne en tablier, penché sur son livre de comptes, qui a attendu pour se lever, lorsque nous sommes entrés, que nous nous soyons assis à l'une des trois tables, qui est venu en boitillant jeter entre nous, sur la nappe de papier taché, un fagot de couverts.

« Comme d'habitude ?

— Comme d'habitude, pour deux.

— Le pain... Le poisson... Les légumes... Le vinaigre... Le thé ; ça va ? »

Puis il est allé se rasseoir derrière sa caisse.

Quelques minutes plus tard, mon compagnon m'a dit à voix basse, après avoir retiré de sa bouche une dernière arête :

« Pas trop mal, hein ? Vous voudrez peut-être un dessert ?

— Que prenez-vous ?

— Moi ? Rien en général ; vous savez, ce n'est pas très fameux... Alors, si vous n'y tenez pas non plus, je crois qu'il vaudrait mieux ne pas le déranger. »

J'avais froid de nouveau.

« J'aurais bien aimé encore une tasse...

— Vous n'avez qu'à venir chez moi ; je vous ferai du thé, et il sera meilleur. Allons ! »

Il s'est levé et il a reboutonné son imperméable, il est allé poser sur le livre de comptes une pièce en lançant : « hello, Jack » ; mais l'autre n'a pas bronché.

Dans la pluie, deux petites filles vêtues de noir se sont enfuies à notre approche, étouffant un rire suraigu.

« Combien vous dois-je ?

— Rien.

— Comment ? C'est tout à fait aimable de votre part, mais tout nouveau venu que je sois, je gagne probablement autant que vous. »

J'ai sorti de ma poche une poignée de monnaie.

« Je le sais bien, que vous gagnez autant que moi.

— Dans ces conditions...

— Pourquoi ne voulez-vous pas accepter ce que je vous ai donné ? Cela vous fait honte, qu'un homme de couleur vous ait payé à déjeuner ?

— Pas du tout...

— Alors, pourquoi restez-vous là ? Je croyais que vous aviez envie d'une tasse de thé. »

Il m'a donné un coup sur l'épaule pour m'entraîner.

Si je l'ai suivi malgré la gêne et même l'inquiétude qu'il m'inspirait, c'est par curiosité, bien sûr, par gratitude aussi pour sa franchise et sa générosité, mais surtout c'est parce qu'il parlait si lentement que je le comprenais, et en même temps si mal qu'en m'adressant à lui, je n'avais plus aucune honte de prononciation détestable.

« Naturellement, chez moi, ce n'est pas très grand, mais vous verrez, c'est assez propre. »

Je regardais autour de nous les maisons séparées, sans boutiques, avec quelques rares affiches sur les côtés, sans rideaux aux fenêtres de leur unique étage.

Il a fait tourner la clé plate brillante entre son pouce et son index replié, puis j'ai vu l'escalier raide avec sa rampe qui tremble toute, dès que l'on y pose la main.

Jeudi 15 mai.

Tandis que je pénétrais, méfiant, dans la chambre obscure où je n'ai distingué d'abord que le grand lit défait, j'ai été assailli par l'odeur aigre du vieux linge.

« Enlevez votre imperméable, vous pouvez l'accrocher ici ; prenez une chaise. »

Quand il a fait tomber la couverture masquant les vitres, la lumière est entrée comme un coup de vent, et les plis contournés des draps ouverts ont pris une couleur de plâtre.

« Vous n'avez pas froid ? Je peux allumer le radiateur. Voyez ; ça chauffe assez bien. Venez auprès pour vous sécher. Je mets l'eau à bouillir ; ça sera prêt dans un instant. »

Par terre, presque sous le lavabo, luisait la flamme bleue du réchaud ; à sa droite, sur un petit tapis, je voyais deux souliers à talons, et dans la penderie qu'il venait de refermer, plusieurs robes.

Il a retapé le lit, s'excusant :

« Elle n'est pas venue depuis plusieurs jours, vous comprenez...

– « Elle » vient souvent ?

– Je crois qu'elle ne viendra plus ; elle a dû trouver du travail. »

Ayant couvert la table d'un vieux journal, il y a posé deux verres, du sucre dans un sac de papier blanc, deux petites cuillers en métal argenté, et son pot de faïence dans lequel il a jeté par grosses pincées ce qui restait de thé dans un paquet enveloppé d'étain mince, puis l'eau bouillante.

« Vous l'aimez fort ?

– Assez.

– Il sera fort. Je n'ai pas de lait. »

Le breuvage qu'il m'a versé m'a paru aussi noir que la bière de tout à l'heure et l'eau dans la fosse, avec tous ces fragments de feuilles mortes y nageant, sources de sa puissante âcreté.

Toujours debout, il a levé dans sa main droite sombre son verre brûlant où la transparence allumait une flamme fumeuse.

« Je vous souhaite la bienvenue dans ma maison, monsieur le Français, je vous souhaite la bienvenue dans la magnifique ville de Bleston... »

C'est avec jovialité qu'il avait voulu prononcer ces paroles, mais la lenteur de leur débit leur conférait une étrange solennité, puis tout d'un coup le rire est né dans l'arrière de sa gorge, à partir de « magnificent », s'est retenu, troublant les derniers mots, puis a éclaté, sarcastique, rongé de rage, faisant vibrer les vitres, pour s'arrêter soudain, comme cassé.

Que de fois, errant dans les rues ou mes chambres, j'ai réentendu, se murmurant à mes oreilles, cet amer discours d'accueil, et maintenant encore, lorsqu'en son absence je fixe ma pensée sur le personnage d'Horace Buck, c'est d'abord dans cette attitude, ou pour mieux dire, dans ce rôle qu'il m'apparaît.

Après avoir bu une grande lampée, après s'être léché les lèvres, il s'est assis, croisant ses mains autour de son verre mi-vide.

« Vous resterez longtemps ?

– Un an.

– Bien payé, au moins ?

– Quelque trente-cinq livres par mois.

– Vous êtes riche, monsieur le Français ; vous voici depuis cinq jours à Bleston, et vous gagnez déjà beaucoup plus que moi qui y suis depuis tant d'années, beaucoup plus que quantité de ceux qui y sont nés et qui n'en sont jamais sortis. »

Sa voix s'amenuisait, vieillissait ; comme je commençais à boire, il m'a interrompu d'un claquement de doigts.

« Attendez, je dois avoir un peu de rhum ; cela vous réchauffera encore mieux. Hum, juste un fond. »

Les dernières gouttes tombaient du goulot dans son verre.

« Bah, ce n'est pas une si mauvaise ville ; le vent n'y est jamais aussi terriblement froid que sur la côte ; pour vous elle peut être douce. »

Il a posé la bouteille sur le carreau, puis il a reniflé les vapeurs de l'alcool.

« Ecoutez : quand je suis arrivé ici, dix ans après avoir débarqué à Cardiff, je me suis dit : c'est fini de changer de place tous les trois mois ; ce n'est pas la peine de quitter mon travail et ma chambre, si c'est pour en retrouver de pareils, avec le même mauvais temps, de dire adieu aux camarades juste au moment où je commence à bien reconnaître leurs voix, si c'est pour le dire aussi vite à ceux que je rencontrerai ; cette ville est dure, mais les autres sont dures aussi par ici ; il faut attendre, pour pouvoir partir un jour pour de bon, prendre le bateau, et m'installer une fois pour toutes, ouvrir boutique, dans un pays tout différent.

Mais tout ce que je réussis à amasser en vivant comme un sauvage, les femmes savent bien me le prendre.

Que voulez-vous que je fasse de ses robes, si elle ne revient pas les chercher ? Une autre n'en voudra pas. »

S'il avait ainsi déployé sa haine envers les gens et les paysages de Bleston, lentement, entourant chaque mot d'une marge d'effort silencieux, se répétant, interrompant à tout moment ses phrases de « vous comprenez ? », « vous voyez ? », auxquelles je répondais par des « oui », des « bien sûr », dont il est inutile de chercher à reconstituer le détail, c'est qu'il avait senti en moi, nouveau venu, étranger, un blanc capable de la partager, cette haine, ce qui en modifiait la portée, ce qui la justifiait et la consolidait.

Sa main droite s'était crispée sur son verre froid qu'il a vidé avec une grimace, puis qu'il s'est mis à caresser du bout des doigts pour se détendre.

Ainsi le premier homme avec lequel j'aie eu une conversation personnelle dans cette ville, dressait contre elle ce réquisitoire, me prenait à témoin de son malheur, me demandait d'enregistrer sa plainte, comme si j'étais l'envoyé d'un juge.

J'ai bien essayé de tenir compte de cette mise en garde, de me défendre, mais pas assez : la gigantesque sorcellerie insidieuse de Bleston m'a envahi et envoûté, m'a égaré loin de moi-même dans un désert de fumées.

Gêné par cette chambre triste, je n'osais plus regarder son visage silencieux ; comme je relevais un peu ma manche, afin de lire l'heure sur ma montre, il s'est redressé, comme s'éveillant.

« Les pubs vont bientôt rouvrir ; vous viendrez bien boire avec moi. »

Mais je ne pouvais pas rester un instant de plus à ne rien faire, à attendre dans cette lumière de plus en plus maussade, et surtout, il fallait que je le quitte lui, ce nègre pour qui je ne pouvais rien.

C'était comme si j'avais eu peur que sa haine, que sa misère ne fussent contagieuses, et peut-être l'étaient-elles en effet, peut-être étais-je déjà contaminé ; mes yeux se sont peu à peu chargés du même nuage que les siens.

J'ai prétendu qu'un de mes collègues m'avait invité pour le thé, que j'étais en retard ; je lui ai même donné une adresse inventée, en lui demandant s'il pouvait m'indiquer le moyen d'y parvenir.

« Comment saurais-je ? Pourquoi commencez-vous

toujours par refuser ? Vous me méprisez. Vous regret-
tez d'avoir passé tout ce temps avec moi...

– Un autre jour, avec plaisir ; mais c'est la première
fois que je vais chez ces gens, je ne peux pas les faire
attendre...

– Si vous ne savez pas comment y aller...

– C'est du côté de l'Hôtel de Ville, je crois...

– Alors il faut prendre le bus 27, celui qui passe sur
le pont. »

Il m'a accompagné jusqu'à la station ; la pluie fouet-
tait ; comme je sautais sur la plateforme, il a crié :

« Revenez me voir ! Revenez ! »

Il ne m'avait pas dit son nom, et je n'avais pas pris
garde à celui de sa rue.

Vendredi 16 mai.

Je suis monté à l'étage du bus, presque à la hauteur
du toit des maisons environnantes qui, peu à peu, se
sont élevées comme des falaises de charbon suintant,
sommées de pinacles de rouille.

J'ai demandé au contrôleur :

« Pour la Cathédrale, s'il vous plaît ?

– Le mieux est de descendre à White Street. »

Il avait ajouté d'autres phrases, mais de nouveau je
me trouvais quasi sourd-muet ; il n'avait pu s'empêcher de laisser paraître, par un discret froncement
de sourcil, l'étonnement que lui avait causé ma prononciation, et ses mots rapides, liquides, avaient
glissé sur mes oreilles, sans qu'il me fût possible de les
saisir.

Je m'étais arrêté à ce nom, White Street, croyant avoir
fait un contresens, qu'il s'agissait d'une autre rue
presque homonyme, car, dans la représentation grossière et fallacieuse que j'avais alors de la ville, repasser

près de Matthews and Sons me semblait un absurde
détour, et je n'ai pas eu le temps de le lui faire répéter,
parce qu'il s'éloignait déjà, secoué par les cahots, dis-
tribuant les tickets aux autres passagers derrière moi.

Je devais me rendre à l'évidence : nous roulions maintenant dans Tower Street, nous arrivions au carrefour,
à la compagnie d'assurances « La Vigilante », j'apercevais la porte de Matthews and Sons avec le numéro
soixante-deux, et le contrôleur me criait, la main sur la
rampe du petit escalier qu'il avait déjà à moitié descendu :

« White Street, monsieur, White Street. »

J'étais revenu à mon point de départ de midi.

A gauche de la chaussée, je voyais, au dos du 27, les
mots « Town Hall » en blanc sur noir, au milieu du
grand rectangle de tôle rouge mouillée, diminuer, puis
s'effacer, et à leur droite, s'agrandissant, s'éclaircissant,
Old Cathedral, au sommet d'un 17 venant en sens
inverse, dans lequel je me suis précipité, furieux comme
si j'avais été berné.

Je ne pouvais savoir que le contrôleur, m'entendant
parler de Cathédrale sans préciser, se fiant à l'usage courant de Bleston, m'avait indiqué le moyen de me rendre
à la « Nouvelle » dont j'ignorais l'existence, et qui se
trouve, en effet, à quelque deux cents mètres seulement
au sud de chez Matthews and Sons.

Il était déjà près de six heures quand je suis descendu
devant le portail latéral fermé, orné de motifs celtiques,
sur l'étroite place déserte, écrasée par les trois tours de
pierre noire, où les réverbères s'allumaient dans la pluie
brune.

Après avoir fait le tour de l'abside sans la regarder,
j'ai découvert dans une petite rue plus animée que ses
voisines, éclairée de quelques vitrines de brocanteurs et
de libraires d'occasion, un salon de thé classique, lam-
brissé de chêne sombre, tenu par des demoiselles épi-

neuses qui m'ont servi en guise de dîner des sardines sur des toasts et des tartelettes emplies de crème rosâtre.

Puis dans la nuit et la pluie noires, je suis revenu attendre, à l'abri des arcs décorés de griffons emmêlés, le bus 17 qui m'a ramené jusqu'à l'Ecrou, et que j'ai repris le lendemain dimanche vers onze heures, le ciel découvert, le rayon de soleil presque chaud qui m'avait réveillé m'ayant donné envie de campagne, jusqu'à son autre terminus, Deren Square, carré de villas autour d'une pelouse soignée mais peu fournie.

J'ai continué à pied dans la même direction, sifflant, droit devant moi, entre les haies de troènes taillés, les jardins minuscules fleuris de chrysanthèmes roux, les maisons assez agréables avec l'envers d'une coiffeuse à la bow-window de l'étage, renonçant peu à peu à déchiffrer ces noms tous teintés de la même vie tranquillement insuffisante, « mon paradis », « beau site », « Blackpool plage » ; j'ai continué entre ces deux séries indéfinies de reproductions à peu près satisfaisantes pour un œil très émoussé, d'un original certainement fait pour un autre paysage, pour une autre végétation, pour un autre ciel, pour la solitude, pour être caché par de grands arbres sur un fond de collines.

A l'horizon plat, de chaque côté, se dressaient de hautes cheminées inactives.

Pendant deux kilomètres j'ai marché sans que s'interrompe la succession des « ermitages » réguliers comme les divisions sur un instrument de mesure, silencieux sans autre animation que leurs fumées, fragiles décors bien clos, fragiles refuges contre les noires puissances de la ville, fragiles niches pour chiens aisés, sans fondations, sans armatures.

Après avoir passé un premier carrefour, avec quatre boutiques aux angles, toutes fermées, épicerie, teinturerie, quincaillerie, tabac et journaux, j'ai hâté le pas, las jusqu'à l'écœurement de ces logis pourtant aimables pris un par un, ne pouvant plus les regarder, les yeux fixés sur les menus cailloux enrobés dans le goudron de la chaussée, ou le ciel qui devenait gris.

Il m'a fallu plus d'une demi-heure encore pour arriver, non au terme que j'espérais de ce radotage (la rue se prolongeait au-delà, sans limites visibles, toute droite dans sa désolation douceâtre), mais à une autre interruption, à un rond-point avec un pub ouvert où je suis entré.

« Non, nous ne servons pas de déjeuner, monsieur, je suis désolé.

— Vous n'avez rien à manger ?

— Je peux demander à ma femme de vous préparer un sandwich au jambon ; cela ferait-il l'affaire ?

— Rien d'autre ?

_ Non monsieur. Wendy, un sandwich au jambon pour ce jeune homme.

— Excusez-moi, il n'y a pas de restaurant par ici ?

— Wendy, savez-vous s'il y a un restaurant pas trop loin ?

— Je ne pense pas, monsieur. Avez-vous entendu parler d'un restaurant par ici ?

— Oh non, madame, nullement. Donnez-moi une pinte de Guiness, je vous prie. Merci. Où mène cette rue ?

— Quelle rue ?

— Celle-ci, dans cette direction.

— Ce n'est pas une rue, monsieur, c'est une avenue, Deren Avenue ; elle va jusqu'à Hamilton ; vous y êtes presque maintenant.

— Il y a des maisons jusque-là ?

— Bien sûr, monsieur.

— Et c'est grand, Hamilton ?

— Mon dieu, naturellement ce n'est pas aussi grand que Bleston, mais c'est un bon morceau de ville.

— Et après ?

41

– Il y a d'autres routes et d'autres villes. Vous êtes étranger, sans doute ?

– Je voulais aller vers la campagne...

– Vous avez de jolis parcs à Hamilton, Queen's Park surtout, n'est-ce pas, Wendy ?

– Non, pas des parcs...

– Oui, je vois, la vraie campagne. C'est un peu difficile à trouver par ici ; vous avez des terrains en friche dans certains intervalles entre des villes, mais, comment vous dirais-je, c'est un peu abîmé, sali ; je ne pense pas que cela soit ce que vous cherchez. Ecoutez : le plus sûr, si vous disposez d'un week-end, est de prendre le train à Dudley Station, et d'aller jusqu'à la région des collines... »

Il parlait trop vite, je ne pouvais plus le suivre ; quand il a senti que j'avais cessé de l'écouter, il s'est arrêté brusquement, et je l'ai payé en le remerciant de façon confuse.

J'ai repris la route en sens inverse, entre ses deux bordures de maisons semblables et symétriques.

C'était comme si je n'avançais pas ; c'était comme si je n'étais pas arrivé à ce rond-point, comme si je n'avais pas fait demi-tour, comme si je me retrouvais non seulement au même endroit, mais encore au même moment qui allait durer indéfiniment, dont rien n'annonçait l'abolition ; et la fatigue, le sentiment de la solitude, tels de longs serpents de vase froide, s'enroulaient autour de ma poitrine, l'écrasant si fort que mes mâchoires se crispaient, que mes yeux s'entouraient de rides ardentes, tandis que le ciel se chargeait.

Quand j'ai enfin réussi à quitter ce faubourg de ternes mirages, quand j'ai atteint Deren Square dont l'animation m'a surpris par contraste, j'ai sauté dans le bus 17 qui m'a amené jusqu'au carrefour de White Street et de Tower Street, et de là j'ai pris le 27 jusqu'à cette sta-

tion de Brandy Bridge Street où j'avais quitté Horace
Buck, la veille.

Je ne savais pas alors comment il s'appelait ; je ne
connaissais pas le nom de sa rue, Iron Street, ni le
numéro de sa porte, 22 ; je n'avais pas encore vraiment
examiné son visage ; je n'aurais pu le décrire que
comme un grand nègre à la diction lente et embarras-
sée ; mais il était le seul habitant de Bleston à m'avoir
introduit dans sa maison, et je m'imaginais pouvoir
retrouver mon chemin jusqu'à lui, comptant sans le
nombre de ces petites façades, de ces ruelles, de ces
impasses, sans la tombée sournoise de la nuit, sans ma
timidité, sans ma difficulté à m'expliquer dans une
langue encore si peu familière, sans l'étrangeté d'une
question si vague.

« Un noir, dites-vous ? Quel noir ? »

Après maint aller et retour, après maint parcours
hésitant, l'allumage brusque des réverbères insuffisants,
trop espacés, sifflants de gaz, entourés chacun d'un
halo de brume semblable à un essaim de mouches
blanches aux ailes irisées, m'a révélé que j'étais
retourné, sans m'en douter, à cet arrêt du bus 27 dans
Brandy Bridge Street, d'où j'étais parti pour commencer ma recherche.

Alors j'ai eu l'impression qu'une trappe venait de se
fermer, et j'ai sursauté, comme si j'en avais entendu le
bruit.

Il n'y avait plus rien à faire ce soir-là, il n'y avait qu'à
rentrer à l'Ecrou.

Déjà, les ruses de la ville usaient, étouffaient mon
courage, déjà sa maladie m'avait enveloppé.

Jamais je n'ai renouvelé cette tentative de lui échapper en marchant droit devant moi, trop sûr que mes
forces s'épuiseraient, que le temps de répit passerait,
bien avant l'arrivée au paysage de mon désir, bien avant
la délivrance, la certitude d'être sorti ; car dès ce jour

j'avais compris que Bleston, ce n'est pas une cité bien limitée par une ceinture de fortifications ou d'avenues, se détachant ferme sur le fond des champs, mais que, telle une lampe dans la brume, c'est le centre d'un halo dont les franges diffuses se marient à celles d'autres villes.

Jamais, ce qui montre bien à quel point je suis contaminé, à quel point ma volonté est droguée, je n'ai pris le train pour changer franchement d'air, et j'ai peur, dans les quatre à cinq mois qu'il me reste à vivre ici, d'être incapable d'aller chercher à l'extérieur le secours d'autres édifices, d'autres horizons, d'autres sols.

J'ai peur de ne pouvoir m'arracher à la sorcellerie de Bleston qu'en ces derniers jours de septembre où mon contrat avec Matthews and Sons prend fin, en ces derniers jours de septembre où dès avant mon arrivée ici, il a été décidé que je repartirai définitivement.

4

C'est maintenant que commence la véritable recherche ; car tous les événements que j'ai enregistrés jusqu'ici m'étaient revenus souvent en mémoire pendant ces sept mois, clairs, intacts, datés sans méprise possible de ces sept premiers jours bien différenciés qui forment une période bien détachée, un prélude, mon arrivée, l'époque antérieure au 8 octobre où, pour la première fois, j'ai abordé la roue de la semaine chez Matthews and Sons en même temps que tous mes compagnons de salle, où j'ai commencé à tourner, attaché à cette meule qui, ce matin comme tous les lundis à neuf heures, a repris son même mouvement, comme si je m'étais retrouvé, tandis que je franchissais le seuil du « soixante-deux, White Street », huit jours auparavant, quinze jours auparavant, ou même à ce 8 octobre, toujours dans le même décor, avec pour seul changement la diminution de la lumière jusqu'en janvier, puis son accroissement, entraînant les mêmes acteurs selon les mêmes attitudes, de telle sorte qu'il me serait bien difficile de préciser à quel moment s'est produit tel minime événement qui a occupé pourtant longtemps nos brèves conversations de collègues au moment du repas, au

45

bonjour ou à l'au revoir (le nouveau costume d'Ardwick qui, paraît-il, n'en avait pas changé depuis cinq
ans, la bronchite de Greystone, le deuil de Slade à la
mort de son père, une mémorable colère du vieux Matthews qui, faisant irruption, des feuilles blanches plein
la main, les avait déchirées en menus morceaux qui
s'étaient envolés pour se poser sur toutes nos tables, la
visite inopinée de son second fils, William Matthews,
qui représente la firme à Londres, ou la panne du chauffage, (« c'était si joli, un feu de boulets dans la cheminée, n'est-ce pas, monsieur Revel ? »), de telle sorte que,
dans mon souvenir, toutes ces semaines dont le nombre
m'épouvante, quand je consulte mon calendrier, dont
chacune a passé si lentement, se contractent presque en
une seule immense, épaisse, compacte, confuse, tout ce
qui me reste de tant d'heures de cet automne, de cet
hiver, et de ce début de printemps, toujours ce même
mouvement qui ne s'arrêtera qu'en fin septembre,
puisqu'il est entendu que je ne prendrai pas de vacances
tant que je resterai ici.

C'est maintenant que commence la véritable
recherche ; car je ne me contenterai pas de cette abréviation vague, je ne me laisserai pas frustrer de ce passé
dont je sais bien qu'il n'est pas vide, puisque je mesure
la distance qui me sépare de celui que j'étais en arrivant, non seulement mon enfoncement, mon égare-
ment, mon aveuglement, mais aussi mon enrichisse-
ment sur certains plans, mes progrès dans la
connaissance de cette ville et de ses habitants, de son
horreur et de ses moments de beauté ; car il me faut
reprendre possession de tous ces événements que je
sens fourmiller et s'organiser à travers le nuage qui
tente de les effacer, les évoquer un par un dans leur
ordre, afin de les sauver avant qu'ils n'aient sombré
entièrement dans ce grand marais de poussière grasse,
reconquérir pied à pied mes propres terrains sur les

prêles qui les ont envahis et les camouflent, sur les eaux mousseuses qui les pourrissent et les empêchent de produire autre chose que cette végétation friable et charbonneuse.

Dès les premiers instants, cette ville m'était apparue hostile, désagréable, enlisante, mais c'est au cours de ces semaines routinières, quand j'ai peu à peu senti sa lymphe passer dans mon sang, son emprise se resserrer, mon présent perdre son étrave, l'amnésie gagner, que sourdement s'est développée cette haine passionnée à son égard, qui est en partie, je n'en puis douter, un effet de sa contamination, cette haine en quelque sorte personnelle, car si je sais bien que Bleston n'est pas seule de son espèce, si je sais bien que Manchester ou Leeds, Newcastle ou Sheffield, Liverpool qui possède aussi, paraît-il, une cathédrale récente non sans intérêt, ou encore, sans doute, ces villes américaines, Pittsburg ou Détroit, auraient eu sur moi une influence similaire, il me semble qu'elle, Bleston, pousse à l'extrême certaines particularités de ce genre d'agglomérations, qu'elle est, de toutes, celle dont la sorcellerie est la plus rusée et la plus puissante.

J'ai été mis en garde, je me suis défendu ; si je n'avais tant résisté, j'aurais été incapable d'entreprendre cette narration.

Je ne sais plus dans lequel des trois restaurants tout proches de Matthews and Sons, j'ai déjeuné ce 8 octobre, si ç'a été au Burlington dans Tower Street, en compagnie de Slade, de Moseley, ou de James Jenkins, au White, dans White Street, à la table de Ward et Blythe, ou en face, avec Dalton et Cape, au Lancaster, le seul où j'aille encore quelquefois, parce qu'on y sert de la bière, mais dès ce repas-là, j'ai dit non et j'ai décidé de partir à la recherche d'une nourriture moins fade, qui satisfasse non seulement le ventre, mais le palais, car le goût habitué aux belles saveurs franches ou raffinées s'affaiblit et s'infecte s'il en est privé trop complètement et trop longtemps.

Comme nous ne disposons que d'une petite heure à midi, c'est par les dîners de cette semaine et de la suivante que j'ai expérimenté, recensé et classé tous les restaurants dans un rayon de trois cents mètres.

J'ai découvert assez tôt le meilleur, le Sword, l'Epée, dans un premier étage, avec des plantes vertes aux fenêtres, une cuisine à peu près propre, et des serveuses agréables, à gauche dans Grey Street, la première qui traverse Tower Street, quand on va vers l'Hôtel de Ville, et j'y suis retourné le jeudi, en invitant James Jenkins à qui j'avais déjà demandé de m'aider à trouver une nouvelle chambre (comme à mes autres collègues, qui m'avaient tous promis qu'ils se renseigneraient, en m'avertissant qu'il fallait m'armer de patience, car, depuis plusieurs années, il était devenu fort difficile de se loger à Bleston, et qui ont peut-être tenu parole, cherché un peu dans leurs quartiers sans trouver, mais je n'en ai jamais rien su), James Jenkins à qui je désirais parler tranquillement de ce sujet.

« Le mieux, c'est d'éplucher les annonces de l'*Evening News,* le journal du soir, et de téléphoner ou d'aller voir. Voulez-vous que je vous accompagne un de ces jours ?

– Merci beaucoup. J'espère qu'avec un bon plan de la ville, je pourrai me débrouiller. Savez-vous où je puis m'en procurer un ?

– Il y a une très bonne papeterie un peu plus loin dans Tower Street, dont je connais la vendeuse. Ce soir, si vous voulez... »

C'est ainsi que j'ai rencontré Ann Bailey.

MAI, octobre

Mardi 20 mai.

Il s'agit de retrouver cette première entrevue, l'impression qu'elle m'a faite ce jour-là, c'est-à-dire de supprimer tout ce que j'ai su d'elle, tout ce que j'ai vu d'elle par la suite ; pendant plusieurs mois je me suis demandé si je n'en étais pas amoureux, c'est que, les premiers temps, avant qu'elle ne m'eût fait rencontrer sa sœur Rose, elle était la seule jeune fille avec qui j'eusse des conversations dans Bleston.

Dès ce jeudi onze octobre, vers six heures et quart, James m'avait appris son nom, en nous présentant ; je n'y avais pas accordé grande attention, et pourtant cela avait déjà créé entre elle et moi un rapport particulier ; parmi toutes ces femmes de Bleston, toutes ces vendeuses ou serveuses anonymes, elle m'était apparue différente, plus réelle.

Je ne l'ai pas examinée ce jour-là ; je n'ai remarqué ni ses yeux couleur de héron, ni ses très longs cheveux noués presque roux, et pourtant, à notre rencontre suivante, je n'ai pas hésité un instant à la reconnaître.

Je m'en souviens, déjà ses mains m'avaient semblé soyeuses, déjà les mouvements de ses doigts entre les couvertures bleues ou jaunes des divers plans de Bleston m'avaient retenu, déjà le son de sa voix légèrement claironnante m'avait surpris.

Elle m'observait d'assez loin, derrière son comptoir, fouiller, déplier, puis replier les plans de Bleston, gêné par l'abondance du choix, incapable de décider sous son sourire immobile.

Quant à James, il tournait le dos, apparemment absorbé dans le déchiffrement d'une série de citations bibliques édifiantes, peintes à la main sur des pancartes de toutes tailles et décorées de quelques fleurs.

Elle s'est approchée :

« Que désirez-vous exactement ? Puis-je vous aider ? »

La crainte que j'avais de commettre des fautes ridicules devant elle me rendait encore plus balbutiant.

« Voilà, j'aurais voulu un plan avec le... »

La traduction des mots « itinéraire », « trajet », m'échappait. Elle attendait sans se troubler.

« Vous voyez..., les bus..., je ne sais pas comment on dit cela... »

Elle m'a donné la petite feuille couverte en rouge, où le tracé des lignes municipales s'inscrit, semblable à un paquet de ficelles embrouillées, avec toutes ses bifurcations, tous ses croisements, tous ses numéros côte à côte sur le même segment.

« Mais il n'y a pas les noms de toutes les rues !

– Ah non, il vous faut pour cela un autre plan. Le voulez-vous en couleurs, avec un index au verso ?

– Ce qu'il y a de mieux, de plus complet et de plus clair. »

Mercredi 21 mai.

Je disais à James Jenkins, en refermant la porte vitrée derrière moi :

« Il ne nous manque plus que le journal du soir. »

Relevant la tête, j'ai aperçu, sur l'autre trottoir, au coin de Grey Street, la silhouette du vendeur casquetté, les mains dans les poches de son manteau, se détachant devant l'étalage de la pharmacie, et accrochée au pied du réverbère allumé, l'affiche jaune encadrée de noir et sommée de la marque *Evening News,* sur laquelle de grandes capitales maladroitement peintes à l'encre annonçaient un incendie, un vol, ou quelque autre malheur.

Sur les huit pages, six étaient consacrées aux petites annonces.

« Eh bien, voilà de quoi occuper ma soirée ! Vous ne voulez pas dîner avec moi, Jenkins ? »

Seul avec lui, je reprenais mon assurance et mon autorité.

« Ma mère m'attend..., et comme nous n'avons pas le téléphone...

– Alors un autre soir, Jenkins ; demain ? »

Il hésitait à refuser ; il avait peur d'être entraîné à des dépenses excessives, car il n'aurait pas accepté que je payasse une seconde fois sa part, mais il sentait combien il me déplaisait de manger seul.

« Pourquoi ne viendriez-vous pas plutôt chez nous ? Quel jour vous conviendrait le mieux ? »

Je n'ai mesuré que plus tard quel privilège il m'accordait ; je suis le seul de tous ses compagnons de salle chez Matthews and Sons qu'il ait fait pénétrer dans sa grande maison, qu'il ait présenté à sa mère.

« Ecoutez, pour l'instant il faut absolument que je découvre une autre chambre, et si je vais chez vous, il ne me restera plus de temps. C'est tellement important pour moi ; j'ai un peu de mal à m'habituer ici. Dès que j'aurais quitté l'Ecrou, dès que je serai installé...

– Mais vous pourriez venir déjeuner, un samedi, par exemple...

– Oui, naturellement, je vous suis très reconnaissant, après-demain, si vous voulez... »

Je parlais avec précipitation, effrayé soudain par la certitude que ma première réponse lui avait paru dédaigneuse.

« Après-demain, cela sera peut-être difficile, mais entendons-nous pour la semaine prochaine. Au revoir, monsieur Revel, bonne chance. »

Je me retrouvais seul dans Tower Street, avec la perspective d'un dîner solitaire à l'Epée ; je m'en voulais d'avoir mis en avant cette quête d'un logement, presque sûr que, si je lui avais répondu autrement, il m'aurait demandé de venir le lendemain soir ou le lundi, et comme je m'imaginais qu'il me suffirait d'aller sonner à trois ou quatre des adresses indiquées par l'*Evening News* pour découvrir un gîte à ma convenance, je me jugeais ridicule de ne pas avoir accepté de retarder d'un jour mes investigations.

Mais lui, James, un peu refroidi, un peu désorienté par le ton que j'avais pris, avait estimé mes objections valables, car s'il n'avait pas d'expérience directe du genre de difficultés devant lesquelles j'allais me trouver, il connaissait suffisamment les manières de cette ville pour les prévoir.

La semaine suivante, quand j'ai vu mes efforts demeurer sans résultat, j'ai regretté encore bien plus mon attitude, car j'aurais certes préféré qu'au moins l'un de ces soirs eût été employé à une activité plus agréable et finalement plus utile que ces démarches harassantes.

Jeudi 22 mai.

Aussitôt la tartelette avalée, aussitôt ma bouche essuyée, je me suis précipité à la station du bus 17, au coin de White Street.

Puisque, par mon désir de résoudre la question de mon installation au plus vite, j'avais éloigné de plus d'une semaine ma première entrée dans la demeure d'un des citoyens de Bleston (celle d'Horace Buck dont je ne savais pas encore le nom, du fait qu'il était nègre et révolté, représentait un cas trop particulier, et comme je n'avais pas réussi à la retrouver le dimanche précédent, je n'avais nulle certitude d'y pénétrer un jour de nouveau), il s'agissait maintenant de ne pas perdre une minute, de terminer au plus tôt les indispensables travaux préliminaires.

J'étais impatient pendant le trajet ; je retournais et dépliais sur mes genoux mes deux plans et mon journal, les parcourant du regard, sans pouvoir, à cause des cahots, fixer un détail avec attention ; mais quand je suis arrivé dans mon étroite chambre à l'Ecrou, où il n'y avait pas de table, ce que j'avais déploré dès le premier soir, mais que j'avais oublié toute cette journée, dans mon étroite chambre mal éclairée, sans volets aux fenêtres, avec simplement de minces rideaux qui joignaient mal, incapables de me protéger contre l'épais noir de la nuit s'appuyant aux vitres, j'ai été pris d'un accès de découragement.

Longtemps, après avoir déposé sur l'édredon vert livide l'*Evening News* semblable, dans son aspect général, à celui que j'ai acheté ce soir au même vendeur, devant la pharmacie, sous le réverbère, bien que différent dans chacune des lignes de son texte, le carré rouge du schéma des itinéraires des bus, que j'ai encore, sali, corné, ourlé, parmi mes autres documents, sur l'angle gauche de ma table, dans cette chambre meilleure où je ne suis entré qu'un mois plus tard, et le long rectangle, couleur de thé troublé de lait, du grand plan tout à fait semblable, dans sa propreté, à celui que j'ai racheté dans la même papeterie, à la même Ann Bailey, et que je retourne entre les doigts de ma main gauche, maintenant, pour vérifier et préciser mes dires, longtemps, assis sur l'unique chaise, à dossier de bois plein exactement vertical, je suis resté à les considérer, fumant les dernières cigarettes d'un paquet de Churchman, attendant le retour de ma résolution.

Enfin je me suis relevé et j'ai tout déplié sur le lit.

Alors, moi, taupe me heurtant à chaque pas dans ses galeries de boue, tel un oiseau migrateur prêt à fondre, j'ai embrassé d'un seul regard toute l'étendue de la ville.

Bien sûr, ce n'était qu'une image très imparfaite ; les ardoises des toits vues d'en haut, les cheminées fumeuses, les briques sombres, le macadam des chaussées auraient formé comme un grand lichen gris à stries rousses, ridé, rugueux, couvert d'écume, comme on en trouve sur les rochers au littoral des mers froides, et la rivière, même par la journée la plus claire, aurait gardé, sous quelques reflets, sa noirceur de goudron ; pourtant, grâce à elle, grâce à cette image, j'étais mieux renseigné sur la structure de Bleston que n'aurait pu l'être un aviateur la survolant, ne serait-ce que par cette ligne pointillée marquant les limites de son territoire administratif en dehors duquel les maisons se groupent sous d'autres noms, la dessinant en forme d'œuf, la pointe au nord.

Ainsi, moi, virus perdu dans ces filaments, tel un homme de laboratoire, armé de son microscope, je pouvais examiner cette énorme cellule cancéreuse dont chaque encre d'imprimerie, comme un colorant approprié, faisait ressortir un système d'organes :

Le bleu, les eaux, la Slee surtout, ce canal de poix, qui la divise en deux rives inégales, la gauche ayant une superficie deux fois plus grande que la droite, la Slee qui fait un large coude vers l'est, traversée de six ponts : South Bridge, New Bridge, Old Bridge, Brandy Bridge, le seul dont je connusse alors l'aspect, celui sur lequel j'avais vu passer le bus 27, le samedi précédent, lors de ma première rencontre avec Horace Buck dont je ne savais pas encore le nom, Railway Bridge, sur lequel passent tous les trains qui vont jusqu'à Dudley Station, et Port Bridge enfin, après lequel elle s'élargit et se ramifie dans les bassins qui séparent les docks, tout à fait au nord,

le noir, toutes les installations ferroviaires, dénonçant Alexandra Place comme un sinistre soleil annulaire, avec trois gueules dispersant ses rayons grêles et sinueux, le long desquels les stations secondaires accrochent leurs nodosités, les gares de marchandises leurs poches,

l'écarlate, les limites administratives et postales, non seulement l'entourant d'un contour, mais la recouvrant d'un réseau de pointillés et de chiffres, indiquant ses douze arrondissements, neuf sur la vie gauche, trois seulement sur la droite, me précisant la signification du « 7 » suivant Bleston dans l'adresse de Matthews and Sons, du « 3 » dans celle de l'Ecrou,

le vert, les parcs, un dans chaque arrondissement, à l'exception des trois centraux, le quatrième avec Alexandra Place, le septième avec l'Hôtel de Ville, la Nouvelle Cathédrale, Matthews and Sons, le huitième, le vieux Bleston, avec l'Ancienne Cathédrale et les halles, les parcs et les cimetières dont le principal, Greath South Cemetery, dans le dixième au sud-ouest, le long des voies ferrées qui partent d'Hamilton Station, occupe une superficie égale à celle d'une ville moyenne,

le rose pâle des maisons, celui, plus soutenu, des monuments publics, réservant les rues dominées par deux grandes artères qui se croisent perpendiculairement, à l'angle sud-ouest de la place de l'Hôtel-de-Ville, horizontalement sur le plan : Sea Street, que prolonge Mountains Street qui traverse la Slee sur New Bridge, à peu près verticalement : Continent Street, puis City Street qui devient, en obliquant vers Alexandra Place, cette rue qui débouche entre les rampes de Hamilton et de New Station, Brown Street, où je m'étais égaré la nuit de mon arrivée, et au-delà de Dudley Station, Scotland Street.

Vendredi 23 mai.

J'ai identifié le petit bloc rose correspondant à l'endroit où je me trouvais, dans le quart nord-est, tout près du bord gauche ; j'ai repéré le trajet du bus 17 jusqu'à White Street, celui du 27, à partir de là, jusqu'à Brandy Bridge, les quelques places, les quelques rues dont je me souvenais parmi celles que j'avais déjà vues, ce qui m'a révélé l'étendue de mon ignorance, les régions à peu près connues étant minuscules par rapport à l'ensemble (et si j'ai pu peu à peu les augmenter de façon considérable, il me suffit de regarder ce grand plan de Bleston semblable à celui que j'avais alors, pour y découvrir d'immenses zones où je n'ai jamais pénétré).

Il a été long, le déchiffrement des petites annonces de l'*Evening News,* presque chaque mot y étant remplacé par une abréviation que je n'arrivais à traduire correctement qu'après plusieurs tentatives ; elle a été longue et agaçante, après que j'eusse recopié dix adresses, la recherche de leur localisation, car l'index des rues étant imprimé sur le verso même du plan, il me fallait à chaque fois le retourner ; il a été long et fastidieux enfin, l'établissement minutieux d'itinéraires à peu près sensés pour les atteindre en bus ; mais lorsque, tard, très tard pour ici, je me suis couché, j'étais satisfait, plein d'illusions, je croyais en avoir fini.

Je me demandais même si je n'avais pas poussé le scrupule un peu loin : dix adresses, n'était-ce pas beaucoup trop ? Etant donnée la modestie de mes exigences, n'étais-je pas sûr que celle de ma prochaine demeure se trouvait parmi les cinq ou six premières ?

Je pensais qu'il me suffirait de deux ou trois soirées pour faire mon choix, alors que, le lendemain, j'ai commencé par me perdre, la ruelle lointaine que je cherchais étant beaucoup plus loin de la station du bus que je ne me l'étais représenté, une des ruelles sinueuses du sixième, à l'ouest, au sud de l'Ecrou, juste au nord de Green Park, tout près de la maison des Burton, dans le quartier nommé Shoemaker's Park, parce qu'il a été bâti, en en respectant le tracé, sur l'ancien grand jardin à l'anglaise que s'était fait dessiner, vers 1860, un cordonnier brusquement enrichi par une série de coups de bourse, puis ruiné, une ruelle de ce quartier, je ne sais plus laquelle, n'ayant conservé ni ce numéro de l'*Evening News,* ni cette feuille de papier à lettres que j'avais mis tant de temps à remplir, j'ai commencé par me perdre, malgré mes précautions, malgré le plan que j'avais emporté, difficile à utiliser à cause de l'éclairage particulièrement parcimonieux dans cette région de la ville, et à cause de la pluie qui battait ce soir-là.

Puis, quand enfin j'ai découvert la bonne porte, j'ai eu beau sonner et frapper, rien n'a répondu ; trop las, trop déçu pour me lancer immédiatement, par la nuit froide et mouillée, dans une seconde tentative, je suis rentré dans mon étroite chambre de l'Ecrou.

5

Il est encore plus difficile ici qu'en France de poursuivre pendant le week-end une action commencée les
jours de travail ; c'est comme si les heures ne faisaient
pas partie de la même série.

J'étais déjà si las de la pluie, du ciel bas et gris, de
ce climat dont on m'avait dit si justement tant de mal !
Quand j'ai vu, à midi, le samedi 13 octobre, en sortant
de chez Matthews and Sons, ce bleu, ces éclats de soleil
pâle sur les vitres, quand j'ai senti cet air doux, j'ai
décidé d'en profiter.

Après avoir déjeuné seul au Lancaster, Dalton et
Cape étant rentrés chez eux pour prendre leur repas,
comme tous les autres, je suis monté dans le bus 27 qui
m'a mené jusqu'à Brandy Bridge, et à partir de là, longeant des usines, des entrepôts, des palissades, passant
derrière Dudley Station, sous le grand pont de chemin
de fer, j'ai suivi la rive gauche de la Slee jusqu'à Birch
Park, le jardin des bouleaux, dans le deuxième arrondissement, l'un des plus industriels, juste après Port
Bridge que j'appellerais, moi, le pont aveugle, avec ses
parapets en plaques de fonte boulonnées, plus hauts
qu'un homme, Birch Park, un long rectangle de pauvre

verdure et de bosquets d'arbres légers, au feuillage tremblant, vert aujourd'hui comme les reflets des roseaux sur la surface agitée d'un étang, jaune alors, régulièrement clarifié par le vent, s'éparpillant en pétales planants qui venaient allumer une flamme de sodium dans les touffes d'asters violets, un long rectangle le long de l'eau, mais séparé d'elle par un mur de briques, lui aussi plus haut qu'un homme, au-dessus duquel, quand on s'écarte, par un temps clair comme celui de ce jour-là, on aperçoit les cîmes des grues et des docks qui s'élèvent sur les quais des bassins creusés dans l'autre rive, et les cheminées des remorqueurs, Birch Park que j'ai revu tellement désert, il y a quelques mois, les minces griffes de ses arbres d'argent à peine visibles sur les façades des hangars surmontés d'énormes antennes, et qui était surpeuplé en ce deuxième samedi d'octobre, surpeuplé d'hommes et de femmes se pressant frileusement sur ses bancs, dans leurs imperméables couleur de chiens bâtards, de chaque côté des allées où les feuilles et les papiers s'enfonçaient dans l'argile mêlée de mâchefer et de poussier, tandis que quelques mouettes rayaient de leurs cris de râpes le bourdonnement général.

Puis, prenant vers l'ouest Birch Street, entre ses maisons serrées et sordides, entre ses grands murs à corniches de barbelés, interrompus de temps en temps par des portes de grillage ou de tôle brune, j'ai croisé Scotland Street où toutes les maisons sont des magasins, j'ai longé à gauche le terrain vague où se trouve la foire ce mois-ci, et je suis passé sous les voies de chemin de fer qui vont de New Station vers le nord, quittant ainsi le deuxième arrondissement pour le premier, plus riche et plus aéré.

Birch Street était devenue Oak Street, plus large, avec de jeunes frênes plantés dans les trottoirs, aux feuilles recroquevillées, avec des maisons plus récentes et plus accueillantes, en briques plus rouges, avec des rideaux pimpants aux fenêtres à petits carreaux sertis de plomb.

J'ai longé à ma droite le terrain vague où se trouvait la foire le mois dernier, puis à ma gauche le cimetière des juifs riches, et le grand stade où se déroulent les matches de cricket ou de football, pour arriver enfin à Oak Park, plein de colchiques dans ses pelouses où jouaient des enfants surveillés par des bonnes, Oak Park qui tire son nom d'un chêne magnifique isolé parmi les ormes et les platanes aux pelages de renards et de bisons, d'un chêne dont je suis allé examiner l'écorce de près, tandis que le soleil tombait derrière les cheminées des petites maisons confortables, et que dans l'air humide, tout se teignait d'un poudroiement de cochenille, l'écorce qui semblait d'épaisse rouille, ou de pierre rongée d'acides, ou de béton mêlé de poussier et de limaille de plomb, l'écorce qui semblait déposée par l'air de la ville, comme les croûtes des anciennes constructions.

Quelle impression de froid soudain et d'abandon, lorsque le gardien, en uniforme noir à galons rouges, a lancé un coup de sifflet à mon adresse, car je m'étais déjà attardé trop longtemps à regarder évoluer, dans le bassin de ciment aux fentes colmatées de goudron, les canards blancs éclaboussés de verdâtre !

J'avais laissé passer l'heure légale du coucher du soleil, après laquelle il n'est plus permis de traîner dans les parcs.

J'ai trouvé un snack-bar près du stade, un bar un peu plus loin, et dans la nuit de plus en plus violette que deux ou trois étoiles perçaient, par les rues tranquilles et droites où les lumières de living-rooms me permettaient d'apercevoir des repas de plus en plus simples, je suis rentré à pied jusqu'à l'Ecrou.

MAI, octobre

Mardi 27 mai.

Comme il faisait encore beau le dimanche, je suis allé me promener dans le parc du troisième arrondissement, Lanes Park, le jardin des sentiers, qui comporte un petit labyrinthe agrémenté de rochers en ciment, fleuri alors de chrysanthèmes aux toisons de béliers et de chèvres, puis dans celui du sixième, Green Park, à côté de ce quartier du cordonnier où je m'étais égaré l'avant-veille ; mais le soir, le ciel est devenu semblable à une lame d'aluminium sale.

Il m'a fallu toute la semaine pour épuiser ma liste de chambres ; je suis incapable de retracer le détail de ces randonnées harassantes après un repas expédié ; tout cela se confond dans ma tête.

Souvent j'ai trouvé les portes fermées, et quand on m'ouvrait, après une conversation pénible sur le seuil, pénible non seulement à cause de mon mauvais accent et des particularités dialectales de mes interlocuteurs, mais aussi, la plupart du temps, de leur air soupçonneux, de leurs questions bizarres, on m'apprenait que j'étais venu trop tard, que la place était déjà prise.

Une fois seulement, je crois, cette semaine-là, une femme m'a fait entrer, une femme particulièrement anguleuse, aux lèvres pincées, à la peau terreuse, aux yeux secs, chapeautée, toute prête à sortir, un sac informe de velours violacé sous le bras, qui après m'avoir dit : « il n'y a pas de chauffage, mais vous pouvez acheter un radiateur à pétrole ; vous serez tout à fait libre, la seule chose que je vous demande, c'est de ne pas rentrer après dix heures du soir », et d'autres phrases que je n'ai pas comprises, ou dont je ne me souviens plus, sur le même ton sans réplique, m'a fait visiter une chambre sans table, plus mal meublée encore, plus étroite et plus triste encore que celle que j'occupais à l'Ecrou, où je ne parvenais pas à me réchauffer.

Il me fallait recommencer les travaux préliminaires, de nouveau déchiffrer l'*Evening News,* repérer d'autres rues sur le plan, relever d'autres numéros de bus.

Mais maintenant j'étais instruit ; puisqu'il s'était révélé si difficile de faire deux expéditions à la suite, je choisirais chaque soir une seule adresse dans le journal que j'aurais acheté, et puisque ces chambres vides se remplissaient si vite, c'est au restaurant même que j'établirais mon itinéraire, pendant les intervalles du service, afin de me précipiter le plus rapidement possible après la parution de l'annonce, programme que j'ai suivi je ne sais combien de soirs, en sortant de chez Matthews and Sons, dans la nuit de plus en plus noire, de plus en plus froide, et de plus en plus souvent pluvieuse (et quand je n'étais pas devancé, la saleté des murs ou leur ennui me donnait une véritable nausée), programme que j'ai suivi je ne sais combien de soirs sans autre résultat, rôdant à la surface de la ville comme un mouche sur un rideau, que de commencer à me familiariser avec son réseau compliqué de transports, avec les nœuds majeurs des canaux de sa terne lymphe, bière étendue d'eaux de lavage, de sa lasse foule somnambule aux corps de boue blanchâtre ou lilas, de telle sorte que, peu à peu, ma malchance m'a paru l'effet d'une volonté mauvaise, toutes ces propositions des mensonges, et qu'il m'a fallu de plus en plus lutter contre l'impression que mes démarches étaient condamnées d'avance, que je tournais autour d'un mur, mystifié par des portes en trompe-l'œil ou des personnages en trompe-l'œil.

MAI, octobre

Perpétuellement sollicité par des événements plus récents qui proclament leur importance (la rencontre de Rose Bailey par exemple, ou celle de Georges Burton, ou même la découverte enfin de cette chambre où j'écris aujourd'hui, mercredi 28 mai), et qui commencent à former comme des caillots très opaques dans la brume des sept mois, j'ai besoin d'un véritable courage pour passer outre, pour reprendre mon récit à l'endroit où je l'ai laissé, c'est-à-dire, pour l'instant, à ce déjeuner chez les Jenkins, le troisième samedi d'octobre, que j'avais attendu toute une semaine d'allées et venues vaines à la recherche d'une chambre (la lenteur de ce mois de lenteur m'habite à nouveau), avec impatience non seulement parce que, pour la première fois enfin, un véritable citoyen de Bleston, né à Bleston, et même n'en étant jamais sorti, allait me recevoir dans sa demeure, fêlant, en me faisant franchir son seuil, cette barrière de refus et de méfiance qui m'emprisonnait, cet interdit dont je m'étais senti frappé dès la nuit de mon arrivée, mais aussi parce que ce citoyen m'était déjà cher, s'étant détaché dès le premier jour de la foule close pour venir à moi à la fois comme un ange gardien à la voix patiente, seule intelligible au milieu du clapotement général, et à la fois comme un enfant tout ému d'approcher le voyageur qui se souvient des paysages d'outre-mer, parce qu'il m'était déjà cher et que je recherchais les occasions de m'entretenir un peu longuement avec lui, mais surtout peut-être parce qu'il avait réussi à me remplir de curiosité à l'égard de sa mère, par les quelques allusions qu'il avait glissées dans ses propos, avec un ton d'humour qui rendait plus sensible encore sa vénération, permettant d'en évaluer la profondeur et la solidité.

James m'avait fait monter dans la Morris noire de

Matthews and Sons dont il a la garde, m'avait conduit par While Street, par la place de la Nouvelle-Cathédrale dont l'horloge venait de sonner les douze coups qui nous avaient enfin autorisés à quitter notre stupide travail, puis par Willow Street qui longe Willow Park, le jardin des saules, dont les osiers nus, fourrant le ruisseau qui va se jeter dans la Slee, après avoir traversé tout le onzième arrondissement sous des tunnels, jetaient comme des éclaboussures de sang sur le plumage de faisane encore éparpillé parmi les os calcinés des branches, et enfin par l'extrémité de Continent Street, jusqu'à ce quartier au sud du dixième, qui était, il y a cinquante ans, le plus élégant de Bleston.

C'était ma première entrée, ce troisième samedi d'octobre, dans la haute maison se délabrant au milieu des tilleuls et des pelouses négligées, rapiécées çà et là de petits carrés de cultures potagères, dans la haute maison bien trop vaste pour eux deux, mais dont ils n'auraient pu me louer une chambre, car il pleuvait alors dans toutes celles qu'ils n'utilisaient pas (et même aujourd'hui, les travaux de réparation qu'ils ont pu entreprendre enfin, à force d'économiser sou par sou, sont bien loin d'être terminés).

C'était la première fois que je voyais la table ovale en acajou verni, les trois napperons bordés de dentelle jaunie, les tasses chinoises avec leur théière, blanches et bleues, le lampadaire en opaline, qui ne devait pas être allumé ce jour-là, ce samedi 20 octobre, les deux grandes gravures en taille douce, dans leurs cadres à rang de perles (un bateau à roues dans un paysage d'Océanie, et je ne sais quel roi déchu, s'enfuyant, drapé dans son manteau, couronne en tête, à travers une épaisse forêt pleine de loups aux yeux lumineux).

A ma droite, James un peu troublé me surveillait, s'efforçant de m'encourager, mais se demandant si j'allais passer victorieusement l'examen auquel me soumettait sa mère, à ma gauche, de ses yeux de nacre et d'ardoise fine, si vifs encore entre leurs paupières d'églantine à peine fanée, sous ses cils doucement gris, de sa voix si semblable à celle de son fils, que je n'ai eu besoin d'aucun effort particulier pour la comprendre, et plus patiente encore, lors de ce déjeuner dont je me souviens si mal, puisque je serais incapable d'en détailler le menu, ou de décrire le costume de madame Jenkins qui, j'en suis bien certain, portait sa bague (elle ne la quitte pas) ; mais je suis bien certain aussi de ne pas l'avoir remarquée ce jour-là, tout occupé de faire bonne figure, puisque, la semaine suivante, je me suis demandé comment j'avais pu ne pas prendre garde à un détail si curieux, lors de ce déjeuner dont je me souviens si mal, puisque toute la conversation s'en est effacée (il a dû être question de la France, de mon voyage, de l'impression que me faisait Bleston ; je mentais sûrement, tout occupé de faire bonne figure), s'est effacée sauf cette parole sur le seuil, comme je disais adieu, cette parole par laquelle madame Jenkins, en m'invitant à revenir le samedi suivant, m'avertissait que j'avais réussi à m'introduire dans une des fêlures de ce mur de verre trouble qui me séparait de la ville.

Jeudi 29 mai.

J'ai entendu la grande grille grincer, comme James la refermait derrière moi, ce samedi 20 octobre vers 3 heures, tandis qu'au-dessus de Geology Street, le métal du ciel passait du zinc à l'étain.

Je suis allé à la station toute proche prendre le bus 23, sachant déjà que tous ceux dont le numéro commence par un « 1 » ont pour terminus la place de l'Ancienne-Cathédrale, par un « 2 », la place de l'Hôtel-de-Ville, par un « 3 », Alexandra Place.

Défilaient à ma droite, dans Continent Street, l'embranchement de Willow Street, puis Willow Park, triangle dont le troisième côté est formé par Surgery Street et le Royal Hospital avec ses deux dômes inspirés de ceux dont Sir Christopher Wren a orné l'académie de Greenwich, puis à gauche, le grand catafalque néo-gothique de l'Université avec son beffroi ; et je suis arrivé enfin à ce rectangle à peine plus long que large, très agité, avec tout un troupeau de bus rouges et bleus à deux étages, se rangeant et se dérangeant le long de la façade du bâtiment municipal avec ses deux tours noires ridiculement crénelées qui le font ressembler à un de ces châteaux-forts de fonte moulée avec lesquels nos grands-parents jouaient aux petits soldats, ce rectangle, de toute évidence, le centre du mouvement de la ville, de son commerce ménager avec ses trois grands magasins : Modern Stores, au coin de Moutains Street, Grey's et Philibert's encadrant l'embouchure de Silver Street, le centre de ses distractions avec ses cinq grands cinémas : le Gaiety, près de Grey's, le Royal, en face de l'Hôtel de Ville, et serrés l'un contre l'autre sur le côté sud, le Continental, l'Artistic, et le News Theater, qui passe des programmes de courts métrages (actualités, dessins animés, sketches, documentaires).

C'était l'heure de la pleine foule et le plomb du ciel commençait à fondre sur les files des habitants de Bleston en imperméables couleur de son mouillé ou d'algues mortes, qui attendaient de pouvoir entrer dans ces sanctuaires des images, où ils verraient des cavalcades, et de superbes chevelures de femmes se déployer sur l'écran en accompagnant de longs baisers.

Je sentais en Bleston une puissance qui m'était hostile, mais ma visite heureuse chez les Jenkins me faisait croire qu'il était possible de l'amadouer ; c'est pourquoi je suis entré chez Philibert's, dans l'intention d'y acheter une sorte de talisman, un objet fait à Bleston et dans la matière de Bleston, que je pourrais porter sur moi comme signe protecteur, un mouchoir de coton que j'ai toujours.

Je n'avais pas encore été payé par Matthews and Sons, je vivais sur les quelques livres que j'avais pu passer de France, et comme je dépensais beaucoup à l'Ecrou, où il me fallait régler ma note tous les huit jours, je me demandais comment j'arriverais à la fin du mois sans emprunter ; il n'était donc pas question de faire une dépense de quelque importance.

Je suis monté d'étage en étage par les escaliers mécaniques bruyants en acier chromé, sous la coupole de vitres vertes au travers desquelles on devinait d'énormes taches, jusqu'au rayon des ustensiles de jardinage, où des arroseurs tournaient sans eau sur des pelouses de raphia, entre des comptoirs chargés de centaines de chats de faïence, aussi semblables que les maisons du côté de Deren Square, que les Morris qui circulaient dans les rues, que les imperméables usés des clients qui passaient et les examinaient en en retournant quelques-uns entre leurs doigts.

Le lendemain dimanche 21 octobre, depuis lequel il a plu tous les jours jusqu'aux grands brouillards, je suis resté dans mon lit très tard, en contemplant les haillons du ciel qui s'effilochaient comme de vieilles wassingues, puis, l'après-midi, par le bus 17, à travers la brume, je suis allé jusqu'à la place de l'Ancienne-Cathédrale, dont les vieux pavés étaient couverts d'une pellicule de boue presque liquide.

Je regardais les deux tours de la façade ouest, la principale, s'écraser à mesure que je montais les quatre marches, lorsque, du portail de gauche, le seul ouvert, dont les colonnes romanes sont ornées parmi leurs entrelacs de médaillons en forme d'amandes où sont représentées les prophètes de l'ancienne loi, est sorti quelqu'un qui m'a heurté sans me voir, ce qui m'a fait me retourner de telle sorte que le pied m'a manqué, que je suis tombé à plat ventre sur ces pierres glissantes, souillant mon visage, teignant mon imperméable de cette teinture de poussière grasse que je redoutais, une jeune fille qui était peut-être Rose Bailey, une jeune fille qui a disparu par une ruelle, parmi les boutiques fermées, tandis que, relevé, je me décrassais à l'aveuglette avec le mouchoir de coton que j'avais acheté la veille chez Philibert's.

Passé le petit vestibule noir, quand la porte capitonnée de faux cuir avec de gros boutons, comme les sièges des très anciens chemins de fer (de nombreux accrocs laissant s'échapper des flocons d'étoupe), s'est refermée péniblement derrière moi en faisant crisser ses gonds, j'ai aperçu dans la lumière morte qui tombait des fenêtres blanches de la nef, parmi les bancs vides et les colonnes effritées, des petites filles de douze à quinze ans en uniforme de collège, bleu marine, nattées, avec chapeaux de paille à rubans, et bas noirs, dont les trois plus dégingandées, en me voyant approcher, ont éclaté d'un rire strident qui s'est répercuté sous la voûte, vivement rappelées à l'ordre par leurs surveillantes.

Les vitraux, auxquels je n'avais pas accordé d'attention particulière cette fois-là, semblaient à peine transparents ; des cierges brûlaient sur certains autels, l'humidité entourant chaque flamme d'une couronne de minuscules plumes.

« Allons, allons, mesdemoiselles », sussuraient les deux quinquagénaires, le nez pincé par leur lorgnon, en poussant du bout des doigts les collégiennes grimaçantes qui se sont toutes enfilées par une petite porte flanquée d'un sacristain violacé, lequel, m'avisant seul et ahuri dans le transept, m'a enjoint de suivre leur exemple en me réclamant six pence.

Les pas et les rires étouffés résonnaient dans les spires

de l'escalier presque neuf qui mène au carillon moderne au milieu du dernier étage de la tour centrale carrée, nettement plus élevée que celles de la façade ouest.

Là-haut, entre les abat-sons, j'ai aperçu l'ensemble de la partie centrale de Bleston dans la brume qui faisait déjà de ces quatre heures d'octobre un crépuscule : la courbe de la Slee, la grande flèche de la Nouvelle Cathédrale, les créneaux de l'Hôtel de Ville dans le halo des enseignes lumineuses qui s'allumaient et s'éteignaient, le triangle d'Alexandra Place, très loin, sifflant, avec ses gerbes de voies ferrées, tout en bas les vieilles maisons à toits pointus, puis les hautes cheminées comme les troncs restés debout d'une forêt incendiée par la foudre, et que la suite de l'orage enfonce dans une inondation de vase.

Vendredi 30 mai.

Le lundi soir, ou le mardi, ou le mercredi même, au début de cette quatrième semaine en tous les cas, allant à pied de chez Matthews and Sons à la place de l'Hôtel-de-Ville, où je devais prendre un bus pour parvenir à je ne sais plus quel lointain quartier vers lequel m'attirait une annonce mensongère de l'*Evening News,* je me suis arrêté dans Silver Street devant la vitrine de la plus grande librairie de Bleston, Baron's, à mi-chemin entre Rand's, la papeterie où travaille Ann Bailey, et Philibert's, le grand magasin où j'avais acheté, le samedi précédent, un mouchoir de coton, Baron's vivement éclairé derrière son rideau baissé d'énorme grillage, et tout d'un coup j'ai été pris comme de vertige à l'idée que depuis mon arrivée dans cette ville, depuis quatre semaines, moi si grand liseur auparavant, je n'avais pas ouvert un livre, je me suis senti tout contaminé de brume gourde, abandonné loin de moi-même, loin de

celui que j'avais été avant de débarquer ici, et qui s'effa-
çait dans une immense distance.

Aussi, le lendemain ou le surlendemain, ou deux
jours plus tard, vers six heures, après être sorti de chez
Matthews and Sons, comme je me dirigeais vers la place
de l'Hôtel-de-Ville (les journées se raccourcissaient, il
faisait déjà nuit presque noire), ayant vu sur l'affiche
jaune du vendeur de l'*Evening News,* au coin de Grey
Street, devant la pharmacie, ces mots écrits à l'encre en
grandes capitales maladroites et comme menaçantes :
« Le Meurtre de Bleston » (je ne me souviens pas du
banal fait-divers ainsi souligné, je n'ai pas conservé le
numéro), et les ayant revus, ces mots, « Le Meurtre de
Bleston », quelques instants plus tard, dans la vitrine de
Baron's, sur la couverture d'un livre de la collection
Penguin verte, j'ai immédiatement décidé que j'achète-
rai celui-ci, parce que l'ambiguïté du titre, entièrement
voulue par l'auteur, je le sais maintenant, me faisait déjà
savourer, à l'égard de cette ville, comme une petite vengeance.

Mais il m'a fallu attendre pour cela le samedi
27 octobre, puisque tous les jours de travail, nous ne
sortons de chez Matthews and Sons qu'après la fermeture de Baron's, un peu trop loin de White Street pour
qu'on puisse y faire un saut à midi, le samedi 27 octobre
vers quatre heures, après avoir déjeuné pour la seconde
fois chez l'étrange madame Jenkins qui possède, sous
sa douceur, comme une volonté très farouche, sous son
calme, comme une passion capable de faire sauter
n'importe quelle barrière.

C'est alors que j'avais remarqué sa bague, un anneau
d'or dont le châton est une bulle de verre dans laquelle
est enfermée une mouche en parfait état de conserva-
tion, et que je lui en avais fait compliment (je revois
encore son sourire : « c'est ma bague de fiançailles »),
mais sans oser, ce jour-là, lui en demander davantage.

Il m'a fallu attendre le samedi 27 octobre vers quatre heures (de la limaille de cuivre se mêlait au mercure du ciel), pour pousser la porte vitrée sur laquelle des lettres en lamelles d'or bordées de noir inscrivaient : « toutes sortes de livres », pour entrer dans cette grande boutique où quantité de gens feuilletaient, où quantité de vieilles dames choisissaient déjà, deux mois à l'avance, leurs cartes de vœux pour Noël (chaumières couvertes de neige, houx et gui, chats enrubannés et gantés de mitaines), où cinq ou six vendeurs entre deux âges, très correctement habillés, très discrets, penchaient la tête, lissaient leurs mains, répondaient aux questions, glissaient entre les tables, sur l'une desquelles, réservée à la collection Penguin verte, « Crime and Detection », j'ai pris un exemplaire du *Meurtre de Bleston* par J. C. Hamilton, que j'ai examiné et retourné, ce qui m'a fait voir que sur la dernière page de couverture, à la place de la photographie habituelle de l'auteur, il n'y avait qu'un rectangle blanc, comme je retourne et j'examine l'exemplaire semblable que je possède aujourd'hui, et qui est habituellement sur le coin gauche de ma table, avec mes plans de Bleston et mes autres documents, l'exemplaire semblable et non celui-là même que j'ai porté ce jour-là jusqu'à la caisse où deux mains très propres l'on envelopé de papier brun, l'ont ficelé d'un très mince ruban de fibres, imprimé « Baron's, Baron's, Baron's », l'ont étiqueté d'un ovale brillant marqué « Revenez », puis que j'ai fourré dans ma poche pour sortir par une porte arrière donnant sur une ruelle silencieuse et très étroite, encombrée de tuyaux et d'escaliers métalliques.

Je cherchais dans l'auteur, ce J. C. Hamilton, non seulement un amuseur, mais, sur la foi de son titre, un complice contre la ville, un sorcier habitué à ce genre de périls, qui pût me munir de charmes assez puissants pour me permettre de les défier, pour me permettre de traverser victorieusement cette année, ce séjour dont je ne savais pas encore à quel point il est méphitique et sournois, à quel point son érosion est patiente.

Or il a répondu à mon attente, car son livre qui peut ne paraître aux heureux habitants d'autres villes qu'un roman policier classique, a été pour moi, par sa relation très précise à Bleston, un auxiliaire si précieux que je puis presque dire qu'une nouvelle époque s'est ouverte dans mon aventure au moment où, rentré dans ma chambre à l'Ecrou, dans ce recoin dont je désirais tant partir, dans cette chapelle de mesquinerie, j'ai entendu pour la première fois dans ma tête ce début que je connais par cœur maintenant : « The old Cathedral of Bleston is famous for its big stained glass window, called the Window of the Murderer... », ce début, ou plutôt la traduction française que je lui superposais automatiquement : « L'Ancienne Cathédrale de Bleston est célèbre par son grand vitrail, dit le Vitrail du Meurtrier... ».

II

LES PRÉSAGES

1

Il faut mettre tous les détails qui pourront rendre cet épisode d'hier soir présent, lorsque je relirai ce texte.

Je venais d'entendre sonner six heures à l'horloge d'All Saints, le temple de tous les saints, de la Toussaint, du premier novembre, de la fête des fantômes.

Il faisait beau et clair, un temps de vrai printemps humide, avec un ciel encore assez bleu parmi les nuages effilochés, avec le soleil moîte haut encore sur l'horizon, faisant briller le plumage tout neuf des jeunes tilleuls qui s'ébrouaient dans les petites rues, le pelage brun, jaune ou violet des touffes de giroflées dont le parfum luttait contre celui de la fumée, dans tous les jardins de ce quartier du dixième, All Saints, limité au nord par All Saints Street où passe le bus 24 que j'avais pris pour venir, à l'ouest par All Saints Park, au sud par le grand cimetière, et à l'est par les voies de chemin de fer qui vont vers Hamilton Station, surélevées comme toutes celles de cette ville, dépassant les maisons environnantes qui n'ont guère plus d'un étage.

J'avais vu en poussant la barrière un long train passer au-dessus du toit fort plat, et par la fenêtre du living-

room à ma gauche, Rose qui arrangeait un bouquet de
narcisses sur la table déjà servie.

Hier soir, dimanche premier juin à six heures, comme
elle m'ouvrait la porte du 31, All Saints Gardens, Ann
Bailey (ses yeux couleur de héron, ses cheveux blonds
presque roux relevés sur la nuque, noués en chignon,
un chandail rose qui lui allait fort mal, une jupe de drap
vert billard, ses vieux souliers sans talons au cuir fen-
dillé à l'endroit du petit orteil, ses souliers de jardi-
nière), Ann Bailey s'est écriée :

« Hello, Jacques », s'efforçant de prononcer le « J »
comme en français, « entrez, je redescends dans un instant ; j'ai là-haut quelque chose à vous rendre.

– Vous ?

– Un livre que vous m'aviez prêté, il y a fort longtemps, et que j'avais fait la folie de prêter à mon tour. »

Je me suis assis à la table, dans le living-room, entre
madame Bailey à ma gauche, devant la cheminée au-
dessus de laquelle est suspendu un miroir sphérique
comme chez les Burton, et Rose à ma droite, ses très
beaux cheveux roux presque noirs ramenés en arrière
comme ceux de sa sœur, mais avec un mouvement bien
plus large, éclairés en contre-jour par la fenêtre au travers de laquelle j'apercevais un coin de l'affreuse façade
du temple méthodiste ou presbytérien (je n'ai jamais su,
et comme les Bailey sont catholiques, elles n'en sauront
rien elles non plus), Rose dont les iris sont presque aussi
violets que ceux qui fleurissent maintenant dans Willow
Park.

« Et Ann, où a-t-elle disparu ? » a dit madame Bailey en servant le thé.

« Elle est allée chercher un livre qu'elle croit à moi.

– Si c'est un roman policier que je n'ai pas lu, il faudra que vous me le laissiez. Du lait ? »

Ann venait de rentrer, gaiement essoufflée, brandissant un Penguin Vert.

« Mais tu l'as lu, maman, depuis longtemps ; c'est *Le Meurtre de Bleston* de J.-C. Hamilton.

– Comment ? »

Cet exemplaire que je croyais définitivement perdu, cet exemplaire dont je venais l'avant-veille, vendredi dernier, de décrire l'achat, ce qui m'avait amené samedi à en relire le texte dans celui que j'avais mis des mois de recherche à découvrir enfin dans une librairie d'occasion pour le remplacer, car l'édition s'était épuisée entre temps, cet exemplaire marqué de mon nom, alors que celui qui est maintenant sur le coin gauche de la table, avec la notice illustrée de la Nouvelle Cathédrale, les plans de Bleston et son guide relié en bleu dans la collection « Our Land and its Treasures », porte une signature que je ne puis pas déchiffrer, cet exemplaire qui occupait mon esprit depuis plusieurs jours, la maison des Bailey, cette maison où je vais si souvent, était certes le dernier endroit où j'aurai imaginé le retrouver.

Quand Ann, en m'ouvrant la porte, m'avait parlé d'un livre, j'avais cherché dans mon souvenir s'il m'en manquait un ; l'idée ne m'était pas venue qu'il pût s'agir de celui-là.

Je savais bien que je le lui avais prêté, il y a très longtemps en effet, au mois de décembre ou de janvier, mais j'étais persuadé qu'elle me l'avait rendu.

Ma stupéfaction s'est peinte de façon si vive sur mon visage que Rose a éclaté de rire (un instant elle m'a fait penser à ces jeunes filles qui s'étaient moquées de moi, la première fois que j'étais entré dans l'Ancienne Cathédrale) ; puis elle s'est arrêtée, gênée.

J'ai voulu effacer cette impression, me justifier, mais comme il aurait été trop long et trop difficile d'expliquer mes véritables raisons, j'ai commencé à mentir et à parler de choses que j'aurais dû taire.

« Vous faisiez une tête si drôle, je n'ai pu m'empêcher...

– Il y a longtemps que vous me l'aviez passé, six mois, je pense. Un de mes cousins l'a emporté un jour parmi d'autres ; il m'en avait peut-être demandé la permission, je ne sais plus, je n'ai pas fait attention, j'ai acquiescé ; je ne me rendais pas compte que vous y teniez tant ; et puis cela m'est tout à fait sorti de la mémoire.

– Cela n'a aucune importance, Ann, je vous assure ; j'ai un autre exemplaire du *Meurtre de Bleston...* »

Au moment même où je la prononçais, j'ai senti que cette seconde phrase, bien loin d'appuyer la première, la contre-disait, qu'elle soulignait mon attachement à ce livre en révélant que j'avais éprouvé le besoin de le racheter, qu'au lieu d'atténuer la confusion d'Ann, ma réponse ne pouvait que l'augmenter, tout en rendant mon attitude de moins en moins intelligible ; c'est pourquoi, rougissant (mais dans l'obscurité du soir qui s'épaississait, je pense que l'on n'a pas remarqué ce changement de mon visage), cette seconde phrase, je l'ai terminée ainsi :

« Dont m'a fait cadeau l'auteur lui-même » (ce qui est l'inverse de la vérité, car c'est à cause de ce volume de la collection Penguin verte, que j'ai remis sur le coin gauche de ma table avec mes autres documents, que je suis entré en relations avec George William Burton), « et je vous laisse bien volontiers celui-ci. »

Mardi 3 juin.

Le résultat de mes paroles a dépassé de beaucoup celui que j'escomptais.

Ann, en face de moi, encadrée dans le chambranle de la porte, les derniers effluves du soleil tamisé faisant fleurir dans la moitié de sa chevelure blonde toute la rousseur qui n'y est qu'en germe en plein jour, Rose à ma droite, les traits de son visage comme effacés dans l'ombre, le chignon dans lequel elle roule ses tresses sombre sur les vitres, et comme vibrant de cils violets, de très minces fumées de métaux (dans ce soir de printemps, une heure d'un plus bel automne que celui que je traversais voilà sept mois), Ann et Rose ont sursauté d'un même mouvement, m'ont fixé de leurs yeux interrogateurs dont je ne distinguais plus les teintes (comme elles se ressemblaient ! assises, la différence de leurs tailles s'abolit ; debout, Ann est aussi grande que moi, tandis que le front de Rose arrive à la hauteur de mes narines), et presque d'une seule voix (celle d'Ann plus claironnante, celle de Rose plus veloutée), soudain elles se sont écriées :

« Vous connaissez l'auteur du *Meurtre de Bleston* ? »

Leurs quatre coudes sur la table, leurs quatre mains à la hauteur de leurs épaules s'épanouissaient comme des cyclamens.

C'était à mon tour de m'amuser de leur surprise.

« Oui. Pourquoi ? Vous aussi ?

— Non », a dit Ann, faisant se toucher ses deux index, « du moins, nous ne savons pas. Dites-moi, Jacques, il habite à Bleston ?

« Oui, pas très loin d'ici, dans le sixième, à l'angle de Green Park Terrasse et de Hatter Street.

– Il est possible que nous l'ayons rencontré, il est possible que nous le connaissions sous son vrai nom, tout en ignorant que c'est lui qui a écrit *Le Meurtre de Bleston.*

– Et qu'est-ce qui vous le fait penser ? »

Sa voix est devenue plus basse tout en restant agitée ; elle a refermé les doigts de sa main droite, et s'est mise à jeter des coups d'œil à ses ongles qui brillaient encore doucement dans la pénombre, comme des perles.

« Notre cousin Henry a prêté votre livre à l'un de ses amis, Richard Tenn ; il m'a raconté cela en me le rendant ; et s'il le lui a prêté... Je ne sais si vous l'avez présent à la mémoire.

— Je l'ai relu tout récemment.

— Moi, je m'en souviens assez mal, en dehors du fait qu'il s'agit d'un fratricide et que le meurtre a lieu dans l'Ancienne Cathédrale...

— Dans la Nouvelle Cathédrale...

— Oui, Rose, tu as raison, mais il y a pourtant quelqu'un qui meurt dans l'Ancienne, ou qui est blessé au moins, du sang qui coule... »

Rose a repris d'un ton de citation :

« Du sang qui coule sur les dalles diversement teintes par la lumière du vitrail. »

Le véritable passage est plus précis :

« A dark stain, spreading on the pavement, in the red light projected by the running down of Abel's blood » (une tache sombre s'étendant sur le dallage dans la lumière rouge projetée par le ruissellement du sang d'Abel).

Le sang du coupable démasqué. Donc votre cousin Henry...

— Prétend que la maison où les deux frères habitent, le meurtrier et sa victime, correspond pièce par pièce, meuble pour meuble, à celle de Richard Tenn telle qu'elle était installée, il y a trois ou quatre ans. J'aime autant vous dire que nous n'avions rien remarqué, ce qui est normal, puisque nous ne sommes allées pour la première fois chez Richard que l'année dernière, et que nous n'y sommes pas retournées souvent. Aussi Henry s'est-il dit que l'auteur, J. C. Hamilton, dont vous connaissez le véritable nom, avait pris pour modèle la demeure de son camarade, et était donc l'un de ses intimes. Il est allé le voir, il lui en a parlé ; mais Richard ignorait l'existence de ce livre, et a demandé à Henry de le lui laisser.

— Il a reconnu son propre intérieur ?

— Il a commencé par prétendre le contraire, qu'il y avait certaines ressemblances, sans doute, mais qu'à Bleston, il y avait tant de maisons du même type que la sienne, dont les meubles venaient des mêmes fournisseurs, et qu'il ne connaissait pas d'auteurs de romans policiers ; puis, comme Henry insistait, il en est venu à lui déclarer qu'il ne voyait vraiment pas qui, dans son entourage, avait pu écrire ce livre, et enfin à lui demander qui le lui avait passé, et si cette personne l'avait expressément chargé de lui en parler. »

Pendant toute cette conversation, madame Bailey était restée silencieuse, le visage éclairé par le crépuscule de plus en plus gris, mais j'avais bien remarqué qu'au moment où il avait été question de Richard Tenn, ses yeux s'étaient ouverts plus grands, et qu'elle était de plus en plus attentive, comme si les paroles d'Ann devenaient dangereuses.

« Voudrais-tu allumer, Rose, et tu tireras les rideaux. »

Ce qui avait fait pour moi l'importance du *Meurtre de Bleston,* c'était la précision avec laquelle certains aspects de la ville s'y trouvaient décrits, la prise qu'il me permettait sur elle, et j'ai commencé à me demander si sa relation à la réalité qui m'entoure n'était pas bien plus étroite encore, si l'histoire qui y est racontée n'était pas en grande partie littéralement vraie, s'il ne constituait pas une dénonciation, si George William Burton, non content d'écrire une histoire de détective, n'avait pas joué lui-même au détective en la publiant, si ce n'était pas là finalement la raison de ce pseudonyme particulier, J. C. Hamilton ; car la maison des deux frères, dont la situation à l'intérieur de Bleston est laissée vague, est décrite avec un soin extrême, une minutie très exceptionnelle dans ce genre de romans.

Aussi, dès que Rose se fût rassise (la lumière du plafonnier faisait briller violemment toutes les tasses blanches), tout en observant madame Bailey que je sentais agacée, je me suis efforcé d'obtenir des renseignements sur ce Richard Tenn qui avait un frère en effet, mort dans un accident d'auto, il y a trois ans (la première édition du *Meurtre de Bleston* est sortie l'année dernière), et pour cela j'ai prétendu que le nom me disait quelque chose, que l'auteur m'en avait parlé, sans doute, aiguisant ainsi la curiosité des deux sœurs ; mais ce n'est que sur le seuil de la porte, à dix heures, dans la nuit, que Rose (les deux marches de dénivellation mettaient ses yeux à la hauteur des miens, et au-dessus, un peu plus loin, j'apercevais ceux d'Ann, brillants aussi, souriants aussi) m'a demandé en français :

« Alors, comment s'appelle-t-il ? »

Toutes les raisons que j'avais de me taire, sa voix, son accent, me les ont fait oublier, et en français aussi, je lui ai répondu :

« Il s'appelle George William Burton. »

Elle a tourné la tête vers sa sœur, l'air déçu, et en anglais, lui a demandé :

« George William Burton, est-ce que cela te dit quelque chose ?

– Non, nous le connaissons pas. »

Je n'ai même pas eu le courage de leur demander de garder le secret, car je ne voulais pas leur laisser deviner la gravité de mes soupçons à l'égard de ce Richard Tenn, à l'égard de la mort de son frère, qui leur semblait toute naturelle, et qui l'est peut-être en effet.

Il est absolument certain qu'elles vont en parler à leur cousin Henry qui, lui-même, avertira son camarade.

Il est possible que cela soit déjà fait, et qu'il sache déjà, s'il est bien coupable, le vrai nom de celui qui l'a démasqué ; comment va-t-il répondre ?

J'espère me tromper complètement, j'espère qu'il n'y a dans cette maison semblable par hasard à celle du

meurtrier et de sa victime, qu'un très brave homme sincèrement désolé de la perte de son frère, ainsi que le
croient Ann et Rose (mais leur mère, j'en suis moins
sûr ; quant au cousin Henry que je n'ai jamais vu...),
j'espère ne pas avoir mis en danger la vie d'un homme
qui m'est cher.

Pourquoi donc ai-je pris ce risque, alors qu'il m'aurait
été si facile, même si tout cela est vrai, de conserver à
George William Burton une parfaite sécurité derrière le
rempart de son nom d'emprunt, de ce J. C. Hamilton
sans visage, sans adresse, sans état-civil, sans biographie,
sans autres œuvres ?

Mercredi 4 juin.

All Saints Gardens, la rue des sœurs Bailey, All Saints
Church, le temple méthodiste ou presbytérien dont
j'apercevais un coin de façade derrière les cheveux roux
presque noirs de Rose, All Saints Park, All Saints, le
quartier tout entier, tous ces noms de lieux que je
repassais dans ma tête et que j'écrivais ces jours-ci, me
rappelaient que le 1er novembre est une fête, la Toussaint, le jour des fantômes, mais comme je ne parvenais pas à retrouver ce que j'avais fait ce jeudi-là, ce
qui avait pu m'empêcher d'utiliser mon loisir à satisfaire l'envie qui s'était levée violemment en moi dès la
lecture de la première phrase du *Meurtre de Bleston*
(« l'Ancienne Cathédrale de Bleston est célèbre pour
son grand vitrail, dit le Vitrail du Meurtrier »), l'envie
d'aller examiner ce grand vitrail que j'avais seulement
aperçu lors de ma première visite, sans le remarquer,
sans lui accorder d'attention, sans me douter de son
sujet, ce grand vitrail que j'étais bien sûr de n'avoir
revu que le dimanche suivant à cause de certaines
paroles de l'ecclésiastique, dont je conserve un souve-

nir précis, mais que je serais certainement allé regarder
le samedi si je n'avais dû me rendre au quartier général de la police où l'on m'a établi cette carte d'identité
qui porte la date du 3 novembre, comme je ne distinguais plus, entre le dernier week-end d'octobre et le
premier du mois suivant, aucun événement particulier,
j'en étais arrivé à me demander si la Toussaint, le jour
des fantômes, avait vraiment été férié, si ce jour n'avait
pas été un jour de semaine comme tous les autres, un
jour de travail chez Matthews and Sons avec une
course, le soir, pour me faire montrer une de ces
chambres qui usent et avilissent ceux qui acceptent de
les habiter.

C'est pourquoi, aujourd'hui, j'ai interrogé James qui
m'a dit que naturellement nous avions eu vacance, qu'il
était allé dans le grand cimetière du sud avec sa mère,
comme tous les ans, qu'il y avait eu un temps tout à fait
de circonstance, beaucoup plus brumeux que l'an passé,
le premier brouillard de l'automne.

La mémoire des gens de Bleston en ce qui concerne
le temps qu'il fait m'émerveille et m'effraie aussi ; ils
savent toujours, d'une année sur l'autre, s'il était tombé
plus ou moins de pluie à la même date, comme si c'était
là la principale différence entre ces deux « premier
novembre », comme si, pour eux, jamais rien ne s'était
passé dans l'intervalle.

Le premier brouillard de l'automne, le premier
brouillard de Bleston pour moi, j'aurais été incapable
de situer sa date à moi seul, j'aurais eu tendance à la
retarder à cause des journées encore assez clémentes qui
ont succédé à cet avant-coureur de l'hiver.

Je comprends bien maintenant pourquoi je ne suis
pas allé vers le vitrail dans l'Ancienne Cathédrale ; il
était bien évident qu'il serait presque invisible ; et si je
ne me souvenais d'aucun événement précis, c'est que je
n'avais rien fait, presque rien vu.

Je me suis promené lentement dans Lanes Park ; il y avait encore quelques feuilles aux marronniers, les toutes dernières, amincies, recroquevillées, très rouillées, leurs nervures raidies et bombées ressortant comme les côtes des momies, les toutes dernières feuilles tourbillonnant lentement dans l'air jaune, s'effaçant lentement vers la boue ; et je suis allé prendre le bus 25 dans Pedlington Street, à côté du terrain vague où se trouvait la foire au mois de mars, qui m'a mené par Deren Street, puis City Street, jusqu'à la place de l'Hôtel-de-Ville dont je n'apercevais plus le sommet des tours ridiculement crénelées au-delà des réverbères dont les ampoules déjà allumées disparaissaient sous des taches cotonneuses.

C'était loin d'être un grand brouillard, ce n'était que le premier brouillard de l'automne ; je voyais encore le tronc des arbres quand je me promenais dans Lanes Park, je voyais encore les murs des maisons, assis à l'étage du bus 25, quand il descendait City Street, et les enseignes lumineuses sur la place de l'Hôtel-de-Ville, pour brouillées, pour noyées qu'elles fussent, demeuraient lisibles.

Si le samedi 3 novembre, malgré l'air clair, je n'ai toujours pas pu aller voir le vitrail, c'est que la veille j'avais reçu une lettre à l'Ecrou (ce qui ne m'arrivait jamais ; car j'avais demandé à ma famille de m'envoyer mon courrier chez Matthews and Sons tant que je n'aurai pas annoncé mon adresse définitive), une lettre dans une enveloppe marquée « Bleston Police Headquarters » (de telle sorte que tout le personnel de l'hôtel m'a regardé à partir de ce jour-là avec encore plus de méfiance, et s'est mis à chuchoter des histoires absurdes sur mon compte), une lettre ainsi rédigée (je traduis de mémoire ; j'ai jeté ce papier à l'époque) :

« Mr.

Veuillez passer le plus tôt possible au Q.G. de la

Police de Bleston (55 City Street, Bleston 4), service des étangers, pour information. »

Je suis donc allé, le 3 novembre vers une heure et demie, après avoir déjeuné et bu seul, au Sword dans Grey Street, au sortir de chez Matthews and Sons, je suis allé dans ce bâtiment carré presque neuf, de six étages, qui fait le coin de City Street et de la Place du Musée.

On a commencé par me faire attendre, puis on m'a introduit dans le bureau d'un inspecteur en uniforme bleu-marine, très propre, très rose de peau, avec des cheveux noirs taillés courts, sa casquette posée sur la table, la visière au-dessus, un inspecteur qui, d'une voix patiente, indulgente, habitué à se faire comprendre de continentaux, à les sermonner gentiment, m'a demandé pourquoi je n'étais pas venu me faire enregistrer plus tôt.

« Je ne suis à l'Ecrou que provisoirement ; j'attendais d'être installé.

– Vous êtes dans cet hôtel depuis plus d'un mois, monsieur Revel. Vous allez déménager bientôt ? Vous savez quelle sera votre nouvelle adresse ? Non. Alors nous allons vous établir une carte d'identité avec celle-ci ; vous viendrez la faire changer quand vous aurez découvert un logement qui vous convienne ; mais ne tardez pas trop longtemps, cette fois, je vous prie. Avez-vous des photographies d'identité ? Non. Je garde votre passeport et votre permis de travail, et vous allez vous rendre dans la boutique qui est de l'autre côté de la place : ils tirent leurs épreuves en une heure (vous leur direz que c'est pour nous) ; quand vous me les ramènerez, tout sera prêt. Vous étiez en pleine illégalité, my dear man ; nous allons arranger cela. »

J'ai profité de ce répit pour pénétrer entre les colonnes ioniques noircies sous le fronton marqué « Bleston Museum of Fine Arts », dans le vestibule vide entre le vestiaire aux porte-manteaux nus et le petit éventaire de librairie, puis dans l'escalier éclairé par un plafond de vitres, décoré par un moulage très retouché de la frise des panathénées au British, dont on a peint le fond en bleu lessive pour mieux faire ressortir les figures, l'escalier qui se sépare à mi-hauteur en deux branches, pour la montée et la descente, comme le palier communique par deux portes, pour l'entrée et pour la sortie, avec la suite des neuf salles d'exposition qui l'entourent :

La première, archéologie (deux ou trois scarabées égyptiens, un vase grec, un fragment de tissu copte, une poignée de monnaies romaines, et surtout quelques monuments funéraires grossiers trouvés dans le sol de Bleston, datant du deuxième ou du troisième siècle, dont les inscriptions se rapportent presque toutes à des enfants), où dormait le gardien, le seul être vivant que j'aie rencontré dans tout le bâtiment, ce jour-là,

la deuxième, robes et meubles du dix-septième siècle,

les cinq suivantes où sont tendues les dix-huit tapisseries (en outre, quelques vitrines, avec de l'argenterie et de la porcelaine),

la huitième, peinture du dix-neuvième siècle (une petite gouache de Constable, une aquarelle de Turner, quelques toiles préraphaélites, des portraits d'hommes d'affaires),

la neuvième, peinture moderne (échantillons de la production locale).

Je ne savais pas que les dix-huit panneaux de laine racontaient tous l'histoire de Thésée ; il n'y a pas d'étiquettes sur le mur pour indiquer le sujet de chacun ; je ne les ai regardés avec soin, en étudiant leurs rapports, que plus tard ; je n'avais pas encore le guide de Bleston ; je n'avais même pas lu, je crois, la pancarte apposée à l'entrée de la salle numéro 3, qui dit en substance :

« Tapisserie Harrey.

Ces dix-huit tapisseries ont été commandées à la manufacture de Beauvais (France) par le duc de Harrey au début du dix-huitième siècle. Son dernier descendant, mort vers 1860, les a léguées à la municipalité de Bleston qui a fait construire ce musée pour les abriter.

On ignore le nom du peintre qui a dessiné leurs cartons. »

Certes, je pense que j'avais reconnu dès l'abord le thème du onzième panneau, dans la cinquième salle, en face quand on entre, à gauche de la porte qui donne dans la sixième, éclairé de côté par les fenêtres qui donnent sur Museum Street et les minuscules baraques qui la séparent des voies de chemins de fer allant vers Hamilton Station :

Un homme à tête de taureau égorgé par un prince en cuirasse, dans une sorte de caveau entouré de murs compliqués, à gauche duquel, en haut, sur le pas d'une porte ouvrant sur le rivage de la mer, une jeune fille en robe bleue brodée d'argent, haute, noble, attentive, tire de sa main droite un fil se déroulant d'un fuseau qu'elle tient entre le pouce et le médius de l'autre, un fil qui serpente dans les méandres et les corridors de la forteresse, un fil épais comme une artère gorgée de sang, qui va s'attacher au poignard que le prince enfonce entre le cou du monstre et son poitrail humain, une jeune fille que l'on revoit à droite, au loin, sur la proue d'un bateau qui file, sa voile noire gonflée de vent, en compagnie du même prince et une autre jeune fille très semblable mais plus petite et drapée de violet.

Mais il m'est difficile de retrouver ma première impression devant cet ensemble prestigieux que j'ai tellement mieux regardé depuis, dont le style me déroutait sans doute quelque peu, bien que, dès le début, j'en suis sûr, j'eusse été ému par les paysages, par les arbres notamment, des panneaux 2, 3, 4 et 5, qui décrivent l'approche d'Athènes par Thésée, ses victoires sur les quatre criminels qui infestaient sa campagne, Sinnis, Sciron, Cercyon, Procruste, ces arbres représentés aux quatre saisons de l'année, si manifestement inspirés de ceux de l'Ile de France, peupliers, trembles, ou chênes, en bourgeons, en pleines feuilles de tous les verts, en pleine fantasmagorie de douces flammes, ou les branches nues.

Jeudi 5 juin

Je ne suis sorti qu'à la nuit tombante du quartier général de la Police, à l'angle de la Place du Musée et de City Street, enfin en règle, pour quelque temps, tous mes papiers dans ma poche, y compris cette carte jaune sur laquelle maintenant l'adresse de l'Ecrou est barrée et remplacée par celle de cette chambre où je suis en train d'écrire, 37, Copper Street, Bleston 7.

Je suis descendu à pied jusqu'à la place de l'Hôtel-de-Ville et je suis entré dans un cinéma, je ne sais plus lequel, par désœuvrement, sans choisir le programme (je ne sais plus ni le titre du film, ni les noms des acteurs), et j'ai assisté pendant deux heures à un déroulement d'images ternes qui glissaient sur mes yeux.

En revanche, je me souviens avec beaucoup de précision de ma visite au Vitrail du Meurtrier dans l'Ancienne Cathédrale l'après-midi du lendemain, le dimanche 4 novembre ; c'est un îlot de certitude, j'en ai ressassé mainte fois les péripéties.

J'étais arrivé par le bus 17 jusqu'au portail sud, mais j'avais contourné le bas-côté pour entrer par la façade principale à l'ouest, dont les deux tours carrées de style perpendiculaire tardif brillaient de toutes leurs arêtes encore humide de la pluie du matin, sous le ciel éclairci.

A l'intérieur tout était calme ; je me suis mis devant la grille du chœur, sous l'orgue, à travers laquelle j'apercevais la lueur d'une lampe à huile dans son verre rouge, et j'ai regardé dans la grande verrière à ma droite cette scène au sommet, inscrite dans un cercle, dont je savais déjà par la lecture du *Meurtre de Bleston,* qu'elle représente Caïn tuant son frère Abel, Caïn dans une cuirasse lui moulant le ventre avec des rubans flottant sur ses cuisses comme Thésée, presque dans la même attitude que Thésée aux prises avec le Minotaure, penché comme lui, le pied gauche posé sur la poitrine de sa victime allongée mais relevant la tête, nue, déjà blessée, si différent pourtant, brandissant un tronc aux racines échevelées sur le ciel rouge.

J'ai entendu une porte s'ouvrir ; un ecclésiastique d'âge mûr, en surplis, m'a abordé.

Le seul fait que j'aie pu soutenir cette longue conversation me montre à quel point déjà ma pratique de l'anglais s'était améliorée en un mois de séjour ; les quelques mots dont je ne comprenais pas le sens gênaient à peine mes réponses.

« Vous êtes venu voir notre vitrail ? Surprenant, n'est-ce-pas ? Bleston est la seule ville de toute l'Anglerre à posséder de beaux spécimens de cette période. Est-ce la première fois que vous entrez dans cette église ?

– Pas exactement. J'y suis déjà venu, il y a quelque quinze jours, mais il pleuvait ; j'avais à peine remarqué cette fenêtre ; elle ne brillait nullement comme aujourd'hui ; et puis je l'ai vue mentionnée dans un livre...

– Elle est très célèbre en effet ; il est peu d'ouvrages sur notre pays qui n'y fasse quelque allusion, et pourtant, ici même, on en parle fort peu ; vous auriez pu vous promener des mois dans ce vieux quartier qui nous entoure, sans que personne vous engage à l'aller regarder. »

Je n'ai jamais revu cet homme, malgré l'envie que j'en ai eue quelquefois, pensant qu'il pourrait me donner certains renseignements complémentaires sur cette grande image envoûtante, mais le ton de sa voix résonne encore dans mes oreilles, surtout la façon très déroutante pour moi dont il prononçait les phrases latines qu'il citait, ou les noms propres hébraïques, et aussi, dans le cours calme de ses propos aimables, ces vagues soudaines d'attachement passionné, qui faisaient vibrer, s'épanouir en longues notes communiquant leur agitation contenue jusqu'à ses cils et à ses doigts, les mots « church », « cathedral », « window », ou « Bleston ».

« Vous êtes arrivé récemment ?

– Il y a un mois.

– Vous êtes étudiant à l'Université, sans doute ?

– Non, hélas, je fais un stage dans une maison d'exportation, Matthews and Sons, 62, White Street ; je suis là pour une année entière ; je ne repartirai qu'en fin septembre. Je suis Français naturellement, comme ma prononciation détestable vous l'avait déjà fait deviner.

– Ce vitrail est attribué à des maîtres de votre pays.

– De quelle époque ?

– Le milieu du seizième. L'architecture de la fenêtre a été refaite à cette occasion. Le grand cercle où s'inscrit la scène du meurtre, au-dessus de la baie centrale plus large et moins élevée que les deux autres, est une particularité assez rare. »

Un rayon de soleil traversait la flaque de sang ruisselant des blessures d'Abel, et venait s'écraser à notre gauche sur la paroi du transept, en une tache rouge qui bientôt s'est éteinte.

« Dans les quatre triangles curvilignes qui le raccordent aux autres panneaux et aux bords supérieurs, vous pouvez distinguer des fleurs à six pétales qui sont peut-être des flammes, des fleurs avec un œil au centre, dans lesquelles certains veulent voir des représentations de séraphins. »

L'épaisseur des pierres qui les cernent nous les masquait en partie ; pour les apercevoir entièrement, il faut se mettre le plus loin possible, mais alors le détail échappe.

De son doigt tendu sur son poignet (la raie blanche de sa manchette aux boutons de nacre, la raie noire de son veston de clergyman, les dentelles qui bordaient son surplis), il me désignait, dans cette niche étroite limitée par l'arc brisé qui ferme en haut la baie de gauche, un personnage presque nu, sur fond de feuilles épineuses, enfonçant sa bêche parmi des cailloux.

« Vous voyez Caïn défrichant la terre, et à droite, offrant au Seigneur des épis et des fruits. La fumée qui s'élève de son autel envahit tout le ciel au-dessus de lui, et retombe pour l'envelopper.

— Tout le vitrail lui est donc consacré ?

— A lui et à sa descendance.

— Je suis d'éducation catholique romaine, mais il y a longtemps que j'ai laissé s'effacer en moi la plupart des rudiments d'« Histoire Sainte » que l'on m'avait inculqués ; j'imagine pourtant, dans cette grande scène centrale au-dessous du cercle du meurtre, que c'est encore Caïn qui se tient debout » (les mains pendant le long de son corps, des taches rouges sur ses paumes, des taches du sang de son frère, de ce sang qui semble ruisseler en pluie dans tous les cieux des scènes inférieures).

« Oui, et c'est le Seigneur qui lui apparaît dans les nuées, brandissant cette foudre, ce rayon jaune qui vient s'écraser sur son front, non pour l'anéantir » (c'était bien l'hypothèse qui m'était venue d'abord à l'esprit, mais sentant son absurdité, j'avais brusquement cessé de parler), « mais au contraire, pour le rendre invulnérable, pour que les autres hommes s'écartent de lui terrifiés, comme vous le voyez dans la scène de gauche. »

Au-dessous de « Caïn laboureur », Caïn, la brûlure au front, accompagné de sa femme Themech, marche dans une sorte de désert où les silhouettes s'enfuient au loin.

« Et qui est ce maçon qui lui fait pendant à droite, édifiant un mur de brique ?

– Toujours lui ; l'artiste a suivi le texte d'aussi près qu'il a pu. Regardez ce ruban qui court dans ces trois scènes, avec des inscriptions plus très lisibles mais que l'on arrive assez facilement à reconstituer. Au centre, « posuitque Dominus signum » (« et le Seigneur lui imprima un signe ») est une expression tirée de la Vulgate, Génèse, chapitre 4, verset 15 ; à gauche, « profugus in terra » (« vagabond sur la terre ») vient du verset 16, et c'est du verset 17 qu'a été extraite celle-ci, « et ædificavit civitatem » (« et il construisit une cité »), cette cité que vous voyez se déployer en bas dans toute la largeur de la fenêtre, et que l'artiste a représentée en s'inspirant de celle qu'il avait alors sous les yeux, de la Bleston de ce temps-là, ce qui donne à toute cette partie une très grande valeur de document, puisque l'on y voit représentés assez fidèlement des édifices aujourd'hui disparus. Remarquez ces maisons à pignons ; il en existe encore quelques-unes dont vous pouvez apercevoir les faîtes au travers de la verrière blanche de l'autre bras du transept, et le beffroi de l'Hôtel de Ville d'alors. Vous reconnaissez le pont sur la Slee, Old Bridge » (je ne l'avais encore jamais vu en réalité, je ne m'étais encore jamais promené le long de cette partie de la rivière) « et la Cathédrale où nous sommes, dont les trois tours carrées sont surmontées de croissants jaunes. »

Ils étincelaient, semblables à des barques d'or dans le ciel rougeoyant, frappés par un des derniers rayons de ce jour et de cette année.

« Quant aux personnages du premier plan, c'est évidemment le peuple de la ville, la descendance de Caïn : à gauche, au-dessous de « profugus in terra », devant les arcades de l'ancien marché, assis à son métier semblable à ceux qu'avaient les tisserands de Bleston en ce temps-là, entouré de ses chèvres, près de sa tente, c'est Yabal, ancêtre de tous ceux qui filent, qui fabriquent et teignent des toiles ; au centre, sous la scène de l'imposition du signe, devant la Cathédrale à croissants, Yubal, l'ancêtre de tous les musiciens » (debout, la bouche grande ouverte, comme s'il hurlait), « au milieu de ses fils avec les instruments à vent, l'orgue, la trompette, et la flûte, et de ses filles avec les instruments à cordes, la harpe, la viole, et le luth ; à droite, au-dessous de « Caïn maçon », devant la rivière, Tubalcaïn, ancêtre de tous ceux qui travaillent les métaux, les tenailles dans la main gauche, tenant une roue sur l'enclume. »

Bleston, ville de tisserands et de forgerons, qu'as-tu fait de tes musiciens ?

J'entends la profonde crécelle d'un camion.

Vendredi 6 juin

Donc, j'étais dans l'Ancienne Cathédrale, et la lumière de ce dimanche 4 novembre diminuait au travers du Vitrail de Caïn, tandis que l'ecclésiastique en surplis m'ouvrait, en me le commentant, des perpectives toutes nouvelles sur ces vieilles histoires que je m'imaginais connaître, pour en avoir entendu réciter, lorsque j'étais au catéchisme, pour en avoir récité moi-même des versions abrégées, me les faisait apparaître sous un tout nouveau jour.

Cette image, cette grande image qui s'éteignait, ses commentaires en faisaient l'entrée d'une mine de mystères ; mais ce n'est pas seulement ce qu'il y avait en elle qui devenait de plus en plus intrigant, c'était aussi sa relation avec ce qui l'entourait, sa situation dans cette Cathédrale et dans cette ville entière dont elle offrait, je venais de m'en apercevoir, une représentation si précise.

« Pourquoi cet immense vitrail consacré à un réprouvé ? »

Sur son visage qui devenait violacé, un peu plus sombre que son vêtement, s'est dessiné un sourire, comme s'il s'était depuis longtemps attendu à une telle question.

« Il faut vous rappeler que c'est une œuvre de la Renaissance ; l'artiste honorait en Caïn le père de tous les arts... »

Puis, après une ou deux minutes de silence comme pour laisser à sa phrase le temps de s'enfoncer dans ma tête, il a continué d'un autre ton plus semblable à celui d'un professeur en vacances, qui commente avec amabilité à l'un de ses élèves rencontré hors des classes le paysage qui vient de se révéler au détour de leur promenade :

« Mais surtout, il n'était pas fait pour être vu seul. La verrière qui est derrière nous, toute en vitres blanches au travers desquelles on aperçoit la découpure des pignons des vieilles maisons sur le ciel qui baisse et s'obscurcit, contait autrefois l'histoire d'Abel et de Seth. Nous avons assez peu de précisions, à vrai dire ; aucun dessin n'est parvenu jusqu'à nous ; mais grâce à un chroniqueur qui a décrit longuement la fête donnée à l'occasion de sa pose, nous connaissons les sujets des tableaux et leur distribution. »

L'architecture est la même : deux minces colonnes séparent l'ensemble en trois parties, celle du centre, plus large que les autres, est surmontée d'un cercle qui se raccorde avec les bordures supérieures et les chapiteaux, par des triangles curvilignes, le tout fermé de vitres blanches semblables à celles de toutes les fenêtres, de toutes les maisons, de tous les ateliers de Bleston, de vitres blanches très salies, protégées par un grillage.

« En haut, dans ce cercle où, de l'autre côté du transept nous admirons la scène du meurtre, dans ce cercle si vide dont la transparence nous permet de voir ces trois petites cheminées déformées, il y avait Adam et Eve avec Abel enfant, dans la niche de droite, symétrique de celle où Caïn laboure toujours, Abel berger, dans l'autre, celle qui correspond à l'offrande des fruits, cette offrande mal agréée dont la fumée retombe sur son donateur, Abel sacrifiant un agneau, au-dessous, l'enterrement d'Abel, la mort d'Adam au centre, entouré de ses autres fils, et la naissance de Seth, le premier de ceux-ci, en bas, sept vieillards représentant la lignée des patriarches depuis Enos jusqu'à Lamech, père de Noé ; à leur place, nous ne voyons plus que ces obscures façades tordues par la réfraction, que ces fenêtres qui semblaient mortes, mais dont l'une, tout à fait sur le côté, vient de s'éclairer d'une faible ampoule, que ces poutres et ces tuiles, non pas lavées mais salies de pluie charbonneuse. »

La pluie, nous l'entendions gratter de tous ses ongles mousses sur cette grande paroi de verre sans un signe.

« Comment se fait-il que Caïn soit à droite et qu'Abel ait été à gauche ? N'était-ce pas la gauche, le côté de la réprobation ? »

Alors, ç'a été un très léger rire se répercutant dans la nef ; j'ai dans l'esprit l'image de la petite flamme vacillante dans son vase de verre rouge suspendu au milieu du chœur derrière l'orgue.

« C'est que vous voyez les choses à l'envers ; ces deux grandes verrières faisaient partie d'un vaste ensemble qui n'a jamais été terminé, et dans lequel toutes les fenêtres devaient jouer leur rôle ; ainsi, sur celle de l'abside, se serait déroulé le jugement dernier. »

Comme j'ai été surpris en constatant ce jour-là que l'Ancienne Cathédrale de Bleston a un chevet rectangulaire comme un transept (avec une grande verrière vide comme celle d'Abel aujourd'hui) ! J'ai appris depuis par le guide (dans la collection « Notre Pays et ses Trésors »), qu'il en est ainsi dans la plupart des églises anglaises.

« Le Seigneur assis au centre de la Jérusalem céleste aurait eu ainsi les bénis à sa droite, et Abel à sa droite, et entre les deux, à sa droite, dans les petits vitraux du déambulatoire, les villes saintes, à notre gauche donc, et à sa propre gauche, les maudits et les villes maudites depuis celle de Caïn ; venez, je vais vous en montrer les fragments. »

À l'extérieur, la pluie s'épaississait ; à l'intérieur, la lampe rouge du sanctuaire faisait une tache de plus en plus vive dans ses halos ; une teinture bleue sombre se mêlait à toutes les couleurs des verres.

« Je ne voudrais pas abuser de votre temps...

– Je dois dire le salut à cinq heures, pour une dizaine d'ouailles... D'ici là, je suis à la disposition de qui veut voir ; vous êtes le seul, je suis là pour vous. Nous avons une grande, superbe et célèbre église qu'en d'autres saisons viennent admirer les habitants de régions lointaines, mais à Bleston même, non seulement il n'y a que peu de catholiques romains, mais eux-mêmes n'entrent ici que rarement, comme si ces voûtes et ces vitres leur faisaient peur. Quant aux autres, ils sont tellement superstitieux ! Jamais, même lors des plus grandes fêtes, vous ne verrez remplie cette nef qui l'était pourtant si souvent au moment où notre cité ne comptait que dix mille âmes. »

Sa main que depuis quelques minutes je ne distinguais plus (seulement le mouvement de sa manche blanche bordée de dentelle), s'est détachée comme une ombre chinoise, sur la première des quatre petites fenêtres qui éclairaient de moins en moins le côté droit du déambulatoire.

« Voici Babel, en bien mauvais état, hélas, souvent et mal réparée. Seul demeure à peu près intact, au milieu d'un réseau de plomb serré et désordonné, le sommet très inachevé de la tour. »

De l'ongle, il en dessinait la silhouette.

« Les deux ou trois derniers étages, chacun en retrait sur le précédent, sont encore réduits à quelques pans qui s'élèvent au milieu de treuils et d'échafaudages, semblables à des crocs voulant happer le ciel. Un jour de lumière meilleure, vous pourrez apprécier la finesse merveilleuse avec laquelle sont peints quelques-uns de ces détails. Toute la partie inférieure a disparu.

Sodome a presque autant souffert ; il ne reste rien du quart supérieur où l'on apercevait dans le lointain Gomorrhe et les autres villes de la Mer Morte ; mais le travail de restauration a été fait avec beaucoup plus de soin.

C'est le moment où la pluie de soufre commence à tomber ; vous voyez la femme de Loth, déjà à demi tranformée en statue de sel, blanche depuis ses pieds scellés dans le sol du chemin, jusqu'à sa ceinture dont les plis sont non pas peints, mais gravés profondément dans le verre comme ceux de sa robe, la tête retournée vers la porte de l'enceinte de briques, à l'intérieur de laquelle les flocons jaunes et noirs s'abattent sur les poutres flambantes.

Il ne reste de Babylone que ce visage portant pour cheveux des plumes de corbeaux, celui du roi Nabuchodonosor changé en bête, et la dernière lettre de l'inscription « Mané, Thecel, Pharès », avec le doigt qui achève de la tracer. »

Et son doigt me montrait ce doigt.

« Ces deux débris ont été longtemps conservés dans une armoire de la sacristie ; c'est mon prédécesseur qui les a fait replacer selon une reconstitution très hypothétique.

– Et cette dernière fenêtre, était-elle décorée, elle aussi ?

– Elle représentait Rome.

– Rome ?

– Oui, la Rome des empereurs elle avait pour correspondant, de l'autre côté, à gauche du chœur pour nous, mais à droite de ce Christ juge qui devait être représenté dans la grande verrière de l'abside, la Rome des papes, la capitale de l'Eglise.

– Il n'en reste rien ?

– Il ne reste absolument rien des vitraux de l'autre côté. »

Les explications qu'il me donnait, loin de dissiper l'étrangeté, ne faisaient que la préciser et l'approfondir. Quelle ambiguité dans la disposition que ces verriers d'antan avaient donnée à leurs sujets, comme s'ils avaient voulu montrer, à travers l'illustration même de la lecture officielle de la Bible, qu'eux y découvraient autre chose !

Samedi 7 juin

« Mais d'où vient cette différence ? Le vitrail de Caïn est, lui, admirablement conservé. »

C'est d'une voix très sourde qu'il m'a répondu, comme s'il ressentait encore la honte des événements qu'il rapportait :

« Voici l'histoire ; c'est une longue et vieille histoire ; cela remonte aux temps mêmes où l'on fabriquait ces vitraux, au seizième siècle, au moment du passage de l'Angleterre à l'anglicanisme. Les querelles ont été très vives à Bleston ; il y a eu des batailles dans les rues et des morts. Cette cathédrale, naturellement, était la forteresse de l'orthodoxie. »

Nous traversions lentement le transept obscur ; à notre gauche, la verrière sud déployait son aile de paon cramoisie de moins en moins vive.

« Un jour, l'évêque, dans son palais qui a été détruit par un incendie au début du dix-huitième siècle, dans son palais qui communiquait avec la sacristie par un corridor dont il reste l'entrée murée, ayant entendu les cris de la foule furieuse qui s'était rassemblée sur le parvis, revêtit ses ornements, coiffa sa mitre, prit sa crosse et se fit ouvrir le portail central, assuré sans doute qu'il lui suffirait de prononcer quelques mots pour que tout s'apaisât, pour que chacun rentrât chez soi se demandant ce qui avait pu le pousser à se mêler à cette manifestation.

En effet, le silence se fit dès qu'il parut ; mais il ne parvint pas à ouvrir la bouche, un doute, un scrupule, un effroi soudain le paralysant, quelque raz de marée de sa conscience vraisemblablement impure...

La foule interpréta cette paralysie comme un signe du ciel, et sa rage, quelques instants contenue, déferla.

Une immense huée envahit ce lieu de recueillement ; ces furieux mirent la main sur Monseigneur, l'appréhendèrent au col de sa chape comme un maraudeur et l'entraînèrent en le rouant de coups de poings jusqu'à son trône où ils l'enchaînèrent, jusqu'à son trône qu'ils transportèrent dans une pompe burlesque jusqu'au-dessous du Vitrail de Caïn qu'il avait commandé lui-même quelques années auparavant, s'esclaffant et criant :

« Il a voulu faire de notre ville une ville de Caïn ; cette cathédrale est une cathédrale de Caïn. Dors sous la protection de ton père ! »

Sous ses yeux ils fracassèrent le vitrail d'Abel avec des cailloux, et ceux des villes saintes. »

Il s'était excité en parlant ; ses derniers mots résonnaient sous la voûte ; il a regardé autour de lui, craignant d'avoir dérangé quelque fidèle dans ses prières ; mais la nef était toujours vide.

Alors il a repris son histoire dans le ton sourd avec lequel il l'avait commencée, s'interrompant pour allumer les lampes à chaque pilier.

« Quand le soir fut tombé et que les possédés eurent regagné leurs demeures, les vicaires de la Cathédrale, qui avaient suivi toute la scène de l'une des galeries, descendirent délier l'évêque devenu aveugle, qui gémissait, qu'il fallut nourrir comme un enfant et qui mourut trois ans plus tard, sans avoir prononcé une parole. »

Un grincement lui a fait tourner les yeux vers une des portes : une vieille femme se faufilait.

« Une fois le délire passé, les destructeurs regrettèrent leurs excès et firent tout ce qu'ils purent pour préserver ce qu'ils avaient épargné ; le calme revint, mais avec le triomphe de l'hérésie ; l'évêque suivant fut un anglican.

– Mais ne m'avez-vous pas dit...

– Oui, de nouveau notre cathédrale est romaine. Attendez, je n'ai pas fini le récit de ses malheurs. Nous n'avions pour ainsi dire plus de fidèles à Bleston, malgré la proximité de l'Irlande ; il a fallu attendre jusqu'à la fin du dix-neuvième siècle pour que nous commencions à reprendre du terrain, surtout sur les nouveaux venus, je dois l'avouer. »

Il avait allumé toutes les ampoules de la nef l'une après l'autre ; nous étions de retour au transept ; le vitrail, ayant perdu toute transparence, semblait une mosaïque de lames de charbon polies.

« Or il y avait depuis longtemps une grande lézarde dans la tour qui se trouve au-dessus de nous, ce qui était fort grave pour les habitants de Bleston que cela interdisait de faire sonner les célèbres cloches qu'ils considèrent depuis des siècles comme l'essence même de leur cité, au point qu'ils les ont mises dans ses armoiries, et qu'ils s'imaginent que son nom même vient d'elles, Bleston, Bells Town.

En réalité il y avait ici même, à l'emplacement où nous sommes, un temple de la guerre romain, préromain peut-être (on a fait quelques fouilles sous la crypte au moment de l'installation du chauffage), et comme certains textes du haut moyen-âge donnent l'orthographe « Bellista », on pense qu'il faut chercher son origine dans « Belli Civitas » (la cité de la guerre).

Pourtant, dans les occasions exceptionnelles, ils ne pouvaient s'empêcher de s'offrir quelque régal de carillon ; aussi, en 1835, un pan de cette tour s'est effondré, endommageant le côté droit du déambulatoire, où étaient jusqu'alors demeurés intacts les quatre vitraux de Babel, de Sodome, de Babylone, et de la Rome impériale ; c'est cet accident qui les a brisés.

A cette époque, la fortune de la ville s'accroissait prodigieusement et les édiles n'ont pas hésité à entreprendre la construction d'une Nouvelle Cathédrale dont il était bien entendu que la tour centrale serait achevée avant tout le reste, pour que l'on pût y transporter les cloches en grande cérémonie.

Depuis, elles sonnent tous les jours (vous avez pu apprécier l'ampleur, la richesse de leurs timbres, la variété des combinaisons qu'elles permettent), et nous avons pu récupérer pour notre culte cette église vénérable et délabrée que nous avons patiemment remise en état ; nous avons même réussi, voici deux ans, à installer un carillon électrique des plus perfectionnés, et ne représentant aucun danger pour la solidité des murs. »

Il avait retrouvé tout son calme ; il allumait les lampes

du chœur ; il y avait maintenant une dizaine de personnes dispersées dans les bancs.

« Etes-vous allé la voir, cette Nouvelle Cathédrale ? Bien sûr, ce n'est pas comme ici.

– Si elle a été construite au dix-neuvième siècle...

– Ce qu'il y a de plus intéressant, ce sont nos cloches ; mais tout de même, elle est curieuse, jetez-y un coup d'œil ; les gens de Bleston en sont assez fiers. Excusez-moi, il est temps que je me prépare. »

Un enfant de chœur allumait les cierges ; je me suis hâté vers la porte.

Une affiche de journal m'avait mené vers le roman policier de J. C. Hamilton, *Le Meurtre de Bleston,* et la lecture de celui-ci vers le Vitrail du Meurtrier, qui, lui-même, avait provoqué cette conversation dont les derniers mots me conseillaient d'aller vers la Nouvelle Cathédrale ; c'était comme une piste tracée à mon intention, une piste où à chaque étape, on me dévoilait le terme de la suivante, une piste pour mieux me perdre.

Dehors, en descendant les marches, j'ai vu de l'autre côté de cette place qui avait été un parvis couvert d'une population hurlante, de l'autre côté de cette place absolument silencieuse, sauf le bruit de la pluie, j'ai vu se découper, comme des taches d'encre sur le ciel violet, des caractères chinois brandis par des barres et bordés de tubes de verre où s'accrochaient quelques lueurs venues des fenêtres d'autres maisons, des caractères chinois qui ne pouvaient être que l'enseigne de ce restaurant, l'Oriental Bamboo, où, dans les premières pages du *Meurtre de Bleston,* de J. C. Hamilton, celui qui sera le détective rencontre pour la première fois celui qui va être la victime, à une table au premier étage, près d'une fenêtre donnant sur la façade de cette Ancienne Cathédrale célèbre, ils le savent tous deux, par son Vitrail du Meurtrier (scène qui joue un rôle déterminant, puisque c'est justement en se souvenant de l'attention avec laquelle ce Johnny Winn, joueur de cricket connu, que jamais ses nombreux admirateurs n'avaient vu s'intéresser aux Beaux Arts, semblait interroger ce monument, la veille du jour où on le découvrit assassiné, à la croisée du transept dans la Nouvelle Cathédrale, que Barnaby Morton commence à se demander si tout allait bien entre lui et son frère Bernard, s'il n'appréhendait pas quelque chose de sa part), l'Oriental Bamboo dont je n'avais pas pensé à vérifier l'existence en traversant pour la première fois la place au début de cet après-midi du dimanche 4 novembre, parce qu'elle me paraissait beaucoup trop douteuse (je ne savais pas encore à quel point J. C. Hamilton, c'est-à-dire George Burton, est fidèle dans sa description de la ville ; c'est justement l'une des expériences qui m'ont engagé à me fier à lui, à prendre son livre pour guide), l'Oriental Bamboo dans lequel j'avais maintenant envie de manger, pour me changer de l'accablant ordinaire blestonien, quelques-uns de ces plats dont celui qui devait être le détective, Barnaby Morton, tout en observant celui qui commençait à se demander si son frère n'était pas de la race de Caïn, se régalait silencieusement (langoustines frites, canard aux ananas, letchis), ce qui était impossible pour l'instant, puisque le rideau de fer, comme tous les dimanches, était fermé, aucun bruit, aucun rai n'en filtrant.

2

Avant-hier, 7 juin, je transcrivais mes souvenirs d'un dimanche vieux de sept mois, tout replongé dans l'air misérable de ce début de novembre où je n'étais pas encore installé dans cette chambre orientée au sud-ouest, que l'approche de l'été rend claire même à cette heure-ci.

C'était la première fois que je consacrais l'après-midi d'un samedi à cette recension de mes heures passées, poursuivie depuis le début de mai ; et je m'efforcerai à l'avenir d'éviter que se reproduise un tel empiètement, car cette fouille, ce dragage qui occupe maintenant si régulièrement toutes mes soirées de semaine, doit me délivrer des eaux troubles de ce mauvais sommeil qui m'avait envahi et aveuglé, de cet enchantement morose que je subissais, doit me permettre d'agir de nouveau en homme éveillé, d'éviter les plus graves erreurs, de parer aux dangers les plus pressants, d'intervenir enfin, avec intelligence et efficacité, ce qui ne m'est possible que pendant les week-ends, tous les autres jours étant sacrifiés, dévorés presque entièrement chez Matthews and Sons, pendant les week-ends où, par conséquent, toute mon attention doit être réservée à l'instant pré-

sent, mon attention qui, je l'espère, va redevenir de plus
en plus vive et préhensile.

Mais il me fallait absolument en finir, le temps commence à me presser, avec les paroles de cet ecclésiastique au sujet du Vitrail de Caïn, ou plutôt avec ce qui
demeurait en moi de ses paroles, car j'aurais été bien
incapable, même quelques jours après, même dans
cette semaine de novembre que je m'apprête à raconter, dès que j'aurai confié à la garde de ce papier les
détails de ma conversation d'avant-hier avec Lucien,
j'aurais été bien incapable de retrouver exactement
les mots anglais dont il s'était servi, encore pour moi
trop étrangers, ces mots oubliés dont l'effet subsiste si
fortement.

Au moment même, samedi (il devait être six heures
et demie), où j'en arrivais aux dernières répliques et à
ma sortie hors de l'Ancienne Cathédrale, j'ai entendu
frapper vigoureusement à ma porte, et sans m'être
donné la peine de répondre, j'ai vu entrer (ce ne pouvait être que lui, le seul à venir me trouver dans mon
antre, avec James Jenkins qui ne me rendrait jamais
visite sans m'en avoir dûment averti auparavant, et,
naturellement, ma propriétaire, la chère madame Grosvenor, dont le coup de doigt est incomparablement plus
discret), j'ai vu entrer Lucien Blaise que je n'attendais
nullement, puisque nous nous étions donné rendez-vous
pour une heure plus tard à l'Oriental Rose, le restaurant chinois de la place de l'Hôtel-de-Ville, serré entre
le cinéma Royal et le grand magasin populaire Modern
Stores, Lucien qui m'a demandé avec un large sourire,
en s'effondrant dans le fauteuil de cuir, s'il ne me déran-
geait pas trop, et qui a commencé à m'expliquer à
grands renforts de gestes (il est bien plus méridional
que moi, bien plus « gallic »), que pour profiter de
l'après-midi ensoleillé, ce qui est si rare même en cette
saison, il s'était promené le long des quais de la Slee,

et qu'ayant reconnu mon quartier, il était venu voir si par hasard j'étais chez moi.

« Reste tranquille pendant quelques instants ; il faut que je termine ma page.

– Je ferais bien de t'imiter ; ça fait un temps fou que je n'ai pas écrit à ma famille. »

Au bout de trois minutes, il se lève, il commence à marcher de long en large dans la pièce, il jette des coups d'œil sur les feuilles empilées à ma droite ; et moi je m'efforçais de me concentrer sur l'enseigne éteinte de l'Oriental Bamboo, telle qu'elle m'était apparue pour la première fois au sortir de l'Ancienne Cathédrale, dans le crépuscule pluvieux du dimanche 4 novembre.

« C'est une longue lettre.

– Ce n'est pas une lettre.

– Un roman policier, je parie, dans le genre du *Meurtre de Bleston.*

– C'est bien plus simple : je raconte ce qui m'est arrivé ici.

– Tes mémoires ? Et tu parles de moi ?

– Pas encore ; je n'en suis qu'au début de novembre.

– Il est déjà question des sœurs Bailey, je pense.

– Ne leur en parle pas, surtout. Si nous allions à l'Oriental Bamboo plutôt qu'à l'Oriental Rose.

– A l'Oriental Bamboo où dans les premières pages du roman de J. C. Hamilton, Barnaby Burton, non, Barnaby Morton... »

Tout cela c'est le prélude ; la conversation importante a commencé au coin de Brandy Bridge Street et d'Alexandra Street, à l'étage du bus 33 (Alexandra Place-Plaisance Gardens) ; il faisait encore tout à fait jour ; le ciel devenait seulement plus brumeux.

« Tu sais, Jacques, comme tu m'avais dit que tu n'étais pas libre mercredi, j'ai téléphoné aux sœurs Bailey pour leur demander si elles voulaient venir au cinéma avec moi, et je suis allé les chercher après le dîner. Elles m'ont beaucoup parlé de toi et de la tête extraordinaire que tu as faite, samedi dernier, quand Ann t'a rendu l'exemplaire du *Meurtre de Bleston* que tu lui avais prêté, il y a très longtemps. Elles avaient l'air assez ennuyées. Je leur ai dit qu'il ne fallait pas qu'elles s'inquiètent pour une histoire pareille, que tu étais comme ça...

– Oui, je vois, vous en avez profité pour bien vous moquer de moi.

– Elles t'aiment beaucoup, tu sais...

– Je sais.

– Tu comprends : moi, pour elle, je suis tout à fait Français, c'est tout à fait comme cela qu'elles se représentaient un Français, tandis que toi, c'est différent...

– Ensuite ?

– Elles t'ont raconté qu'elles connaissaient plus ou moins un type qui a une maison pareille à celle des deux frères dans le roman ?

– Curieux, n'est-ce pas ?

– Tu leur as fait grosse impression quand tu leur as sorti que tu connaissais le véritable nom de J. C. Hamilton.

– J'ai eu tort, Lucien ; depuis cette soirée, je me répète que j'ai eu tort. Burton nous avait fait confiance parce que nous étions des étrangers ; je commence à me demander s'il n'avait pas de fort bonnes raisons de cacher son identité sur la couverture du *Meurtre de Bleston*.

– Je t'accorde que tu n'as pas été parfaitement...

– J'ai eu tort, Lucien, et j'espère que tu n'as rien fait pour aggraver ma gaffe.

– Si gaffe il y a, elle est complète ; je ne vois pas ce que j'aurais pu y ajouter.

– Lucien, je veux savoir tout ce qu'elles ont réussi à te faire dire sur George Burton.

– Mais rien du tout !

– Menteur ! Je suis bien sûr qu'elles t'ont demandé si tu le connaissais toi aussi, que tu leur as répondu : oui, qu'elles t'ont cajolé ensuite pour que tu leur apprennes comment il se faisait que nous étions en relation avec lui.

– J'ai dit que c'était toi qui m'avais amené.

– Tu leur as donné son adresse ?

– Mais non, le film a commencé à ce moment-là.

– Et quand vous êtes ressortis, elles ne sont pas revenues à la charge ?

– Voici l'Ancienne Cathédrale, Jacques ; il faut descendre. »

Mardi 10 juin.

Le ciel devenait rose ; l'envers du Vitrail passait à l'ombre, semblable à une grande plaque de goudron jonchée des pétales d'un verger voisin ; nous avons longé la nef, traversé la place du parvis ; nous sommes montés au premier étage de l'Oriental Bamboo ; nous nous sommes installés à cette table pour nous légendaire, non seulement parce que, dans les premières pages du *Meurtre de Bleston,* le détective, Barnaby Morton, y rencontre Johnny Winn la veille de son assassinat, mais aussi parce que c'était là que George William Burton, en apercevant ce Penguin vert que je venais de racheter dans une librairie d'occasion, m'a pour la première fois adressé la parole, à cette table près de la fenêtre de droite qui donne sur la façade de l'Ancienne Cathédrale, dont la noirceur s'adoucissait, samedi soir, d'une épaisse lueur de sang de plus en plus veineux jusqu'à sombrer dans un indigo moiré et indécis quand nous avons terminé nos sablés et bu notre dernière tasse de thé vert, sous l'œil de bienveillant reptile du garçon

chinois qui faisait semblant de feuilleter l'*Evening News,*
dans l'angle opposé de la pièce.

Lucien, qui connaît mes préférences, m'a offert une
« Churchman's », a pris beaucoup de temps pour se servir lui-même, pour extraire de sa poche intérieure ses
allumettes, pour obtenir une flamme présentable ; puis,
après avoir enfin tiré quelques bouffées, croisant les
mains, les yeux fixant un grain de riz tombé sur la
nappe, il a commencé :

« Tu sais, Jacques, à propos du *Meurtre de Bleston,*
des sœurs Bailey et de George Burton... »

La fumée lui piquait les yeux ; il a posé sa cigarette
sur le cendrier de verre.

« Le gênant, ce serait qu'il sache que tu as dévoilé
son secret, n'est-ce pas ?

– Il serait déçu, sans nul doute, et peut-être...
ennuyé. »

Il s'est mis à tracer des lettres avec son cure-dent sur
son assiette vide.

« Eh bien, il n'y a aucune chance qu'il l'apprenne,
parce qu'elles ne le connaissent pas du tout. Elles
croyaient qu'il faisait plus ou moins partie de leurs lointaines relations, à cause de cette histoire de maison semblable à celle des deux frères, mais son nom leur est
étranger, et finalement je pense qu'elles ne l'avaient
jamais vu avant que... »

Il a brisé la lance minuscule entre ses doigts.

« Lorsque nous sommes sortis du cinéma, mercredi,
je les ai vus, lui et Harriett, qui attendaient leur bus, et
je les ai désignés aux sœurs Bailey. Il a fallu que je m'y
prenne à deux ou trois fois ; c'était toujours un autre
couple qu'elles fixaient. »

Il s'est mis à nettoyer ses dents avec le demi-bâton-
net qu'il avait conservé dans sa main droite.

« Dis-moi, Jacques, crois-tu vraiment que cette maison..., cette histoire..., est-ce que tu sais quelque chose

de plus que moi là-dessus ? En tous les cas, les sœurs
Bailey n'y sont pour rien.

– Bien sûr, les sœurs Bailey n'y sont pour rien !
Qu'est-ce que tu vas imaginer ? Parlons d'autre chose,
veux-tu ? »

Un instant, j'avais lu dans ses yeux un véritable affolement, mais il a suffi de ces quelques mots pour que
le sourire revienne ; il s'était mis à penser à Ann, sans
doute, bourreau des cœurs, tout pour plaire, et si facile
à enflammer.

Il a repris sa cigarette qu'il avait laissée s'éteindre sur
le bord du cendrier et que je lui ai rallumée, tandis que
de l'autre main, comme l'heure avait tourné, et qu'il
était grand temps de nous acheminer vers le Royal où
passe encore aujourd'hui cette superproduction améri-
caine en technicolor, *Devastating Tamburlaine,* que
nous avions décidé d'aller voir, bien convaincus
d'avance de son imbécillité, justement pour nous en
moquer, tandis que de l'autre main je faisais signe au
garçon jaune, un peu gras, qui, à l'angle opposé de la
pièce, assis près du buffet chargé de verres et de couverts, avait continué de nous observer, l'*Evening News*
alors plié sur ses genoux, avec ce même air, avec ce
même dessin de lèvres qui était peut-être un sourire que
lors de cet autre repas dont le souvenir n'avait cessé
d'affleurer en moi pendant celui-ci, dont le souvenir
m'avait fait choisir ce lieu-ci, que lors de cet autre repas
que déjà samedi je me préparais à raconter au début de
cette semaine, mon premier repas à cette table en
novembre, non pas en compagnie de Lucien qui n'est
arrivé à Bleston que bien plus tard, mais en compagnie
de James Jenkins que j'avais invité pour le remercier en
le retrouvant chez Matthews and Sons, le lendemain de
ce dimanche où, en sortant de l'Ancienne Cathédrale,
après avoir entendu les explications de l'ecclésiastique
au sujet du Vitrail de Caïn, j'avais vu les caractères de

l'enseigne se détacher sur le ciel nocturne et pluvieux, où je m'étais approché du rideau de fer baissé pour y déchiffrer cette inscription en lettres occidentales « closed on Sundays », en compagnie de James Jenkins qui, désireux d'avertir sa mère, n'avait pas voulu accepter pour le soir même, mais seulement pour le lendemain, le mardi 6, mon premier repas auprès de cette fenêtre fermée alors parce qu'il faisait froid, obscure alors parce que les journées étaient déjà courtes, aux vitres couvertes sur leur face extérieure de centaines de gouttes d'eau, chacune reflétant minusculement le plafonnier à quatre boules roses, mon premier repas, le 6 novembre, avec presque le même menu que samedi, non seulement parce que pendant ces sept mois où les trois restaurants frères, l'Oriental Bamboo, l'Oriental Rose, sur la place de l'Hôtel-de-Ville, et l'Oriental Pearl sur celle de la Nouvelle Cathédrale, qui ont la même direction et les mêmes cartes imprimées, m'ont servi de refuge à peu près hebdomadaire contre la fadeur enlisante des nourritures de Bleston, pendant ces sept mois je n'ai eu que trop le temps de faire le tour de leurs spécialités, mais surtout parce que, songeant à ce récit, je m'efforçais de le reconstituer, le menu de ce repas du 6 novembre : potage aux œufs, canard aux ananas, sablés et non létchys que j'avais commandés alors, comme Barnaby Morton dans les premières pages du *Meurtre de Bleston*, mais qui manquaient.

James, qui, naturellement, n'était jamais venu dans un endroit de ce genre, agréablement décontenancé par ces saveurs nouvelles, me félicitait de connaître déjà si bien les ressources de cette ville (quelle ironie !) de cette ville où je commençais à me demander si je parviendrais jamais à découvrir un logement moins inhumain que le triste réduit que j'occupais encore à l'Ecrou, et qui m'étouffait de plus en plus à mesure que l'hiver approchait, de cette ville que j'étais las de parcourir en vain presque tous les soirs de la semaine, vanné, au sortir de chez Matthews and Sons, dans ses parties les plus sordides, avec de moins en moins d'espoir ; et je lui ai expliqué comment j'avais découvert cette bonne adresse, sans entrer dans tous les détails, naturellement, parlant ainsi pour la première fois du roman de J. C. Hamilton.

Mercredi 11 juin.

Comme ce nom ne lui disait rien, je lui ai demandé si par hasard, il lisait quelquefois ce genre de livres, et ses yeux de chien attentif, où je ne savais pas encore discerner sa finesse de chat, se sont éclairés d'un rire qui ne pouvait être moquerie, si franc, si simple, qui venait simplement de ce qu'il avait pris ma question, toute naïve pourtant, pour une plaisanterie, la chose lui semblant si naturelle qu'il était pour lui impossible qu'on la mît sérieusement en doute.

Ce rire, il m'a profondément désarçonné alors, je n'ai pas su l'interpréter, car j'ignorais encore l'existence de cette immense collection de romans policiers qui remplit presque une des pièces de sa grande maison et dans laquelle j'ai si souvent pioché depuis pour remplir mes soirées avant que la recherche inscrite dans ces pages, dont l'entassement sur le coin droit de ma table mesure déjà l'ancienneté, la recherche que cette phrase poursuit, se soit mise à les combler.

Cette immense collection de romans policiers qu'il possède, ou plutôt que sa mère possède, comme il me l'a dit quelques instants plus tard, tandis que le garçon chinois, petit, un peu gras, disposait devant nous les sablés ronds, c'est son père qui l'avait amassée jusqu'à ce que la tuberculose l'eût emporté, voici dix ans, et elle suffit à leur lecture de telle sorte qu'il ne s'y trouve que fort peu de textes récents, et que n'y figure point *Le Meurtre de Bleston*.

« Je ne suis pas comme vous un spécialiste, mais c'est un livre assez particulier, très bien fait ; je suis sûr qu'il vous intéressera. »

J'avais à peine besoin de faire effort pour lui parler, pour le comprendre, alors que j'avais tant de difficultés encore dans mes entrevues vaines avec des logeuses, ou lorsqu'il me fallait, chez le coiffeur de Grey Street, entre la pharmacie et le restaurant Sword, demander un nouvel accessoire de toilette ; j'avais à peine besoin de faire effort pour le comprendre, alors que même maintenant, chaque fois que le cher M. Blythe dont je contemple la calvitie, la large nuque grisonnante, le col et le veston de la même couleur que ses doigts de fumeur négligent, près de quarante-quatre heures chaque semaine depuis mon arrivée ici, chaque fois que M. Blythe émet aimablement à mon intention quelques syllabes pâteuses, je suis obligé de les lui faire répéter, ou mieux, de me les faire traduire.

Non, je ne lui ai rien dit de l'histoire, pas même que la table où nous nous trouvions était celle où le détective rencontre celui qui sera la victime, et plus tard son frère, le meurtrier, craignant de diminuer le plaisir de sa lecture en lui enlevant la surprise.

Comme je lui expliquais cela, il a levé sur moi ses yeux clairs amusés :

« Vous pourriez tout me raconter, monsieur Revel, cela ferait si peu de différence...

– Vous oublieriez ?

– Je ne crois pas, monsieur Revel.

– Vous ne reliriez pas un roman policier, Jenkins ! »

Et pourtant, moi-même, ne venais-je pas de parcourir une seconde fois les premières pages de celui qui faisait l'objet de notre conversation ? Mais c'est que je le considérais comme aussi différent des autres livres de

son espèce que James lui-même de la foule de ses concitoyens, comme aussi précieux pour moi, encore tout
nouveau débarqué dans cette ville d'égarements, de
paroles opaques et de malentendus.

« Il y en a que j'ai relus jusqu'à six fois, monsieur
Revel. Comment vous dire ? Ils prennent alors une sorte
de transparence. A travers les illusions du début, vous
entrevoyez la vérité dont vous avez plus ou moins gardé
le souvenir. »

Je n'avais pas besoin de lui répondre ; j'attendais, je
l'observais ; j'avais vu son regard changer d'éclat ; je
sentais son silence tout travaillé de cheminements et
d'enquête.

Il avait croisé ses doigts plus longs que ceux de
Lucien, aux ongles plus pâles et mieux tenus, et de sa
voix plus lente, plus basse, et plus douce, dans cette
langue que lui seul alors savait me rendre familière, avec
son accent d'ici, mais comme purifié par sa retenue, par
son attention, avec cet accent d'ici en général si lourd
et si gras, comme la suie qui s'agglomère aux joints des
briques, mais qui parfois, surtout dans les bouches fémi-
nines, surtout lorsqu'il est relevé par l'influence du français, possède une sorte de chant prenant :

« Un roman policier qui se passe à Bleston », a-t-il
poursuivi, « oui, il faudra que vous me le passiez. Je me
demandais si j'en connaissais un autre, mais non, je crois
qu'il n'en existe pas, du moins parmi tous ceux qui sont
chez ma mère, et je vous l'avouerai, monsieur Revel, je
trouve cela très surprenant.

– Ah oui, Jenkins ?

– Je n'ai jamais quitté Bleston, monsieur Revel...

– Même pour aller sur la côte, ou dans les collines,
ou dans la région des lacs ?

– Je n'ai jamais vu d'autre ville, monsieur Revel, ni
ce qu'on appelle un village. Mon père était allé à
Londres pour ses études, parce que l'Université devant

laquelle nous sommes passés l'autre jour, dans Continent Street, quand je vous ai mené chez nous, n'était encore en ce temps-là qu'une petite école d'ingénieurs, mais ma mère n'a jamais pris le train et je crois qu'elle est trop âgée maintenant pour s'y résoudre un jour. Je voudrais bien faire un grand voyage, franchir la mer, mais pour l'instant ce n'est pas bien possible, je n'ai pas assez de temps, pas assez d'argent, et cela m'ennuierait d'être tout seul. »

Avec un sourire un peu triste et un mouvement vif de sa main droite, comme s'il lançait une pincée de sel derrière son épaule, il a repoussé ce rêve longtemps caressé, longtemps contenu, ce rêve qui nous fait encore, Lucien et moi, tant briller de prestige à ses yeux, comme ambassadeurs de l'outre-mer, comme témoins de chair de sa réalité, preuves de son accessibilité : puis, après avoir grignoté une partie de son gâteau, il a recroisé ses longs doigts et son regard s'est de nouveau fixé sur un point de la nappe.

On ne pouvait pas voir l'Ancienne Cathédrale, la nuit était bien trop obscure (de l'autre côté de la vitre, on ne distinguait que les gouttes d'eau) ; et ce n'était pas exactement comme s'il la voyait, mais plutôt comme s'il en subissait le poids ; pourtant, j'en suis sûr, je ne lui en avais pas parlé depuis que nous étions entrés au premier étage de l'Oriental Bamboo, je ne lui avais absolument rien dit sur le rôle qu'elle joue dans le livre de J. C. Hamilton.

« Donc, ce n'est jamais qu'au cinéma, monsieur Revel, que j'ai pu apercevoir d'autres régions et d'autres cités, mais il me semble qu'il y a ici quelque chose de particulier, quelque chose dont je n'ai jamais lu de description satisfaisante dans tous ces livres dont l'action se situe ailleurs, une sorte de peur permanente.

Vous trouverez cela fort ridicule, sans doute, mais si vous connaissez déjà fort bien Bleston, monsieur Revel, si vous savez y dénicher des restaurants dont, tout seul, je n'aurais jamais franchi, ni même remarqué l'entrée, vous ne la connaissez pas de la même façon que moi, vous n'en avez pas la même habitude.

Vous avez vu surtout les beaux endroits jusqu'à présent, ces avenues et ces jardins dont les arbres nous protègent, mais un jour vous déboucherez forcément dans ces rues presque désertes où l'on se perd ; peut-être avez-vous déjà goûté à leur amertume, peut-être avez-vous déjà essayé de vous échapper, mais en ce cas, ce n'est que le commencement, monsieur Revel ; et comprenez-moi (cela est difficile à expliquer, cela refuse de se laisser dire), ce n'est pas votre chemin que vous perdez.

Je les connais, ces rues ; je ne connais pas tout Bleston, il y a des quartiers entiers dans lesquels je n'ai jamais eu affaire, et que j'ignore autant que vos concitoyens qui n'ont jamais quitté le continent ; mais ces rues auxquelles je pense en ce moment, ces rues nombreuses, j'ai leur plan clair dans ma tête ; je m'y dirigerais aveugle et sourd, si je ne me mettais à y déraisonner.

Voilà : c'est comme si tous les acteurs d'un meurtre y étaient cachés ; tout est prêt : la victime est derrière une des portes, la main sur la poignée de la serrure ; elle va sortir, tourner au coin où son ennemi s'est embusqué, le doigt déjà sur la détente ; mais tout est suspendu.

Même à midi, les rares passants frôlent les murs, et se pressent en fredonnant des chansons, le cou rentré dans les épaules, comme si c'était la nuit noire.

Je ne puis plus alors avancer qu'avec une extrême lenteur, et l'envie m'envahit de plus en plus que tous ces malheurs éclatent pour que l'attente se termine et que l'on puisse marcher enfin, parler enfin, respirer ; mais ils se produisent parfois ; cela fait un grand titre sur l'*Evening News* ou le *Bleston Post* ; et l'attente ne finit pas ; tout est encore prêt ; car rien d'autre ne saurait véritablement se passer dans un tel décor, que de sordides crimes, et tout le reste y mène à travers d'innombrables détours, tout le reste n'est que voile devant eux. »

Jeudi 12 juin.

Il a pris une longue respiration et a terminé son gâteau.

« Croyez-vous que ces rues n'existent qu'ici, Jenkins ?

– Laissez-moi espérer que nulle part leur pouvoir n'est plus fort que dans cette cité où les auteurs de romans policiers évitent en général de situer leurs inventions, craignant sans doute que le jeu n'en devienne trop sérieux et trop dangereux, comme si quelque contagion de cette crainte diffuse les retenait ; nous avons la réputation d'être superstitieux, nous autres, gens de Bleston », il avait retrouvé son sourire et sa modestie, « dans cette cité dont l'Ancienne Cathédrale elle-même », il ne pouvait la voir à travers le miroir des carreaux perlés de pluie, mais il l'a désignée d'un coup d'œil ironique, « est célèbre avant tout par son Vitrail du Meurtrier. »

Que je voudrais avoir noté en ce temps-là le texte exact ! Il m'est impossible de vérifier maintenant ; il me faut m'en tenir à cette traduction, à cette approximation dont je n'évalue que grossièrement le degré.

Que je voudrais avoir décrit en ce temps-là son air, le geste de honte avec lequel j'ai eu l'impression qu'il cherchait à effacer ce qu'il venait de laisser échapper.

Je ne lui ai pas dit qu'il venait presque de citer la première phrase du *Meurtre de Bleston* ; je ne sais pas s'il s'en souvient maintenant ; je me demande même s'il s'en est aperçu quand il l'a lue.

Comme il me ramenait chez moi, ce soir-là, dans la voiture de Matthews and Sons, chez moi, c'est-à-dire dans cet hôtel trop justement nommé l'Ecrou, où je n'avais même pas demandé à changer de chambre, espérant toujours le quitter dès le lendemain, c'est-à-dire dans ce réduit sans table, dont la fenêtre donnait, après une petite cour au sol de mâchefer, sur un mur de briques dégradé, et dont chaque jour, pour la même raison, depuis plus d'un mois me leurrant, je renonçais à remplacer l'ampoule trop faible, comme il me ramenait à l'Ecrou ce soir du mardi 6 novembre, sentant que j'étais intrigué par tous ces enfants que nous apercevions dans la nuit humide de Deren Street où la pluie venait de cesser, éclairés par les rares réverbères duveteux et nos phares, tous ces enfants traînant avec des cordes des bouquets de branchages mal liés, James m'a expliqué que nous étions dans la semaine du « Guy Fawke's Day », et que l'on préparait des bûchers pour ces mannequins faits de vêtements usés bourrés de paille, avec des visages grossièrement dessinés à l'encre violette ou au charbon de bois sur des ovales de carton ou des morceaux d'étoffes autrefois blanches ou roses, pour ces mannequins que j'avais rencontrés en effet ce matin-là déjà, en allant jusqu'au restaurant Sword, promenés dans des voitures de poupées et même, les plus grands, dans de vrais berceaux, dans de vieilles poussettes cahotantes, par les moutards barbouillés de Tower Street et de Grey Street, qui m'avaient assiégés en me criant : « A penny for the Guy », des bûchers pour les effigies de ce personnage historique dont il n'aurait su me dire exactement ni l'époque, ni les forfaits.

Le surlendemain, le jeudi 8 novembre, rentrant à pied pour l'occasion, sous la pluie battante, je les ai regardés brûler fumeusement aux carrefours, éclater de petites fusées qui retombaient et s'éteignaient presque aussitôt, au bruit des pétards et de ce monotone chant scandé : « We burn the Guy, we burn the Guy », avec une odeur âcre et rousse, ces bûchers de bois vert et de morceaux de planches peintes, qu'on avait arrosés de pétrole pour les faire prendre, et ces pendus de paille humide, vêtus de laine et de coton, chaussés de cuir et de caoutchouc, poivrés de poudre, brûler avec une odeur âcre et rousse qui m'envahissait toute la tête, et dont mes manches étaient encore imprégnées le samedi, quand je suis entré dans la librairie Baron's, au sortir de chez Matthews and Sons, avant même de déjeuner, pour y acheter une Bible anglaise, afin de vérifier ce passage que l'ecclésiastique m'avait rapporté d'une façon qui m'avait semblé si étrange, en s'appuyant sur les quelques citations latines qui ornent sa magnifique illustration de verre.

Tout naturellement, le dimanche, chez les Jenkins, James m'ayant invité à déjeuner pour me remercier du repas que je lui avais offert à l'Oriental Bamboo, la conversation est passée de ce restaurant chinois et de ses plats dont la description amusait fort la mère de mon ami, à l'Ancienne Cathédrale, et à ce Vitrail que tous les deux, je m'en suis aperçu, connaissaient mal, vaguement, comme s'ils n'étaient pas entrés à l'intérieur de cette nef depuis des années, comme s'ils ne parlaient de cette grande fenêtre historiée que par ouï-dire, et non pour en avoir contemplé de leurs yeux les flammes et les sombres eaux.

Puis, comme je m'étais mis à leur raconter ma rencontre, madame Jenkins, que je comprenais moins bien que son fils, mais suffisamment néanmoins grâce à la ressemblance de leurs accents, m'a confirmé l'histoire du transfert des cloches, ce qui m'a amené à poser des questions sur la Nouvelle Cathédrale, expliquant que je n'étais pas encore allé la voir, à cause de la méfiance que m'inspirait l'art religieux de son époque.

Tout d'un coup, je me suis rendu compte que, depuis quelques instants, madame Jenkins ne répondait plus, n'écoutait plus (James au contraire, en alerte, était devenu particulièrement disert et souriant), qu'elle avait même cessé de manger, tenant son petit poing droit crispé un peu au-dessus de la table, et concentrant son attention sur la mouche aux ailes diaprées, enfermée dans la bulle de verre du châton de sa bague.

Il a suffi de changer de sujet et l'impression de gêne s'est effacée ; une fois le repas terminé, ils m'ont mené dans la petite chambre non meublée du premier étage, où les romans policiers achetés par le père s'entassent en piles irrégulières bien époussetées, et m'en ont prêté quelques-uns.

Vendredi 13 juin.

Si j'étais superstitieux comme un citoyen de Bleston, Rose Bailey ou Ann, James ou sa mère, ou bien madame Grosvenor, sans doute me méfierais-je d'un tel jour où pourtant tout semble avoir à peu près bien marché, puisque le ciel est encore clair, puisque le soleil est entré chez Matthews and Sons, et que je viens de dîner agréablement au restaurant chinois de la place de l'Hôtel-de-Ville, l'Oriental Rose ; mais ne pourrais-je pas compter, pour achever de conjurer le mauvais sort (ce qu'il y aurait à conjurer, c'est une année de mauvais sort, c'est une ville entière de mauvais sort), sur le récit que je vais faire maintenant de ma seconde rencontre avec cet homme qui est comme l'incarnation de mon propre malheur, ce nègre que je n'avais pas revu depuis qu'il m'avait accueilli dans Bleston un des premiers jours d'octobre, ce nègre dont je ne savais pas encore le nom et dont j'avais presque oublié le visage (il m'a fallu quelques instants pour le reconnaître), rencontre dont les conséquences ont été pour moi très heureuses, puisque c'est grâce à lui, dont je n'aurais jamais attendu de secours, que j'ai enfin découvert cette chambre où je puis demeurer, cette table où je puis écrire, ma seconde rencontre avec Horace Buck, le soir du dimanche 11 novembre, un soir de grande pluie comme tant d'autres soirs, après être sorti de chez les Jenkins, les livres que je venais de leur emprunter gonflant les poches de mon imperméable.

Après être descendu du bus 23 sur la place de l'Hôtel-de-Ville, désœuvré, j'avais repris le bus 27 qui m'avait mené par Silver Street, Tower Street, Brandy Bridge Street, me faisant traverser pour la première fois la Slee, jusqu'à Ferns Park, le jardin des fougères, dans le cinquième, sans une feuille à ses arbres, mais couvert, sous le ciel gris, grumeleux, et traînant, des frondes rousses recroquevillées de ses grand-aigles, comme d'une épaisse toison de bison baveuse et frisée.

C'était cependant que je les regardais que l'eau et la nuit s'étaient mises à tomber, implacables, à s'installer, à prendre possession des rues et des allées, me forçant à revenir vers le centre où j'ai dîné fort tôt dans la pâtisserie qui se trouve au début de Mountains Street, en face de Modern Stores, pour chercher ensuite refuge dans un cinéma, non pas le Royal cette fois, mais le Gaiety avec ses piliers recouverts de glaces dans son entrée.

C'est comme j'en sortais, ce soir du dimanche 11 novembre, après avoir regardé pendant près de trois heures, demi-endormi, au sec, Yvonne de Carlo ou quelque actrice équivalente servir en chantant du « Bourbon » à des cavaliers en chemise à carreaux dans des tavernes fantaisistes de l'Arizona, et des galops de vrais chevaux dans ces prairies près de rochers, c'est comme je traversais la foule qui se dispersait sous la pluie, dans la nuit froide et lourde où clignotaient les enseignes « Bovril », « Player's », « Evening News », tandis que les bus, un par un, quittaient leur enclos en éclaboussant, vers tous les quartiers de la ville, c'est comme je traversais cette foule aux visages de la même couleur que les tickets piétinés dont l'encre se dissolvait dans la boue, que je me suis retourné soudain, ayant entendu quelqu'un crier : « hello », ne croyant nullement que c'était à moi que cet appel s'adressait (car si je sais bien maintenant que cette voix ne pouvait être que la sienne, j'étais alors si loin de penser à lui, je m'attendais si peu à le revoir !), simplement par curiosité et par réflexe.

Le regard qui cherchait le mien dans la foule et la nuit, le regard qui s'était brouillé d'inquiétude et comme d'une atroce déception pendant les instants qu'il m'avait fallu pour l'identifier, a retrouvé son grand sourire au moment où je l'ai enfin reconnu, tandis que la voix lente, rauque, amère, et comme brûlée, avec cette prononciation pesante, écrasée, qui m'était pourtant plus compréhensible que celle des indigènes de Bleston, cette prononciation si différente de la mienne, mais largement aussi mauvaise et qui ne s'améliorerait pas, disait sur un ton de soulagement :

« Je me demandais si vous auriez envie de vous souvenir de moi.

— Pourquoi cela ?

— Je ne sais pas, moi, les gens...

— Les gens, quels gens ? Je ne fais pas partie des gens d'ici ; je suis un étranger comme vous.

— Non, pas tout à fait comme moi.

— Et votre amie, celle qui n'était pas là le jour où j'ai déjeuné avec vous ?

— Mary ? Oh, elle est revenue.

— Voilà qui est parfait.

– Non, pas tout à fait parfait. C'est demain qu'elle s'en va, pour de bon cette fois, avec ses bagages. Elle a trouvé un type dans sa ville, à Hamilton ; je crois qu'ils vont se marier. Et ce soir, elle n'est même pas avec moi ; elle est allée dîner avec quelques-unes de ses camarades.

– Elle est peut-être déjà rentrée.

– Pensez-vous ! C'est fou ce qu'elle pouvait rester tard quelquefois, avec Jessie, Flossie, Minnie, toute la bande... Pourquoi n'êtes-vous pas revenu me voir ?

– Mon dieu, j'avais oublié votre adresse, et comme je ne sais même pas votre nom...

– Horace, Horace Buck ; et vous ? »

Le bas de mon pantalon était déjà trempé quand nous nous sommes glissés dans l'atmosphère épaisse de l'Unicorn, le pub qui fait le coin de la place de l'Hôtel-de-Ville et de Continent Street, à côté du cinéma d'actualités et de courts métrages, le News Theater, dans l'atmosphère épaisse de la Licorne où un groupe d'hommes chantait horriblement, en dodelinant de la tête, quand nous nous sommes glissés jusqu'à une table de bois sombre dans un recoin, avec six verres vides et une grande flaque mousseuse qui dégouttait sur le linoléum du sol, tandis que les reflets moites des lampes dans ses grosses bulles se déplaçaient insensiblement.

Taciturne, jusqu'à ce que l'on ait servi, jusqu'à ce qu'il ait vidé sa bière d'un trait, essuyé sa bouche du revers de sa main tannée de nègre, et allumé sa cigarette après m'en avoir offert une (mais j'avais déjà commencé à bourrer ma pipe), Horace s'est mis à déclamer doucement, monotonement, comme une élégie :

« Il commence à faire froid dehors, vraiment trop froid ; je n'aime pas cela, je n'aime pas la pluie ; j'aime la nuit, mais je n'aime pas ce jour qui n'est pas un jour. Chez moi, il n'y a qu'un petit radiateur à gaz ; ce n'est pas très bien, vous savez ; je me demande comment il faudrait faire. »

Comme le serveur passait pour enlever nos verres et se faire payer, il lui en a commandé deux nouveaux.

« Et vous, toujours dans le même travail ?

– Bien sûr ; je suis venu chez Matthews and Sons pour un an, et j'y resterai un an.

– Et ça vous plaît ?

– Il faut bien que j'en passe par là.

– Vous avez de la chance, vous savez ; souvent les gens qui arrivent dans une place, ici, ont du mal à s'habituer ; ils n'y tiennent plus ; ils cherchent autre chose ; ils trouvent à la fin, et souvent c'est moins bien qu'avant, mais ils restent un peu plus longtemps, parce qu'ils ont compris comme c'est difficile. Sans doute, dans votre profession, c'est différent. »

Les chants s'étaient arrêtés ; on n'entendait plus qu'un piétinement continu, et, de temps en temps, un rire cassé.

« Toujours dans le même logement ?

– Malheureusement.

– Un hôtel, vous m'aviez dit ; je demanderai ; on ne sait jamais. »

Comme il réclamait deux autres verres, le serveur s'est penché pour lui déclarer d'un ton de reproche :

« Les derniers, monsieur, nous allons fermer.

– Servez-nous nos verres !

– Bien, monsieur ; restez assis, monsieur, je vous apporte cela tout de suite.

– Il me déteste ; c'est la première fois que je viens, et il me déteste. Vous aussi, c'est la première fois ? Eh bien, si c'était vous qui les lui aviez demandés, croyez-vous qu'il vous aurait répondu comme ça, les paupières plissées comme si vous aviez une plaie purulente en plein visage ? »

Le garçon, revenu, m'a demandé de payer immédiatement, et est resté près de nous pour nous regarder boire ; je sentais que je rougissais, et je craignais qu'Horace ne m'en voulût.

Il s'est levé, a redressé la tête, et lui a crié avec un mépris terrifiant :

« Alors, vous voyez bien qu'on a déjà fini ! »

Le serveur a pris peur, et il a fait signe à la femme derrière le comptoir, qui est sortie précipitamment.

« Ah, elle est allée chercher la police, hein ? Vous croyez que j'en ai besoin, de la police, pour en sortir, de votre boîte ? »

Il a craché, m'a pris le bras, et nous sommes sortis sous la pluie, en remontant les cols de nos imperméables ; des gens transis faisaient la queue pour les derniers bus.

« Quelle misère, monsieur ! Est-ce que c'est comme ça dans votre pays ? Venez chez moi ! j'ai encore une bouteille de rhum ; nous la boirons en attendant le retour de Mary.

– C'est que... c'est loin, chez vous.

– Allons, c'est à un quart d'heure à peine ! Vous aussi, vous croyez que je suis saoul ?

– Non, mais j'ai l'impression que vous le deviendrez très vite, si nous allons boire chez vous.

– Je le deviendrai bien plus vite encore, si je bois la bouteille tout seul. »

C'est ainsi que je suis retourné dans sa chambre, dont il avait oublié de fermer la fenêtre avant de sortir, de telle sorte qu'une partie du plancher était trempée.

« Défaites vos affaires, enlevez vos souliers, sans ça vous attraperez du mal ; voici de vieilles savates. Allez, buvez ! A votre santé, monsieur le Français ! Voyez : je vais être tranquille pendant quelques jours, sans souci, sans me demander perpétuellement où elle est, ce qu'elle a fait, à quelle heure elle va rentrer, si elle ne va pas bientôt m'abandonner.

– Pendant quelques jours seulement ?

– Puis je m'enticherai d'une autre. Les femmes sont faciles ici, pour nous autres Africains, faciles et mauvaises à la fois. »

Il s'est étendu sur son lit.

« Voulez-vous venir déjeuner avec moi un de ces jours ? Si Mary avait pu rester, elle nous aurait fait la cuisine. Mais je m'arrangerai, ne vous inquiétez pas. Samedi, voulez-vous ? »

Puis, prenant son harmonica, il s'est mis à jouer très doucement, pour lui seul, comme si je n'étais pas là.

Assis à sa table, devant mon verre à demi plein, la tête commençait à me tourner, j'appréhendais de plus en plus le moment où il me faudrait repartir à pied sous la pluie, cette marche de plus d'une heure sous la pluie jusqu'à l'Ecrou dont je trouverais sûrement la porte fermée, où il me faudrait carillonner pour réveiller le gardien et me faire ouvrir.

Il s'est mis à jouer de lointaines navigations le long des côtes plates et plantées de hautes herbes agitées de passages, jusqu'au moment où il a bondi, entendant la clé tourner dans la serrure, pour aller ouvrir à cette Mary dont je ne revois que les magnifiques cheveux couleur d'écorce de frêne ruisselants d'eau, qu'elle essuyait avec une serviette éponge, cette Mary qu'il devait conduire à la gare le lendemain matin vers un destin meilleur sans doute ; et j'ai fini mon verre, j'ai remis mes souliers, renfilé mon imperméable, dit adieu.

« A samedi, n'oubliez pas !

– Bon voyage, mademoiselle. »

Puis je me suis enfoncé dans la Slee de cette nuit de novembre.

3

Lundi 16 juin.

Il fait encore jour, et pourtant, au sortir du travail,
j'ai remonté à pied Tower Street, puis Silver Street,
jusqu'à la place de l'Hôtel-de-Ville, pour entrer dans le
New Theater, dans ce cinéma en forme de corridor, à
l'écran restreint, aux fauteuils de bois trop petits, dont
les articulations grincent dès que l'on fait un mouvement, aux rangées trop serrées, de telle sorte que je dois
y tordre mes jambes, mal aéré, dense de la fumée des
pipes qui trouble les images, dans ce cinéma froid en
hiver, dont James m'avait montré le chemin (le seul où
il aille régulièrement, la seule fenêtre par laquelle il
entrevoie, de quels yeux avides, le reste du monde et
les autres villes), dont il m'avait donné le goût, dont
j'étais devenu un habitué moi aussi, avant de consacrer
mes soirées de semaine à la recherche et à la fixation
de mes souvenirs de cette année.

Si j'avais envie d'y retourner, dans ce Théâtre des
Nouvelles, c'est qu'hier au soir, après avoir dit au revoir
à Rose et à Ann Bailey à la station du bus 24, en me
dirigeant avec Lucien vers le Town Hall Restaurant, où
nous avons dîné médiocrement et rapidement parce que
Lucien devait reprendre tôt son service au Grand Hôtel

où il travaille, le plus grand hôtel de Bleston, comme son nom le proclame orgueilleusement en français, dont l'angle donne sur la place au coin de City Street et de Mayor Street, et qui comporte évidemment un restaurant, mais beaucoup trop cher pour ma bourse, tout comme le Prince's qui lui fait face à côté du cinéma Gaiety, passant en me dirigeant hier soir avec Lucien vers ce Town Hall Restaurant, sous l'enseigne New Theater, dont les lettres de néon brillaient inutilement, puisqu'il faisait encore jour, puisqu'il y avait encore pour près de deux heures de jour gris, passant devant les panneaux publicitaires de chaque côté du vestibule aux colonnes couvertes de petits miroirs, à l'intérieur duquel les gens faisaient queue à la caisse pour assister au programme qui passait hier pour la dernière fois, festival de dessins animés comme toutes les quatre semaines, j'avais vu qu'à partir d'aujourd'hui la pièce de résistance, accompagnée de bandes d'actualités et de deux Mac Sennett Comedies, le travelogue, le documentaire-voyage, serait un film en couleurs sur la Crète, le lieu d'origine d'Ariane et de Phèdre, l'île du Labyrinthe et du Minotaure, évoquée par la onzième tapisserie du musée, film dont je ne me doutais pas qu'il serait à ce point supérieur techniquement à la plupart de ceux de son espèce que j'avais regardés jusqu'à présent dans cette salle.

Ah, qu'il doit faire jour dans ce pays-là, sur les pentes du mont Ida, au long de toutes les hautes dents s'enfonçant dans l'air comme des cris lents, se répercutant sur les eaux transparentes d'où elles jaillissent, tout au long de cette côte abrupte et découpée, bénie de longs rayons fouillant ses ravins, au long de cette côte que nous avons suivie après avoir vu les mots « A Tour in Crete » et les noms des principaux collaborateurs s'inscrire sur un fond de poulpes sans doute empruntés à d'anciennes poteries, que nous avons suivie dans l'obscurité, serrés les uns contre les autres sans nous connaître, sans nous regarder, habitants de Bleston depuis toujours ou quelques mois, rangés dans nos fauteuils de bois criards, envoûtés de Bleston, dans l'air épais, fumeux, carbonisé, sur le petit écran à grosse trame, mal tendu, mal lavé, tremblant !

Qu'il doit faire jour sur les vergers d'oranges, sur les feuilles des bananiers lacérées en lanières, sur les ruisseaux d'irrigation, sur les moulins à vent semblables à des grands moustiques, avec douze ailes fines comme des brindilles, s'élargissant, au bord, d'un triangle blanc frémissant, semblables à d'immenses chandelles de pissenlits, droites, aux tiges transparentes à fin réseau de mailles noires, que le vent ne dispersait pas mais épanouirait seulement, sur les villages éclatants de chaux entre les épaules des grands rocs striés de lignes d'oliviers et les plages perpétuellement rendues brillantes par les baisers salés des lèvres bleues des eaux, sur les remparts démantelés de Candie, sur l'esplanade de Cnossos où règnent les cornes du taureau, sur les dallages dont les anémones fleurissent les innombrables fêlures, sur les escaliers de gypse ou d'albâtre, sur les grands vases que l'on a laissés parmi les fouilles, qu'il doit y faire jour même en fin décembre, dans ces semaines ici vouées au calfeutrement, vouées à l'asséchante haleine rouge des radiateurs à gaz, dans ces semaines ici vouées aux tristes lampes, aux blêmes lampes, aux jaunes lampes, repas aux lampes, travail aux lampes, et même promenades sous les lampes, dans ces semaines ici presque souterraines, sous la domination de la nuit boueuse s'éclaircissant quelques heures à peine en brume brune ; qu'il doit y faire jour, tellement plus jour en extrême automne qu'aujourd'hui ici, que même dans ce très long jour de juin qui s'achève sans une goutte de pluie, sans un nuage, presque sans brume (seulement cette fondamentale salissure de l'air, cette transpiration, cette terrible exhalaison de Bleston, acide, venimeuse, insidieuse, alourdissante, ralentissante, décourageante, sans répit me troublant la tête, cette emprise de fer qui ne s'allège que si rarement et si peu), que même en ce très long jour, le plus beau que j'aie vu ici, ensoleillant généreusement ma table chez Matthews and Sons, et dont les dernières traces vertes s'effacent maintenant seulement très doucement, la lune apparaissant dans la buée légère de Dew Street où des fenêtres se sont mises à luire, une par une, une par maison, où je voyais encore, voici quelques instants, les petites filles nattées, en robes trop courtes et bas noirs, jouer sans se salir, pour une fois, sur la boue durcie des trottoirs dont les flaques se sont séchées !

Mardi 17 juin.

Je n'ai pas encore allumé ma lampe, et pourtant, avant de rentrer ici, en sortant du restaurant Sword dans Grey Street, je n'ai pas pu m'empêcher de prendre Tower Street vers la droite, m'arrêtant un instant devant les vitrines de Baron's le libraire (les nouveaux Penguin verts ou rouges, les manuels de cricket, de cuisine, ou de jardinage, les fallacieux How to make it, encyclopédie du bricolage, l'Histoire de la Torture à travers les Ages, et des ouvrages d'ingénieurs), puis Silver Street jusquà la place de l'Hôtel-de-Ville, pour aller revoir, dans le Théâtre des Nouvelles, ce film sur la Crète sur lequel j'écrivais hier à cette heure-ci, qui passera encore toute la semaine sans changement avec son accompagnement d'actualités et les deux Mac Sennett Comedies, de telle sorte que, si, tout d'un coup, le besoin me venait de vérifier l'un de mes souvenirs à son sujet, je pourrais retourner le regarder jusqu'à la dernière séance de dimanche, après quoi tout le programme changera

(j'ai vu les affiches : il y aura un travelogue sur
« Petra » : qu'est-ce que « Petra » ? Je n'irai pas ; je
m'efforcerai de rattraper le temps perdu ces deux soirs-
ci), après quoi *A Tour in Crete* deviendra aussi inaccessible pour mes yeux (au moins pendant tout le temps
de mon séjour à Bleston, car s'il leur arrive de ressortir de vieilles bandes, ils n'annonceraient pas deux fois
la même en moins de quatre mois), aussi inaccessible
que l'est déjà aujourd'hui, mardi 17 juin, pour mes
yeux, le spectacle de la foule dans la foire avec tous ses
menus détails et incidents, tel qu'il s'est déroulé avant-
hier, dimanche 15, dans le terrain vague du cinquième
arrondissement le long de la Slee, près des voies de chemin de fer qui vont de Dudley Station vers le nord, tandis que nous nous y promenions, Lucien et moi, avec
Rose et Ann Bailey.

Une paupière de nuages, depuis ce matin bien avant
mon réveil sans doute, cache le soleil qui va se coucher
encore un peu plus tard qu'hier ; les soirées s'allongent,
comme se raccourcissaient les après-midi de novembre,
chaque jour mordant un peu plus, comme chaque vague
de la marée montante sur le sable, comme alors chaque
nuit montante sur ces matins où je quittais l'Ecrou, puis
cette chambre, sous un ciel chaque fois plus obscur, où
l'on éteignait de plus en plus tard chez Matthews and
Sons ; une paupière de nuages recouvre complètement
de sa taie grise uniforme ce bleu du ciel qui transpa-
raissait hier, ah, combien moins pur, moins fort, moins
proche, que ces images, que je viens de revoir intégra-
lement et dans leur ordre, ne le montrent au-dessus des
cornes de Cnossos, au-dessus des cours au fond tapissé
d'herbe fine, autour desquelles tournent les marches
soutenues par des colonnes aujourd'hui de ciment, mais
autrefois, disait le commentateur, taillées dans le tronc
des cèdres abattus sur les pentes prochaines du mont
Ida, plantées dans des bases d'albâtre, s'élargissant telles

des arums, jusqu'à leurs chapiteaux qui s'enflent, après
un léger resserrement semblable à celui que produit une
haute et fine ceinture, qui s'enflent selon le profil d'un
sein vif, et les paliers ornés de spirales peintes couleur
des eaux, et de frises de boucliers en forme de grands
huit, mouchetés comme des pelages de chevaux pies ou
de panthères, menant à travers bien des couloirs, des
escaliers et d'autres cours, aux appartements où vécu-
rent, il y a plus de trois mille ans, des princesses dont
les Grecs, comme ils ont fait de ce palais le Labyrinthe,
ont fait cette Ariane, cette Phèdre, représentées en des
costumes bien différents des leurs, sur les tapisseries du
Musée, des princesses, si j'en crois les quelques statues,
les quelques peintures qui viennent de nouveau de
m'être si rapidement montrées, aux grands yeux, à la
taille fine, aux seins offerts dans la grande ouverture de
leurs corsages ajustés, aux seins semblables à des pêches
sensibles, comme j'imagine ceux de Rose (maintenant,
n'importe quelle figure belle me ramène invinciblement
vers la sienne), ceux de Rose sous son chandail bien
fermé autour de son cou !

Les nuages m'empêcheront, ce soir, de voir le crois-
sant se lever au-dessus des cheminées de Dew Street où
les deux petits réverbères viennent d'allumer leurs
flammes blafardes, où les habitants des maisons viennent d'allumer les plafonniers de leurs étroits living-
rooms ou de leurs chambres derrière les rideaux des
fenêtres ; et ce n'est plus le reste de jour gris, mais les
rayons orangés de ma lampe, qui éclairent le plan de
Bleston que je viens d'étaler sur ma table en me ras-
seyant, semblable en ses moindres détails à celui que
j'étalais ainsi sur mon lit, en novembre, à l'Ecrou, que
je traînais perpétuellement dans les poches de mon
imperméable, et que, toujours à la recherche d'un logement, plutôt par habitude, à ce moment, que dans
l'espoir d'en découvrir vraiment, je dépliais partielle-

ment, tous les soirs de semaine, au restaurant Sword, en sortant de chez Matthews and Sons, afin de repérer au milieu des quartiers qui, en général, m'étaient encore tout à fait inconnus, la situation approximative, la rue au moins, de ces petites maisons dont je venais de trouver l'adresse dans les annonces de l'*Evening News,* et qui me semblaient, la plupart du temps, après ce rapide examen, si éloignées, si mal desservies par les bus, que je renonçais à aller frapper à leur porte.

Certes, dans cette feuille de papier couverte de traits d'encre de cinq couleurs, les centimètres carrés liés dans ma mémoires à des bâtiments perçus, à des heures, à des aventures, se sont multipliés, ont envahi de réalité un domaine de plus en plus vaste, mais il reste d'immenses lacunes, d'immenses trous dans cet espace, où les inscriptions restent lettre morte, où les lignes ne font apparaître aucune image, où les rues demeurent la notion la plus vague de « rues de Bleston », sans rien qui puisse les particulariser, et dès que j'examine avec un peu plus d'attention les parties qui correspondent aux quartiers qui me sont les plus familiers, le septième arrondissement, par exemple, où je vis, où je travaille, où se trouvent la place de l'Hôtel-de-Ville, le Musée, la Nouvelle Cathédrale, le domicile d'Horace Buck, ou le dixième encore, où demeurent les sœurs Bailey et les Jenkins, je vois un nom qui me surprend, un passage que je n'ai de toute évidence jamais emprunté, et même je m'interroge sur l'aspect d'un édifice signalé devant lequel je suis passé maintes fois, sans jamais l'avoir remarqué, comme cette caserne de pompiers au coin de Continent Street et de Surgery Street, en face de Willow Park, tout près du Royal Hospital et du terrain où se trouvait la foire au mois de janvier, sur le trajet du bus 24 que je prends chaque fois que je vais dans All Saints Gardens.

JUIN, juin

Mercredi 18 juin.

C'est le grand jour gris pour près de deux heures encore avant qu'il se dissolve dans le très lent crépuscule des pays du nord aux alentours du solstice d'été, c'est le grand jour gris qui éclaire le plan de Bleston resté étalé sur ma table depuis hier soir, soigneusement respecté pendant son ménage pourtant scrupuleux par l'excellente madame Grosvenor, de plus en plus intriguée et impressionnée par toutes ces feuilles qui s'accumulent, couvertes de phrases pour elle indéchiffrables, convaincue maintenant par leur masse du sérieux de cette entreprise mystérieuse qu'elle doit considérer comme faisant partie de mes obligations professionnelles, et sur laquelle il ne lui viendrait même pas à l'idée de m'interroger, trop certaine que je serais incapable de lui en donner des explications qui la satisfassent.

C'est le grand jour gris qui éclaire le plan de cette ville encore tellement inconnue, qui se camoufle elle-même comme un manteau dont les plis cachent d'autres plis, qui se refuse à l'examen comme si la lumière la brûlait, telle une femme dont on ne pourrait apercevoir le visage qu'en arrachant son voile avec violence, ce plan qui est comme sa réponse ironique à mes efforts pour la recenser et la voir entière, m'obligeant à chaque nouveau regard à confesser un peu plus grande l'étendue de mon ignorance, ce plan sur lequel se superposent dans mon esprit d'autres lignes, d'autres points remarquables, d'autres mentions, d'autres réseaux, d'autres distributions, d'autres organisations, d'autres plans en un mot, qui, vagues au début et très fragmentaires, se sont peu à peu précisés, continuent à se compléter, tel celui du trajet de la foire, cette petite ville mobile un peu moins morose qui fait le tour de la grande en huit mois, s'arrêtant quatre semaines dans chacun des arron-

135

dissements extérieurs à l'exception du douzième où elle serait trop proche de Plaisance Gardens, cette grande foire immobile, s'arrêtant toujours dans les mêmes terrains vagues, comme me l'a expliqué James qui connaît fort bien ses habitants, cette petite ville de planches et de toiles couvertes, comme les briques de celle dans les artères de laquelle elle circule, d'une épaisse couche de crasse charbonneuse, cette petite ville de baraques et de roulottes que j'ai vue maintenant dans toutes ses stations, puisque, voici trois jours, je suis allé dans le cinquième, le long de la Slee près du pont de chemin de fer qui va de Dudley Station vers l'Ecosse, avec Rose, nerveuse dans l'attente des résultats de ses examens à l'Université (elle a bien tort ; ses progrès en français sont considérables depuis quelque temps), mais plus charmante que jamais dans cette après-midi ensoleillée avec un léger vent très doux qui lissait les plumes de ses cheveux, serrée dans son chandail au col un peu montant dont la moindre de ses respirations faisait frémir toutes les mailles, enfin débarrassée de cet imperméable couleur de la boue et du brouillard d'ici avec lequel je l'avais toujours vue sortir.

Je suis allé à la foire dans le cinquième, avec Rose que je rassurais, avec Ann et Lucien qui marchaient ensemble devant, retrouver la protection de ses berlingots, de ses ice-creams, de ses pains d'épices, de ses jeux de massacre, de ses balançoires, de son train des fantômes, de ses autos tamponneuses, de sa grande roue, de sa foule un peu plus gaie, contre l'ennui qui couvre nos dimanches et que le beau temps n'allège qu'à peine, la protection de ses tirs surtout, du tir photographique avec ses éclats de magnésium, ses épreuves laissées pour compte (le portrait de George et de Harriett Burton notamment), et naturellement de la « chasse à l'ours », ce petit théâtre semblable à un castelet pour marionnettes, dans lequel tourne, parmi des arbres tropicaux, devant un décor d'épaisse forêt, le fauve brun, en bois, articulé, nanti de trois lentilles sur le ventre et les flancs, de trois points vulnérables au rayon de lumière que le chasseur fait jaillir de son fusil (sous la blessure il se redresse, il grogne, tandis que ses yeux brasillent, et que, sur le fronton de verre, s'inscrit le nombre des coups portés), la protection de la « chasse à l'ours » où nous sommes devenus de première force, Lucien et moi, où nous nous sommes amusés à regarder les deux sœurs faire leurs premiers essais, où je m'étais amusé à regarder Lucien faire ses premiers essais au mois de mars dans le troisième arrondissement près de Lanes Park, où Horace Buck s'était amusé à me regarder faire mes premiers essais le samedi 17 novembre (lui déjà beaucoup plus habile à ce jeu que nous ne le serons jamais, tenait le fusil à bout de bras et ne ratait pas un seul coup), le samedi 17 novembre dans le neuvième arrondissement, dans cet autre terrain vague le long de la Slee au nord d'Old Bridge d'où l'on voit les trois tours de l'Ancienne Cathédrale au-dessus des vieilles maisons sur l'autre rive, ce dont je ne me suis aperçu que dimanche dernier dans la matinée, lorsque j'y suis retourné sous cette brève averse qui a lavé le ciel et qui l'a laissé jusqu'au soir tellement plus clair que même ces autres beaux jours de juin.

Il était désert alors, ce terrain vague, sauf quelques chats se disputant des restes de poisson parmi les touffes d'herbe hirsute : la foire l'avait abandonné depuis près de sept mois, et elle ne quittera celui du cinquième que dans une semaine au moins, poursuivant son périple régulier, pour s'y installer à nouveau.

C'était déjà presque la nuit, ce samedi 17 novembre, toutes les lampes étaient allumées, et la Slee couverte de brume était semblable à de la tourbe molle.

Auparavant, ce samedi 17 novembre, j'étais venu pour la première fois dans cette maison où je vis maintenant, dans cette chambre où j'écris maintenant en contemplant le plan de Bleston encore étalé sur ma table que le jour finissant éclaire de plus en plus faiblement, j'y étais venu sous la conduite et à l'instigation d'Horace Buck, qui s'est montré, à cette occasion, mon sauveur, qui lui n'est pas entré, par une prudence que je ne comprenais pas alors, mais dont je sais maintenant à quel point elle était justifiée, qui m'avait supplié de ne pas faire allusion à lui, qui lui n'y est jamais entré, qui lui n'a jamais vu l'excellente madame Grosvenor dont pourtant je n'ai fait la connaissance que grâce à son intermédiaire caché (mais il était nécessaire qu'il restât caché), l'excellente madame Grosvenor dont je n'ai vaincu les appréhensions qu'en me recommandant d'une autre femme dont il m'avait donné le nom en même temps que cette adresse, 37, Copper Street, Bleston 7, qui allait devenir la mienne, madame Wilson, épicière fort respectée malgré sa relative jeunesse, trente-cinq ans, qui, s'occupant à ses moments perdus de propagande missionnaire, j'ai appris tout cela depuis, se fait un devoir de se montrer serviable envers les gens de couleur et les étrangers, et possède, je crois, une petite tendresse particulière à l'égard d'Horace.

Jeudi 19 juin.

Madame Grosvenor ignore jusqu'à l'existence de ce noir définitivement exilé qui, après m'avoir mené chez elle, tout le temps de notre premier entretien difficile (c'était une prononciation nouvelle, et mon accent la surprenait ; il nous a fallu près d'une heure pour tout régler, pour nous entendre, autour de biscuits et de tasses de thé), m'attendait dans sa propre chambre où il vivait alors tout seul, fumant des Player's et buvant du rhum.

Même maintenant, je me garderais bien de lui en parler, puisque avant-hier encore, tandis que je prenais mon petit déjeuner dans sa cuisine (elle se lève bien plus tôt que moi ; elle a toujours fini avant que je descende), elle est venue, brandissant le *Bleston Post,* pour me lire et me commenter, avec des larmes d'indignation dans la voix, le récit d'un meurtre commis par un nègre dans le cinquième, au nord du terrain de la foire, dans une de ces petites rues qui se trouvent entre les docks et les voies de chemin de fer qui vont jusqu'à Dudley Station.

Elle voue tous ces « black devils » comme elle dit, en ne choisissant qu'une seule des innombrables dénominations horrifiées qu'elle leur applique en fermant presque les yeux devant la brutalité soudaine de son propre langage, elle voue tous ces démons noirs au même enfer, à la même potence, ne parvenant pas à comprendre pourquoi le gouvernement de Sa Majesté laisse les ports de l'Ile ouverts à ces fauves à figure à peine humaine, aux instincts violents toujours prêts à se déchaîner, qui mettent en perpétuel danger la vertu de ses filles, et ne peuvent apporter que le trouble et l'écorchement.

« Madame Wilson a bien du courage d'affronter ces regards si sournois. Savez-vous ce qu'on raconte sur l'Afrique, monsieur Revel ? Savez-vous ce qu'ils cachent sous leurs airs tranquilles ? Vous n'avez sans doute pas vu leurs yeux et leurs dents briller quand ils sortent le soir des pubs où on les accepte. Ils sont nombreux dans le quartier, monsieur Revel ; je n'ose plus m'aventurer dehors après mon thé. Méfiez-vous ! »

Lorsque, ce samedi 17 novembre, fort peu confiant dans le succès de ma démarche, puisque James lui-même, avec qui je me sentais de plus en plus d'affinités, n'avait pas été capable de me trouver un logement, et que, parmi les rares personnes que je connaissais alors à Bleston, c'était certes d'Horace Buck que j'attendais le moins le secours (j'avais été fort touché, fort surpris, quand il m'avait annoncé sa découverte en m'ouvrant sa porte, comme j'arrivais de chez Matthews and Sons, vers midi vingt ; mais comment aurais-je pu y croire ?) lorsque timidement et effrontément à la fois, ce samedi 17 novembre, je m'étais présenté à madame Grosvenor, lui racontant que madame Wilson, cette femme que je n'avais alors jamais vue et chez qui je me fournis maintenant régulièrement en tabac par reconnaissance, lui racontant que cette femme dont le nom a fonctionné comme un véritable « Sésame », madame Wilson, m'avait appris qu'elle avait une chambre à louer sur la rue, une chambre dont j'espérais qu'elle me conviendrait, lui décrivant mes occupations ici, lui expliquant les raisons de mon séjour, ses premières paroles avaient été :

« Vous êtes Français ? Je n'aurais jamais imaginé les Français comme ça ! »

Elle me considère toujours comme un être d'une espèce particulière, différent de tous ceux qu'elle a jamais rencontrés, dont il ne faut pas chercher à comprendre les habitudes, bizarrement élevé, bizarrement ignorant de choses qu'elle considère elle-même comme tellement évidentes, une sorte d'enfant maladroit qu'il est presque imprudent de laisser marcher seul dans la rue, mais en communication effective avec cette région de la réalité, pour elle quasi fabuleuse, le continent.

Je m'en souviens fort bien, il m'a fallu un certain temps pour m'apercevoir de ma bonne fortune ; ce n'est pas au moment même où madame Grosvenor m'a fait entrer pour la première fois dans cette chambre, que j'ai compris que j'avais enfin trouvé, que j'allais m'installer, prendre assise et appui, que c'en était fini avec ces randonnées harassantes et désespérantes d'un bout à l'autre de la ville à la recherche d'une case, que c'en était fini de ces lectures minutieuses, défiantes, désabusées, des petites annonces de l'*Evening News,* tous les soirs de semaine, comme hors-d'œuvre, au Sword ou dans quelque autre restaurant, au sortir de chez Matthews and Sons, que je pourrais enfin passer à d'autres textes, ce dont j'ai bien peu profité, que c'en était fini de ces matinées gelantes, le dimanche à l'Ecrou, de ces horribles retours, de ces horribles soirées mal éclairées, qu'enfin, après être resté plus d'un mois dans cette antichambre où j'avais l'impression qu'un huissier invisible me consignait pour le seul plaisir de m'humilier, j'étais admis dans la ville de Bleston et que j'allais pouvoir la voir de près.

Non, d'abord j'ai gardé pendant quelques instants l'attitude du visiteur dédaigneux, du client qui se fait ouvrir les vitrines et les boîtes, pourtant à peu près sûr d'avance de ne rien trouver de ce qu'il cherchait.

Ce n'est que peu à peu, lentement, m'apercevant de la clarté de cette chambre, de sa propreté, de la blancheur de son plafond, de la fraîcheur de ses tentures (elle venait d'être retapissée), de l'agrément d'avoir Dew Street en face de sa fenêtre, et non la façade sordide de quelque autre maison de Copper Street, de son exposition au sud-ouest, réfléchissant aux avantages de ce quartier très central proche de chez Matthews and Sons, l'entendant me répondre, la chère madame Grosvenor, que, certainement, rien n'était plus facile que d'y monter cette table, pour le lendemain si je voulais, cette table sur laquelle je suis en train d'écrire maintenant, qui se trouvait alors au rez-de-chaussée dans le living-room, entre le buffet et la cheminée, avec un napperon de macramé sous un vase d'étain rempli de branches de pommier aux fleurs de coquillages, ce n'est que peu à peu, lentement, avec un étonnement grandissant, que je me suis rendu compte que, oui, ici je pourrais vivre et résister, avec non seulement de l'étonnement, mais bientôt, voyant tout se régler heureusement (le loyer que je paie est, mon dieu, fort modeste, puisqu'il inclut ménage, chauffage, petit déjeuner et lessive), un immense soulagement.

Avec quel plaisir, quand j'ai retrouvé Horace Buck dans sa chambre d'Iron Street, lui ai-je fait part du succès de cette démarche dont il était l'origine ! Avec quel enthousiasme d'enfant m'en a-t-il félicité !

Il a fallu fêter cela, et c'est pourquoi, malgré la brume assez froide, il m'a mené pour la première fois à la foire, par le bus 27 jusqu'à la place de l'Hôtel-de-Ville, puis le 28 qui traverse la Slee sur Old Bridge, jusqu'à ce terrain du neuvième au bord de l'eau noire, où je ne suis retourné que dimanche dernier au matin dans l'intention de raviver mes souvenirs, ce terrain vague du neuvième où elle était alors plantée, la foire, où elle rouvrira ses baraques le mois prochain, où il m'a initié à la « chasse à l'ours », où nous sommes restés bien après la tombée de la nuit, où nous avons dîné, debout autour d'un brasero, de « fish and chips » et de « hot dogs » arrosés de café au lait, avant d'aller plus sérieusement nous réchauffer à coups de pintes de Guinness dans un pub dont j'ai oublié de vérifier le nom dimanche, auprès de la station du bus 28 que nous avons repris tous deux jusqu'à la place de l'Hôtel-de-Ville où les habitants de Bleston, dans leur manteau de brume sale irisée par les enseignes lumineuses, continuaient à faire queue devant les cinémas.

Après avoir dit « au revoir » à Horace, je suis monté dans le bus 26 qui va jusqu'aux Docks en passant par Alexandra Place et Port Bridge, mais que j'ai quitté au point de rencontre de City Street et de Brown Street, pour emprunter le bus 17 (Ancienne Cathédrale-Deren Square), afin, pour la dernière fois (avec quel plaisir je m'en assurais !), de rentrer dormir dans ma misérable chambre de l'Ecrou.

Vendredi 20 juin.

Avec quel plaisir j'ai dit à cette jeune fille au regard mort derrière les verres allongés de ses lunettes, tandis qu'elle me brandissait ma clé, assise sur son tabouret comme au matin de mon premier jour à Bleston, lorsque James Jenkins m'avait introduit, harassé, incapable de me faire comprendre, dans ce vestibule humide que j'avais tant de fois traversé depuis, avec quel soulagement je lui ai dit, à cette geôlière, à cette greffière, que l'on pouvait me préparer ma dernière note !

Avec quel soulagement, le matin du dimanche 18 novembre, j'ai enfoncé dans mon unique lourde valise les quelques objets que j'en avais retirés, les quelques objets que j'avais achetés dans Bleston, son plan semblable à celui qui est là plié sur le coin gauche de ma table, son plan que m'avait vendu Ann Bailey, le schéma des lignes des bus que je n'ai pas eu besoin de lui racheter, le roman de J. C. Hamilton dont je ne savais pas encore le véritable nom, *Le Meurtre de Bleston* que j'avais encore auprès de moi ce jour-là (car je ne l'ai prêté à James, je m'en souviens fort bien, que le lendemain du jour où il m'a mené pour la première fois à Plaisance Gardens), l'exemplaire du *Meurtre de Bleston* qui doit être maintenant encore chez les Bailey, que leur cousin y a ramené (c'est Ann qui le lui avait laissé prendre, c'est elle à qui je l'avais confié ; Rose ne l'aurait pas ainsi oublié, ne m'aurait pas ainsi prétendu qu'elle me l'avait déjà rendu), que leur cousin y a ramené après l'avoir passé à cet ami, cet inconnu, ce Richard Tenn dont la maison, leur a-t-il dit, ressemble si étrangement à celle où vivaient les deux frères, la victime et son meurtrier, cet exemplaire que j'avais cru perdu, en gros semblable, un peu moins défraîchi sans doute alors, mais, en ce qui concerne le texte, absolument semblable à celui que je regarde maintenant sur le coin gauche de ma table !

Avec quel soulagement je l'ai refermée, cette unique lourde valise qui s'empoussière maintenant, vidée, sur le sommet de cette armoire à droite derrière moi, et après avoir jeté un dernier coup d'œil à travers la fenêtre ruisselante de pluie pour changer, un dernier coup d'œil vers la cour emplie de mâchefer et le mur de briques, après m'être purgé de toute attache avec ce lieu, en me libérant de ma dernière dette, avec quel soulagement je suis arrivé jusqu'ici par le bus 17 puis le bus 27, changeant au croisement de Tower Street et de White Street, en bas de chez Matthews and Sons, franchissant à pied les derniers deux cents mètres sous les voiles d'eau qui me caressaient, qui s'amincissaient !

Avec quel soulagement, reçu par madame Grosvenor, j'ai pris possession de ces quelques mètres carrés, j'ai déposé cette valise, heureusement pas trop mouillée, sur cette table dont longtemps je ne me suis servi que pour écrire de rares et insignifiantes lettres à ma famille, que pour lire, que pour étaler convenablement le plan de Bleston (mais cela même n'était-ce pas une transformation capitale ?), et j'ai rempli de mes affaires toutes les planches de l'armoire, tandis qu'à travers la fenêtre, peu à peu, paraissait Dew Street !

C'était un premier réveil déjà ; je crois qu'Horace Buck mesure parfaitement l'étendue du service qu'il m'a rendu ces jours-là, il y a tant de lents et de profonds remous sous ses yeux naïfs et obscurs ! Je crois, sans qu'il puisse naturellement l'exprimer de cette façon, même se le dire à lui-même clairement, qu'il sait, tant de patiente intelligence rampe sous ses explosions de colère, sous son incapacité de s'expliquer, sous son dénuement verbal et mental, qu'il sait qu'il m'a sauvé pour ainsi dire la vie, qu'il a sauvé en moi cette conscience en lui tellement opprimée, cette conscience qui est malade et encrassée mais qui subsiste et qui cherche maintenant son chemin vers la guérison et le jour.

J'échappais ainsi un peu à l'enlisement de Bleston, qui m'aurait englouti, j'en suis sûr, au moins pour la durée de mon séjour, si je n'avais bénéficié de son secret secours inattendu, de son intervention quasi miraculeuse, car, je le sens bien, mon courage s'usait et s'usait.

Lorsque j'entreprenais un soir de semaine, de plus en plus rarement, une expédition d'exploration dans un quartier en général non seulement aussi sinistre mais encore plus lointain que celui de l'Ecrou, guidé, leurré par une de ces annonces de l'*Evening News,* qui pourtant ne doivent pas toutes être fallacieuses pour tous, une de ces annonces auxquelles je croyais de moins en moins, c'était avec non seulement de moins en moins d'espoir, mais, je le sens bien, aussi de moins en moins de volonté de trouver.

Très rapidement j'aurais cessé complètement ces vaines, ces prétendues tentatives ; j'aurais peu à peu accepté mon sort ; je me serais peu à peu habitué à mon amoindrissement ; je n'en aurais même plus souffert ; bientôt je ne m'en serais même plus aperçu, somnanbule, fantôme, larve.

La fumée, la brume et l'ennui, l'hiver, la vase, la laideur et la monotonie, auraient eu enfin raison de mes yeux ; sans m'en douter, je serais devenu totalement aveugle ; la malédiction aurait achevé son ouvrage ; que serait-il resté de moi ?

Certes, si Horace ne m'avait aiguillé vers cette maison, je ne serais pas en train d'écrire, j'aurais oublié même la lumière étrange que j'avais vue s'allumer dans le Vitrail du Meurtrier de l'Ancienne Cathédrale ; rien, plus rien, je le sens bien, n'aurait pu désormais m'arriver ; j'aurais été incapable, l'après-midi de ce dimanche pendant laquelle je serais néanmoins allé voir la Nouvelle Cathédrale, poussé par un dernier reste de la curiosité éveillée quinze jours auparavant par ce que m'avait dit l'ecclésiastique, et par l'étonnant silence, la crispation de madame Jenkins, la semaine suivante, lorsque j'y avais fait allusion, j'aurais été incapable de me dégager du mépris à son égard que m'avait enseigné *Le Meurtre de Bleston,* de l'apprécier, cette Nouvelle Cathédrale, de me rendre compte que c'était là un nouveau chaînon de cette piste intrigante, évasive, que je suivais depuis quelque temps, et dont je n'ai pas encore découvert l'aboutissement, car elle s'était perdue au milieu des brouillards de l'hiver.

Ah, quand j'y suis entré (le bruit de la pluie qui s'était remise à tomber résonnait sur toutes les vitres blanches tristes et un peu sales), quelle stupéfaction devant ces arcs épais, à mi-hauteur, ces ponts bordés de fines balustrades qui relient deux à deux les colonnes de la nef, avec ces plate-formes circulaires en leurs milieux, devant tous ces balcons courant le long des parois, qui les relient et les prolongent, devant la croisée à la rencontre du transept de deux de ces extravagants jubés inondés par les fenêtres de la flèche qui les surmonte, de lumière verticale verdâtre, quasi sous-marine, pâle et très froide, projetant sur les dalles de calcaire, sur le lieu même où l'on découvre le cadavre dans le second chapitre du roman de J. C. Hamilton, une grande croix d'ombre, un grand « X », et devant la profusion de la décoration naturaliste d'animaux et de plantes !

Ce jour-là, je n'en ai pas considéré l'extérieur ; sous le porche sud, en sortant avant de m'enfoncer sous la pluie, j'ai longuement regardé, dans le crépuscule, la

pelouse et les arbres complètement dénudés, les palissades couvertes d'affiches, au fond, devant les démoli-
tions, et à gauche le rideau de fer du troisième restaurant chinois, l'Oriental Pearl, fermé le dimanche comme
les deux autres, où je me suis promis d'amener James.

4

Les jours enfin de plus en plus souvent presque bleus (mais qu'on est loin encore de cet azur qui règne sur les esplanades, les cornes, les cours et les escaliers des palais ruinés de la Crète, si j'en puis croire ce documentaire que j'ai vu il y a huit jours et que je suis retourné voir le lendemain dans le Théâtre des Nouvelles où il ne passe plus aujourd'hui, où il est remplacé aujourd'hui par je ne sais quel film sur un lieu dont le nom, que j'ai oublié, ne me disait rien), les jours, à chaque reprise, mordaient un peu plus, semblables aux vagues montantes de la marée, mordaient quelques instants de plus sur le sable du soir, et maintenant, semaine du solstice, leur progression s'est arrêtée comme s'ils avaient rencontré un obstacle ou qu'ils fussent parvenus à la limite de leur force.

En vain essaient-ils de briser l'immémoriale interdiction qui protège, dans nos latitudes, même en plein été, le cœur de la nuit, et dans cet effort, ils vont se lasser, ils vont s'amoindrir ; leur souffle va s'écourter ; ils vont se replier comme une armée qui s'épuise et qui cherche à se resserrer ; semblables aux vagues de la marée descendante, à chaque reprise ils laisseront un peu plus d'obscurité intacte.

L'ennemi corrompra de plus en plus facilement ces troupes en déroute, les contaminera de plus en plus profondément de brumes ; de plus en plus de taies recouvriront l'œil de leurs eaux, ce bleu lointain, lointain, qui s'était rapproché.

L'été sera court ; quand je partirai en fin septembre, quand je m'arracherai enfin à Bleston, à cette Circé et à ses sombres sortilèges, quand enfin j'aurai la possibilité, délivré, de retrouver ma forme humaine, de laver mes yeux, les jours n'auront déjà plus que cette pauvre clarté déchirante, cette clarté de larmes et de lamentation, qu'ils avaient au début d'octobre lors de mes premiers pas, de mes premières recherches, de mes premières errances, de mes premiers combats, de mes premières défaites, de mes premières résistances dans cette ville ; puis ils deviendront ces ombres de jours que je vivais en novembre, si l'on peut appeler ça vivre, et ils continueront à pourrir, à se liquéfier comme des cadavres, à se recouvrir comme des fantômes, de multiples linceuls de plus en plus trempés de boue, à s'enfoncer comme des noyés, parmi les algues charbonneuses et les bancs de vase, comme ils ont continué jusqu'à Noël.

O beau soir, beau soleil poudroyant dont les éclats moites et comme doucement velus m'atteignent encore, réfléchis par les fenêtres entrouvertes au premier étage des petites maisons de brique assombrie et morose sur le côté droit de Dew Street, la rue de la rosée pesamment rose, de plus en plus teinte de rose, de plus en plus profondément contaminée du rouge lumineux de ce beau ciel qui va demeurer rouge près d'une heure au-dessus des toits d'ardoise !

Bel après-midi d'hiver où je me suis promené dans Green Park, parmi les massifs de tulipes à peine oscillantes, leurs pétales nageant lentement comme d'éclatants poissons paresseux dans la lumière couleur de source légèrement lactée, parmi les pelouses couvertes de dormeurs, la tête cachée sous le journal du dimanche, le *Sunday Post,* et les allées engorgées de voitures d'enfant et de tricoteuses, avant d'aller prendre le thé chez les Burton chez qui Lucien est arrivé quelques instants après moi, dans la confortable maison à l'angle de Green Park Terrace et de Hatter Street, où nous n'avons pas eu besoin d'allumer avant la fin de notre bridge !

Bel après-midi de samedi (trois jours entiers, sans un instant de pluie, presque sans brume ; combien cela peut-il encore durer ?) où, tandis que nous fêtions tous la réussite de Rose, à Plaisance Gardens, dans le café-restaurant en plein air que l'on installe pour l'été au milieu de la partie zoologique, entre les enclos des grues aux ailes rognées, les cages des loups, des renards, les étangs de canards et les bassins des phoques aux îles de ciment peintes en blanc, j'apercevais au-dessus des baraques immobiles de cette grosse foire, découpure étrangement sinistre dans la brume légère et lumineuse, les sommets des poteaux calcinés du Scenic Railway, du grand huit, quelques poutrelles encore y demeurant attachées comme des potences, ou comme ces moignons qui jaillissent toujours du tronc désécorcé des arbres frappés de foudre, et j'entendais le bruit de la hache des démolisseurs, auquel les autres ne faisaient nullement attention, qu'ils ne percevaient sans doute même pas, effacé qu'il était pour eux sous celui de la conversation et du choc des couverts contre la faïence, sous les plaintes des fauves et des oiseaux, j'entendais au-delà de tout ce brouhaha s'écrouler ces ruines que j'avais contemplées si longuement la semaine dernière, attiré dès le moment où j'avais lu l'annonce du sinistre sur les affiches de l'*Evening News,* par je ne sais quelle curiosité,

où nous fêtions tous la réussite de Rose à ses examens de français, réussite dont aucun de nous n'avait
douté, tels étaient les progrès qu'elle avait faits depuis
le jour où je l'avais rencontrée avec Ann pour la première fois, tous, c'est-à-dire les sœurs Bailey, Lucien
Blaise, moi-même et aussi James Jenkins,

(je ne savais pas qu'il s'intéressait tellement à elles ;
je ne me serais pas douté qu'il participerait à notre
petite célébration ; c'était la première fois depuis longtemps que je le voyais en dehors des heures de bureau,
lui qui m'invitait autrefois si souvent à venir prendre un
repas chez sa mère, à choisir quelque nouveau roman
policier dans la collection de son père ; tout cela a cessé
depuis... depuis ce soir de la fin de mai à la foire dans
le deuxième, depuis ce dernier samedi de mai, la veille
du jour où j'ai appris aux Bailey le véritable nom de
J. C. Hamilton),

où les doigts agiles du soleil, blancs et ténus même
ce jour-là, jouaient, comme de minuscules anguilles
douces et chaudes, dans les cheveux presque roux de
ma Rose, de ma Crétoise, de ma petite Phèdre, plus
belle encore dans certains moments favorisés que celle
des tapisseries Harrey, toute tissée d'or et d'argent
vivants, plus belle encore malgré ses vêtements impar-
faits,

(je me retenais pour ne pas m'approcher d'elle, pour
ne pas trop laisser transparaître le plaisir que j'éprouve
à la regarder, à lui parler, l'intérêt qu'elle m'inspire de
plus en plus, cet intérêt qu'elle pourrait fort bien interpréter, si je n'y prenais pas garde, comme une sorte de
passion, ce qu'il n'est pas, ce qu'il ne doit pas être, cet
intérêt qui pourrait fort bien, si je n'y prends garde, se
transformer en une véritable passion ; heureusement,
elle ne s'en doute pas encore ; je crois que nous passe-
rons le cap sans encombre),

bel après-midi de samedi, où pour la première fois le

parfum des roses s'est mêlé dans l'air aux exhalaisons de la Slee.

De plus en plus de pourpre au-dessus de Dew Steet, et puis le vert ; dans cet étang du ciel, parmi l'épaisseur des roseaux, fleurit une lune à peine brouillée, tel un pâle iris duveteux qui n'aurait encore déroulé qu'un seul de ses pétales.

Mardi 24 juin.

Pas un nuage ! C'est le quatrième beau soir d'affilée, ce dont j'avais perdu l'espoir.

Comme elle est rusée, cette ville ! Ah, par cet allègement de ses chaînes, c'est tout ce que j'ai réussi à savoir d'elle, d'un si dur, d'un si lent, d'un si lourd savoir, qu'elle s'efforce d'ébranler et d'obscurcir ! Mais loin de m'abandonner à ces tentations que je sais si provisoires, loin de laisser bafouer tous ces mois de patience, de résistance et d'ennui, je continuerai à ramper vers la mémoire, à ajouter ligne après ligne, page après page, à ce souterrain que je creuse vers mon réveil.

Soutiens-moi, beau temps, ou plutôt, puisque je suis toujours enlisé dans Bleston, séparé malgré tout, malgré toutes les apparences et les caresses, séparé par une immense épaisseur confuse, du pur bleu, de la pure eau, du pur soleil divin, de la terre et même du charbon purs, soutiens-moi, toi qu'elle soudoie, poignant petit frère du beau temps, toi qui viens de te déployer d'une façon si proche de la magnificence, dans ces quatre dernières journées, et qui me nourris encore avec tant d'efficace maintenant, de toutes ces gouttes de sang, de vin, de braises, qui poudroient jusque sur ma table à partir de cette immense vitre rouge mouillée devant laquelle se découpent les toits et les cheminées de Dew Street, comme dans la verrière de l'Ancienne Cathé-

drale, les croissants, les tours, les dômes, et les mina-
rets de la ville où tissent, forgent et chantent, accompagnés du cor et du luth, silencieusement les descen-
dants du fondateur Caïn !

Depuis hier, je cherche en vain à concentrer mon
attention sur ce lundi 19 novembre où, pour la première fois, après avoir dîné dans je ne sais plus quel
restaurant au sortir de chez Matthews and Sons, où
déjà rien ne changeait plus, où déjà toutes les ficelles
de ce métier dérisoire m'étaient connues, où rien n'a
plus changé depuis, sinon que la difficulté de la langue
a continué d'aller chaque jour s'amoindrissant, mais
telle l'abscisse du point qui court sur une branche hori-
zontale d'hyperbole, de moins en moins s'amoindrissant, sans disparaître, pour la première fois je n'ai pas
pris le bus 17 pour retourner me coucher à l'Ecrou,
mais au contraire le bus 27 en sens inverse pour
m'approcher d'ici.

C'est que le présent (c'est-à-dire ces quelques derniers jours) est si envahissant, occupe tant de place dans
mon esprit, qu'il m'a fallu déjà toute une soirée pour
essayer de l'écarter, et que, maintenant encore, je sais
bien que je ne vais pas pouvoir m'en débarrasser autrement qu'en faisant mention écrite de cette conversation
avec James Jenkins aujourd'hui, je dirais presque de
cette reprise de contact.

Lui qui, samedi dernier à Plaisance Gardens, en présence de Rose, d'Ann et de Lucien, ne m'avait pour
ainsi dire pas adressé la parole (cet état de gêne entre
nous durait, cela n'est que trop évident, depuis cette
soirée avec lui à la foire, où j'avais aperçu au loin les
Burton, où je les lui avais désignés, où nous les avions
poursuivis en vain, où nous avions reparlé pour la première fois depuis bien longtemps du *Meurtre de Bleston,* la veille, juste la veille de ce dîner chez les Bailey
que j'ai raconté, où l'exemplaire de ce livre que je lui

avais prêté cet automne a réapparu, alors que je l'avais
si bien cru perdu que j'étais allé, après combien de
recherches là encore, jusqu'à en racheter un autre), lui,
James Jenkins, qui n'avait même pas pu répondre pour
ainsi dire aux quelques questions que je lui avais posées,
il est venu au moment où je partais pour déjeuner, me
demander si j'avais vu le programme qui passe actuel-
lement au Théâtre des Nouvelles, avec le documentaire,
le travelogue sur... Comment est-ce déjà ? Voilà que je
ne m'en souviens plus.

Je lui ai répondu que non, que je ne savais pas ce
que c'était que ce lieu, je lui ai demandé s'il le savait,

« C'est une ville, probablement. »

Naturellement, mais quel genre de ville, morte ou
vivante, saine ou malade, jeune, vieille, nourrissante ou
exténuante ? Tout est là.

Nous irons voir cela demain ensemble, puis nous
dînerons à l'Oriental Rose, j'imagine, tous les deux nous
efforçant bien sincèrement de parler comme les camarades que nous étions encore il y a un mois, de parler
comme si je n'avais pas stupidement, le dernier samedi
de mai, en lui montrant l'auteur du *Meurtre de Bleston,*
remué le fer dans cette étrange plaie que j'avais creu-
sée, ou plutôt déjà rouverte, déjà envenimée, en lui prê-
tant ce livre en automne.

Aussi, ce n'est probablement que fort tard, la nuit,
la lente nuit complètement tombée, trop tard pour
écrire, que je rentrerai demain soir dans cette chambre
qui venait, lorsque j'en ai fait ma demeure, d'être retapissée de ce papier peint crème à minces granulations
d'argent que j'ai grattées à l'ongle, à des moments de
terrible ennui au cœur de l'hiver, en des régions que je
pourrais sans doute identifier, à minces granulations
d'argent que j'ai salies de mes doigts ou même de mes
vêtements trempés de pluie et de boue charbonneuse,
à minces granulations d'argent qui se sont çà et là péné-

trées de poussière, mais qui, en certains autres endroits
protégés, sont restées à peu près intactes.

Le lundi 19 novembre à cette heure-ci, il faisait nuit
noire, et dans les carreaux de ma fenêtre fermée, sur
lesquels sans doute ruisselait la pluie, je ne pouvais voir
que le reflet de ma lampe, et si j'avais été assis à écrire
comme maintenant, j'aurais senti dans mon dos, comme
encore certains soirs du mois dernier, la chaleur déplai-
sante du radiateur à gaz éteint aujourd'hui.

Il y avait déjà sur cette table un plan de Bleston semblable à celui-ci, que m'avait vendu, comme celui-ci,
Ann Bailey ; le dessin des rues n'a pas changé sur le
papier, alors que dans la réalité il a subi quelques modi-
fications légères ; rien ne signale ici les quelques
immeubles dont la construction a commencé, s'est
poursuivie ou achevée depuis l'automne, ni ceux qui se
sont écroulés parmi les gravats ou les âcres flammes.

Il y avait déjà sur cette table, un exemplaire du
Meurtre de Bleston, celui qui se trouve maintenant chez
les Bailey, et non celui-là même que je prends dans ma
main gauche à cet instant, mais avec exactement les
mêmes mots, de telle sorte que, si j'ouvre celui-ci à la
page qui porte le même numéro que celle où j'ouvrais
l'autre ce soir-là, c'est bien le même texte que je
retrouve, et malgré tout ce qui s'est accumulé entre ces
deux lectures, ce sont bien certaines des questions que
je me posais alors qui se réveillent en moi, toujours sans
réponse.

Ainsi, même en moi, quelque chose a traversé ces saisons sans croître ni s'abolir, l'alluvionnement des heures
a réservé certains espaces-témoins, et tandis que je
déambule, cherchant la raison de moi-même, dans ce
terrain vague que je suis devenu, tâtonnant sur
d'énormes masses de dépôt, tout d'un coup je trébuche
au bord d'une faille au fond de laquelle le sol d'antan
est resté nu, mesurant alors l'épaisseur de cette matière

qu'il faut que je sonde et tamise, afin de retrouver des assises et des fondations.

Le passage que j'ai sous les yeux, dans mon exemplaire actuel du *Meurtre de Bleston* que je tiens ouvert à ma gauche, c'est bien celui-là que j'avais relu le lundi 19 novembre dans mon exemplaire d'alors, pour la première fois me retirant ici, après une journée de travail chez Matthews and Sons, le lendemain de ma visite à la Nouvelle Cathédrale, c'est le début du deuxième chapitre où l'on découvre le cadavre du joueur de cricket Johny Winn, la tête au milieu d'une mare de sang, sur les dalles blanches, dans la lumière blafarde d'un jour de pluie, ou plutôt dans l'ombre blafarde, au plus blafard de cette ombre en forme d'« X » projetée par les deux jubés qui se rencontrent, composant comme une très épaisse croisée d'ogives, ce passage sur la Nouvelle Cathédrale que j'avais voulu relire justement parce que je ne m'en souvenais plus que vaguement, ce qui me surprenait alors, étant donné qu'il est tout de même la description du lieu du crime, plus que vaguement, parce qu'il était déjà comme recouvert dans ma mémoire par ceux qui concernent l'autre Cathédrale, le livre produisant une illusion d'optique parfaitement voulue par son auteur comme cela ressort avec évidence des discours qu'il nous a tenus à Lucien et à moi, beaucoup plus tard, une illusion d'optique à laquelle je m'étais laissé prendre comme Rose Bailey.

L'insistance sur le Vitrail de Caïn y est si grande que l'idée de meurtre se lie naturellement, dans l'esprit du lecteur, à ce qu'il éclaire, et les deux cadavres, les cadavres des deux frères Winn, se ressemblent tant, l'un sous la croix d'ombre, l'autre sous les taches de lumière, que la scène du fratricide n'apparaît plus que comme une préfiguration de la scène du châtiment, et la Nouvelle Cathédrale que comme un reflet amoindri de l'Ancienne.

Je ne m'en souvenais plus que vaguement, de ce passage que j'ai de nouveau sous les yeux, parce qu'il s'efface en quelque sorte de lui-même, puisqu'il s'efforce en quelque sorte d'effacer cette Nouvelle Cathédrale qu'il ne décrit que pour la faire disparaître au profit de l'autre.

Ah, J. C. Hamilton ne ménage pas ses sarcasmes : « cette misérable farce », « this make-believe » (comment traduire ? Presque « cette escroquerie »), « imitation vide d'un modèle incompris », « monument de sottise », « l'œuvre d'un singe radotant ».

Etrange aveuglement chez un homme pourtant si merveilleusement vif et lucide ! Car moi si neuf dans Bleston, j'avais bien décelé qu'il y avait tout autre chose qu'un démarquage dans cette bizarre construction, j'avais été bien obligé de sentir qu'un esprit d'une étonnante audace y dénaturait violemment les thèmes, les ornements, et les détails traditionnels, aboutissant ainsi à une œuvre certes imparfaite, je dirais presque infirme, riche pourtant d'un profond rêve irréfutable, d'un sourd pouvoir germinateur, d'un pathétique appel vers des réussites plus libres et meilleures ; oui « a distorted shadow », une ombre déformée, comme dit J. C. Hamilton, mais ce qu'il n'avait pas su voir, c'était combien précieuse était cette déformation !

Ma propre connaissance de la ville débordait donc sur ce point celle qui s'exprimait dans son livre, incomparablement plus étendue par ailleurs évidemment, si précise et profonde en d'autres régions comme je n'ai cessé de m'en rendre compte ; mais je débouchais là sur un territoire dans lequel ce J. C. Hamilton, qui m'avait si bien dirigé jusqu'alors, ne pouvait plus me servir de guide, où il me faudrait m'aventurer seul.

JUIN, juin

Jeudi 26 juin.

Les nuages, dès hier, comme nous sortions de chez Matthews and Sons, James et moi, comme nous montions dans la Morris noire dont il a la garde, pour aller place de l'Hôtel-de-Ville voir au Théâtre des Nouvelles le documentaire sur Petra accompagné des hors-d'œuvre habituels, actualités et sketches particulièrement vulgaires cette fois-ci, le documentaire sur cette brûlure laissée par une ville dans la falaise que quelques colonnes chauffent encore à blanc sous le pur ciel de la Transjordanie, parmi les troncs des oliviers (est-ce vraiment des oliviers ?) et les cailloux où se discernent encore parfois une arête vive, un fragment de courbe classique, un reste de palmette, une découpure d'acanthe usée, parmi les cailloux qui dévalent sous le sabot des chèvres, cette cicatrice imprimée comme la marque indélébile d'un forçat sur la peau vive de la terre, les nuages dès hier vers six heures, les implacables nuages, brusquement ont repris possession de notre espace bas, telle une horde de grandes tours, conquérantes, variables, échevelées, moussues, mousseuses, fantômes, leurs têtes lointaines et hautaines couronnées d'une inaccessible nacre, agitant vers nous leurs linceuls et leurs lichens gris dans le vent qui levait des armées complices de poussière, et qui chassait, pressés comme au cœur de l'hiver, toutes ces femmes sans hanches, tous ces hommes sans épaules et sans sourire, tous ces regards d'eau de mare où le gel jamais blanc n'en finit pas de desserrer les tenailles de sa peur, qui les chassait vers leurs maisons, médiocres fours où cuit pour eux le pain d'une tranquillité précaire, péniblement acquise à grand acharnement, à grande résistance et patience, à grande usure, à grands renoncements, enfoncements et abandons, à grands ensevelissements, obscurcissements et trahisons, à grandes

158

humiliations bues, exigences tues, à grands secrets perdus, à grands oublis.

Et maintenant, de nouveau, c'est la pluie qui frappe mes carreaux de ce morne, inlassable bruit qui ronge et rogne mon courage, la pluie qui me brouille ce soir par son ironie.

Nos efforts de conversation étaient bien infructueux encore, tandis qu'installés, James et moi, après ce court spectacle, près d'une fenêtre au premier étage de l'Oriental Rose, nous regardions courir, au-dessus des ridicules créneaux de cet Hôtel de Ville semblable à un gigantesque jouet de fonte, les larves guerrières et rapaces, les nuages qui nous dérobaient le crépuscule.

Tous les sujets que nous proposions l'un ou l'autre, bientôt malencontreusement et comme inévitablement, m'apparaissaient nous ramener vers ce point sensible, vers cette zone interdite, le roman de George Burton, alias J. C. Hamilton, *Le Meurtre de Bleston,* au sujet duquel je n'ai compris à quelle profondeur il devait les avoir blessés, lui et sans doute bien plus encore sa mère, lorsque je le lui avais prêté il y a très longtemps, en décembre, je crois, que par cette conversation que nous avons eue à la foire dans le deuxième, le dernier soir de mai, la veille de ce dîner chez les Bailey que j'ai heureusement consigné dans ces feuilles dès le lendemain

(ah, que j'ai eu raison ce soir-là, ce dernier samedi de mai, de me méfier, de craindre, que j'ai eu raison de me réfugier derrière un faux-fuyant quand il m'a dit qu'il désirait relire ce texte ; pourtant je ne me souvenais plus que fort mal des expressions de J. C. Hamilton au sujet de la Nouvelle Cathédrale, de ses injures que je n'avais jamais remarquées vraiment avant d'avoir encore une fois relu avant-hier, avec une attention tout nouvellement aiguisée, ce passage qui m'était toujours apparu comme l'un des moins intéressants du livre), que par cette conversation à la foire, et surtout par cet incontestable changement depuis lors de l'attitude de James à mon égard, d'autant plus évident maintenant que, sentant que je l'ai perçu, sentant son injustice aussi, que cela est malade et insensé, celui-ci cherche à le cacher, et, autant que possible, à l'abolir.

Hier soir à l'Oriental Rose, tous les sujets m'apparaissaient nous ramener vers ce point sensible, et chaque fois j'étais obligé de tourner court pour l'éviter, cet écueil magnétique ; chaque fois un silence de vitre givrée pesait de nouveau entre nous.

Je me sens tout environné d'une sorte de terreur immobile et muette, telle une eau glacée, absolument calme, lourde de boue, qui monterait irrésistiblement dans ce début d'été, comme si quelque chose se tramait tout autour de moi me concernant, se rapprochant, prenant peu à peu hideuse figure, sans que je puisse nullement pourtant l'identifier, pesant dans l'air comme ces meurtres en attente dont James lui-même m'avait parlé, hantant les ruelles de Bleston, et dont j'avais si fortement et si souvent moi-même senti l'insistance au cours de mes promenades pluvieuses, désœuvrées, crispées, de la fin de l'automne et de l'hiver.

Ainsi, quand j'ai appris ce matin par les affiches du *Bleston Post,* quand j'ai revu ce soir sur celles de l'*Evening News* qu'hier au moment même où nous contemplions sur l'écran du Théâtre des Nouvelles, sous le ciel pur et bleu du désert oriental, ces sombres flammes de pierre brillante, ces braises d'une ville romaine dont toutes les autres cendres ont été dispersées au vent du temps, qu'hier au moment même où nous dinions, tous deux si gênés, tous deux si désolés de cette gêne qui accentuait presque douloureusement la timidité naturelle de James, au restaurant chinois de la place de l'Hôtel-de-Ville, quand j'ai appris qu'hier, pendant ce temps, un grand hangar brûlait dans le onzième le long de la Slee, entre South Bridge et le terrain vague où se trouvait la foire en décembre, je n'ai pu me défendre de l'impression que cette information m'était en quelque sorte personnellement destinée, j'ai songé aux flammes qui dévorent Athènes dans la dernière tapisserie du Musée, au ciel rouge derrière la ville de Caïn dans le Vitrail de l'Ancienne Cathédrale, comme j'y avais songé, il y a quinze jours, lorsque j'avais appris la catastrophe du grand huit dans Plaisance Gardens.

Les incendies ont toujours été fréquents à Bleston, mais depuis quelque temps, ils semblent se multiplier : celui de la foire, celui de la boutique d'« Amusements » sur la place de l'Hôtel-de-Ville entre le cinéma Royal et le commissariat de police...

Tout cela n'est que cauchemar provoqué par l'opium des exhalaisons de la Slee, la lassitude, la superstition de Bleston, et la contagion du mauvais temps.

Vendredi 27 juin.

Les derniers nuages semblables aux brandons, aux grandes branches basses embrasées d'une forêt qui achève de se consumer, emportés, attisés par un ouragan furieux, les derniers nuages roulent au-dessus des toits brillants, gluants de la dernière pluie, et des cheminées de Dew Street, tandis que le couvercle du ciel recommence à s'entrebailler sur cette immense prairie profondément, exquisement mouillée, teinte d'eau, où traînent quelques spirales de vapeurs et de fumées, toute couverte des pétales d'un surabondant verger, et des millions de vols de silencieuses abeilles aux ailes alourdies par quelques traces de miel âcre et résineux, de mouches duveteuses et irisées qui brisent les minces fils transparents tendus de pointe d'herbe en pointe d'herbe, cette immense prairie au-dessus des toits, qui va peu à peu se souvenir de sa couleur verte, et qu'écarte déjà le pied cambré de la lune dans sa danse prodigieusement lente.

Il est tard, il est plus de neuf heures déjà ; j'errais dans les ruelles à profiter de cette douce lumière du jour, qui en novembre m'était refusée non seulement le soir, mais le matin déjà, puisque le soleil, couché dès quatre heures, ne se levait plus qu'à huit, et si lentement, si lointainement, si caché.

Ah, si j'avais remarqué en cette fin de novembre non seulement l'insuffisance, mais aussi la violence injuste des expressions de J. C. Hamilton au sujet de la Nouvelle Cathédrale, et surtout si je m'étais alors rendu compte de l'importance et de l'intimité du rapport qui lie cet édifice à Madame Jenkins, évidemment, instruit, prudent, je me serais gardé de parler à son fils du *Meurtre de Bleston,* de lui faire des louanges à propos de ce livre, et finalement de le lui mettre, de le leur mettre entre les mains ; mais j'ignorais encore totalement pourquoi c'était sur la mouche enfermée dans la bulle de verre de sa bague qu'elle avait, le dimanche 11 novembre, toute crispée, concentré ses regards, lorsqu'avant même de l'avoir vu je m'étais moqué de ce monument ; je décelais seulement qu'il y avait quelque chose, je commençais à peine à rechercher, par curiosité et amusement, quelles pouvaient être les raisons de leur étrange attitude ce jour-là.

Ainsi, le samedi 24 novembre, j'avais invité James à déjeuner afin de lui délier la langue.

Il est si difficile à manier, si aimable, si discret, mais si secret, toujours sur la réserve, presque sur un obscur qui-vive, toujours prêt à se refermer tel un coquillage au moindre brusque mouvement troublant les eaux qui l'environnent ; et cela s'est tellement accentué entre nous depuis le début de ce mois-ci, depuis que cette vieille histoire, que je n'avais alors pas bien comprise, est revenue à la surface tel un écueil qui se relève, plus escarpé, plus fascinant, plus dangereux encore.

Ainsi, le samedi 24 novembre, j'avais mené James pour la première fois au restaurant chinois sur la place de la Nouvelle Cathédrale, l'Oriental Pearl, où j'avais pris soin de choisir une table près de la fenêtre, espérant qu'il se mettrait de lui-même à parler de ce qu'il voyait au travers d'un peu de brume, de ces tours, de ces porches, de cette flèche encore presque blanche par endroits ; mais pendant tout le repas, comme je m'en serais douté si je l'avais connu alors aussi bien que je le connais maintenant, la conversation a traîné sur autre chose, les films qui passaient dans la ville, je crois (c'est peut-être à ce moment-là qu'il m'a confié qu'il allait presque chaque semaine au Théâtre des Nouvelles), sur les romans que je lui rapportais, si bien qu'il m'a fallu, sans rien dire de ma première visite huit jours auparavant, lui demander si cela ne l'ennuirait pas de m'accompagner dans la grande église.

Comme il regardait avec attention les chapiteaux d'où partent dans la nef ces sortes de jubés, ces ponts lancés à mi-hauteur d'un mur à l'autre, je l'ai interrogé, dans mon anglais encore balbutiant, sur ce qu'ils pouvaient bien représenter.

« Je ne puis vous le dire exactement », m'a répondu James avec un sourire qui évidemment indiquait qu'il se trouvait en faute, qu'il aurait dû savoir cela, « je ne suis pas assez calé en zoologie pour connaître le nom de tous ces animaux. »

Il me désignait un ensemble d'ovoïdes, d'étoiles, de vases, de formes cornues ou hérissées.

« Ces animaux ?

– Oui, c'est le chapiteau des radiolaires. »

D'abord je n'ai pas compris ce mot nouveau ; il a fallu qu'il me l'explique assez longuement.

« Et celui-ci ?

« C'est le chapiteau des échinodermes, les étoiles de mer, les oursins. »

Ici mes yeux commençaient à me commenter sufisamment ces termes inconnus.

« Chacun correspond donc à une classe particulière ?

– Deux par deux ; on a choisi quelques espèces caractéristiques et bien reconnaissables pour représenter leur richesse. Dans la nef, les invertébrés...

– Je voudrais voir les insectes.

– Aux angles du transept.

– Y a-t-il une puce ?

– La voici.

– Et une mouche ?

– Très belle, de l'autre côté, au milieu.

– Et cela continue ?

– Dans ce bras, les poissons, les grenouilles avec la salamandre aussi, les lézards, les serpents, les tortues, les oiseaux, dans l'autre, les mammifères ; au milieu, les singes.

– Et que reste-t-il pour le chœur ?

– On a voulu y figurer les diverses races humaines ; à mon avis, c'est la partie la moins réussie.

– Et les plantes ?

– Dans les bas-côtés.

– Et les minéraux ?

– Ce n'était pas très facile en ce temps-là de trouver des images bien différenciées pour y correspondre. Vous vous intéressez aux animaux ?

– Pourquoi ?

– Nous avons un assez beau zoo à Bleston ; nous pourrions y faire un tour cet après-midi, si vous n'avez pas d'autre projet ; c'est dans un parc du sud, de l'autre côté de la Slee, une sorte de grande foire permanente qui s'appelle Plaisance Gardens ; il y a de très beaux oiseaux. »

Mais au moment où nous allions prendre le bus, il s'est mis à pleuvoir si fort que nous avons remis notre visite au week-end suivant, James, que je n'appelais alors que Jenkins, n'étant pas libre le lendemain, et, raccompagné par lui jusqu'ici dans la Morris noire, je suis remonté dans cette chambre en songeant à ces quatre piliers autour de la croix d'ombre au centre de laquelle est étendu le joueur de cricket Johny Winn tué par son frère, à ces quatre piliers sur lesquels de petits singes et d'énormes insectes le veillent.

5

Lundi 30 juin.

Les mains du vent chauffées par trois jours de beau temps, caressant mes tempes, me soulageaient comme des exorcismes de mes hantises, détournaient de moi les incantations des grandes façades étalant inlassablement leur lèpre noire, leurs bourgeonnements, leurs croûtes et leurs creux vitreux où l'or pâle du soleil se dégrade en cuivre et en plomb pourri, atténuaient les menaces et les interdictions que répétaient, à chaque traversée de rue, les grandes cheminées d'usines semblables aux poteaux d'une enceinte, tandis qu'après avoir quitté Matthews and Sons, je remontais à pied Tower Street, puis Silver Street, pour aller voir, au Théâtre des Nouvelles, le nouveau documentaire sur Israël et la Mer Morte, sur ces marais déserts sous lesquels dorment les cendres sulfureuses de Sodome sans affleurer, aux environs de ce rocher de sel surnommé la Femme de Loth.

Je suis allé le voir seul comme hier, en ce dimanche sans invitation où j'ai erré, privé même de la compagnie de Lucien qui était de garde à son hôtel comme tous les quatre week-ends, erré parmi les jardinets du nord dans lesquels solitairement se délassaient les

riches à tondre leurs haies de troènes, erré dans Oak
Park et Birch Park envahis de foule soudain criarde,
dans les deux parcs du nord aux pelouses jonchées de
dormeurs, la tête cachée sous leur *Sunday News,* cherchant ma consolation dans les beaux arbres verts dont
les jeunes rameaux palpitaient, et le long de la Slee
brillante comme une carapace de scarabée, n'ayant
l'idée d'aller chercher la compagnie d'Horace Buck
que bien trop tard, puisque j'ai trouvé sa porte fermée.

Dès lors, j'ai tourné en vain, place de l'Hôtel-de-Ville,
déjà harassé, contemplant longuement mais sans attention véritable les photographies exposées dans les ves-
tibules des cinémas, incapable de me décider à y entrer,
buvant sottement pour finir à la Licorne.

Les mains du vent me soulageaient ce soir, tandis
que je remontais vers le Théâtre des Nouvelles et la
Mer Morte, seul comme hier et avant-hier que j'ai passés aussi inutilement dans un faux repos, puis tandis
que je revenais solitaire lentement à pied jusqu'ici,
depuis l'Oriental Rose où j'avais dîné seul, par Silver
Street et Tower Street, lentement, à pied, sans songer
que l'heure tournait, sans songer que le temps passait,
sans songer que l'on est déjà au dernier jour de juin,
et que j'aurais dû me hâter de rentrer pour rechercher
et pour noter ce qui subsiste dans mon souvenir des
derniers moments de novembre, afin de ne pas laisser
s'augmenter cette distance de sept mois que j'ai conser-
vée depuis que j'ai commencé ce récit, cette distance
beaucoup trop grande que j'espérais rapidement
réduire, que je dois essayer de resserrer de plus en plus
au fur et à mesure que j'avance, et qui, de jour en jour,
en quelque sorte, s'épaissit, devient plus opaque.

Les mains du vent me séduisent encore, qui passent
leurs doigts sur mes yeux comme pour les fermer, tandis qu'une tête de nuages, que l'on croirait grondante

et mugissante, avec les cornes de la lune, monte à l'assaut du lointain ciel.

Dans cette dernière semaine de novembre, certes, le principal événement c'est la rencontre que j'ai faite au restaurant Sword, où j'arrivais pour déjeuner (je crois que c'était le lundi 26), ma nouvelle rencontre avec Ann Bailey, assise à une table où il restait une place, la seule place, une table pour deux personnes, de telle sorte que je suis venu lui demander, dans mon mauvais anglais, la permission de m'asseoir auprès d'elle, et qu'elle a relevé la tête, m'a regardé, m'a reconnu et m'a souri.

J'avais, dans la poche de mon imperméable, le plan de Bleston que je lui avais acheté le mois précédent, en compagnie de James Jenkins, alors déjà corné, taché, usé aux pliures, ce plan que j'ai détruit et remplacé.

Nous avons déjeuné ensemble dans cette salle où nous nous sommes retrouvés le lendemain, les jours suivants, presque tous les jours de semaine pendant plus de trois mois, et la conversation s'est engagée, nous avons parlé d'elle et de moi, de nos pays, de nos métiers, de la raison pour laquelle elle se trouvait là ce jour-là, la grave maladie de sa collègue à la papeterie, qui l'empêchait de disposer d'un temps suffisant pour rentrer chez elle à midi, et de fil en aiguille, de sa sœur Rose aussi, étudiante dans la section française de l'Université.

Ce doit être dans cette dernière semaine de novembre qu'un soir, comme je sortais d'un des cinémas de la place de l'Hôtel-de-Ville, l'Artistic ou le Continental, je ne sais plus, où je venais de voir un film dont tout ce que je me rappelle, c'est qu'il comportait quelques images d'une corrida, en compagnie d'Horace Buck (l'avais-je rencontré par hasard dans la salle, ou avions-nous pris rendez-vous pour y aller ensemble ou nous y retrouver ? Je ne sais plus), celui-ci m'a fait passer pour la première fois sous l'étroit linteau sur lequel les tubes au néon inscrivent cette enseigne lisible aussi bien dans ma langue que dans celle des habitants de Bleston : « Amusements », qu'il m'a fait entrer pour la première fois dans cet établissement en forme de couloir serré entre le cinéma Royal et le commissariat de police, en face du bâtiment municipal, cet établissement meublé de billards électriques et de jeux de massacre, qui est comme une réduction, au centre de la ville, de la grande foire fixe de Plaisance Gardens dans le douzième,

que j'ai assisté pour la première fois à cette scène qui s'est reproduite depuis souvent à l'intérieur de cet établissement aujourd'hui fermé provisoirement par suite d'un petit incendie auquel Horace Buck n'est sans doute pas étranger, que je l'ai vu pour la première fois prendre possession avec ses mains, ses yeux, et tout son corps courbé de nègre, de cette étrange mitrailleuse dans le viseur de laquelle on aperçoit des petits avions noirs qu'il s'agit d'abattre, survolant une ville en flammes dont ils semblent l'émanation, tandis qu'au-dessus, sur une vitre peinte, dans un concert de timbres, s'inscrivent en chiffres lumineux les coups portés.

Mais tout cela est si lointain, si flou ; tant de soucis, tant de possibilités interfèrent ; tant de choses se sont passées depuis, qui pèsent tellement sur mon présent, tant de choses que je risque de déformer et d'oublier si je tarde trop à les écrire.

Or, ce soir, la fatigue et l'heure...

III

L' « ACCIDENT »

1

C'est pourquoi je me vois contraint d'interrompre l'ordre que je suivais depuis un mois dans mon récit, mêlant régulièrement chaque semaine aux souvenirs de novembre des notations sur les événements en cours, l'ordre que je suivais depuis ce lundi soir où j'avais introduit au milieu des pages relatant le lointain automne un compte-rendu de la soirée de la veille, au milieu de ces pages dans lesquelles je m'efforçais, pour mener à bien ce labeur d'éclaircissement et de fouille, justement d'épouser le plus fidèlement possible la simple succession des jours anciens, le compte-rendu de la soirée le dimanche 1er, chez les Bailey, au cours de laquelle était réapparu entre les mains d'Ann l'exemplaire du *Meurtre de Bleston* que je lui avais prêté si longtemps auparavant, après l'avoir prêté à James, cet exemplaire que j'avais cru perdu parce que j'avais oublié que c'était elle qui ne me l'avait pas rendu, cet exemplaire que j'avais remplacé par celui qui se trouve maintenant sur le coin gauche de ma table, le cherchant longtemps, ce livre épuisé, dans les librairies d'occasion de Chapel Street, derrière l'Ancienne Cathédrale.

Cette soirée chez les Bailey, mon indocile mémoire

ne m'en livrerait déjà plus (je le sais par toutes les
inexactitudes et les oublis que je découvre lorsque
j'essaie de me la rappeler sans le secours de ce texte et
que je vérifie sur lui ensuite) que de pauvres traces
incertaines et lacunaires, si je ne l'avais pas ainsi trans-
crite dès le lundi, le lendemain, ce que sans doute je
n'aurais pas fait s'il n'y avait pas eu le soir précédent,
le dernier soir de mai, le samedi, cette autre intervention du roman de J. C. Hamilton, si je n'avais déjà désigné le véritable nom de son auteur, parce que cette
réapparition ne m'aurait pas semblé tellement étrange
et menaçante, parce que mes paroles n'auraient pas été
celles-là.

C'est pourquoi je me vois contraint d'interrompre cet
ordre que je suivais, pour m'appliquer à draguer et fixer
les grands lambeaux qui surnagent de cette conversation avec James à la foire dans le deuxième, sur le
même sujet : *Le Meurtre de Bleston* et son auteur, les
grands lambeaux du dernier soir de mai, la veille du
dîner chez les Bailey, notre poursuite des Burton, notre
découverte, sur le comptoir du tir, de leur photographie qu'ils avaient négligé de revenir prendre, tous ces
vestiges qui m'appellent, troublent de plus en plus mon
attention, me répétant : « nous sommes importants,
précieux, tu ne comprendras rien sans nous, et nous
nous éloignons, bientôt nous nous confondrons dans ce
lointain où tu as tant de peine, si souvent, à retrouver,
à distinguer, à isoler le détail qui, tu le devines, t'est
nécessaire ».

Il était tard, ce samedi, le dernier soir de mai, le soleil
s'était déjà couché depuis près d'une demi-heure,
lorsque nous sommes arrivés sur le terrain vague du
deuxième, tout animé, tout éclairé par les baraques en
pleine activité (elles ont droit de rester ouvertes jusqu'à
onze heures et demie, une heure plus tard que tous les
lieux de plaisir fixes), tous les deux, James et moi, dans

174

la Morris noire de chez Matthews and Sons, dont la garde lui est confiée à cause du garage libre qu'il a dans son immense maison, mais dont il ne se sert, en dehors des courses commandées, scrupuleux comme il est, que pour ne pas dépendre des derniers autobus lors de ses visites à la foire, très fréquentes, ce dont je ne me serais certes pas douté au début de mon séjour, me fiant à son apparence si rangée.

Il n'osait pas m'en parler, incertain de ce que j'en penserais (je voudrais bien savoir ce qu'il me cache encore, ce James semblable à un livre-fée dont une nouvelle page ne s'ouvre que si beaucoup de conditions sont rassemblées), de telle sorte que la première fois que nous y sommes allés ensemble, je m'imaginais presque l'introduire, lui si familier de sa vie la plus intime, connaissant la plupart des habitants de cette petite ville mobile par leur nom.

Il était tard, ce samedi (nous avions dîné à l'Oriental Pearl, le restaurant chinois Place de la Nouvelle Cathédrale), huit heures et demie sans doute, un peu plus peut-être (dans le dernier crépuscule clair, la lune duveteuse montait au-dessus des tentes), lorsqu'un jeune homme en casquette et chandail bleus s'est précipité vers lui, en ouvrant les bras tout joyeux :

« Hello, c'est vous, Mister Jenkins ? Venez prendre un coup chez moi ; il faut que je vous présente ma femme.

– How kind of you, Dylan. Un de mes collègues de chez Matthews and Sons, un Français, Monsieur Jacques Revel. » (Mister Djack Rivel, il n'a jamais réussi à prononcer autrement, comme Ann Bailey, comme les Burton ; il n'y a que Rose qui sache le dire, que Rose).

« Frenchie ? Hé... » Il en sifflait d'aise et d'amusement. « Oh, Jane sera si contente de voir un Frenchie. Vous accepterez bien un verre de bière, monsieur ? Vous comprenez, nous n'avons pas de vin. »

175

Je me souviens de l'intérieur de la roulotte, étroit, propret, de la petite table couverte d'une nappe à carreaux rouges et roses, de la lampe à pétrole qui se balançait, suspendue au plafond courbé de bois verni, de cette toute jeune femme intimidée qui a essuyé nos verres et nous a servis sans dire un mot, tandis que son mari et James parlaient du déménagement prochain vers le terrain vague du cinquième, le long de la Slee, près du grand pont de chemin de fer, légèrement en retard cette fois par rapport à la fin du mois, parce qu'il est toujours nécessaire que tout soit en place pour les weekends, jours de principal rendement.

Après nous avoir fait boire à chacun deux bouteilles de Bass, Dylan Brooks s'est excusé et nous a proposé de l'accompagner jusqu'à la grande roue où il devait aller rejoindre son père, le vieux Tom Brooks, qui, ravi de voir James, nous a invités à monter gratuitement dans un des wagonnets peints en jaune, aux portes de treillage.

Alors, lentement, avec des cahots et des grincements, nous nous sommes élevés, parmi les tringles et les ampoules falotes, jusqu'à la hauteur d'un quatrième étage, bien au-dessus de ces tentes et de ces toits bas au-delà desquels nous devinions, comme la nuit n'avait pas encore achevé complètement de s'écraser sur la ville, les énormes masses des gares enserrant Alexandra Place de leurs pinces, bien au-dessus de cette foule qui s'agitait et murmurait, houleuse, dans la longue et sinueuse rue provisoire, bien au-dessus de cette foule au milieu de laquelle, soudain, j'ai aperçu de dos, serrés l'un contre l'autre comme de jeunes amoureux, George et Harriett Burton ; puis, lentement, tellement lentement, nous sommes descendus, et, enfin à terre, abandonnant James, lui criant de m'attendre, je me suis mis à courir à leur poursuite en bousculant les gens, les apercevant de nouveau entre deux têtes, loin, devant un

stand, lui, tenant un fusil, visant, se détachant un instant, noir, dans un éclair de magnésium ; mais lorsque
je suis arrivé moi-même, essoufflé, à cette boutique de
tir photographique où il venait de prendre leur image
en faisant mouche, ils avaient déjà disparu.

J'ai demandé combien de temps il faudrait pour que
l'épreuve soit développée et tirée, à la grande femme
maigre entre deux âges, en robe noire, très fardée, qui
m'a répondu sèchement : « une demi-heure », tout en
chargeant à mon intention, derrière son comptoir couvert de vieilles douilles, un fusil que j'ai refusé ; et je
suis retourné vers James qui a laissé le vieux Tom
Brooks contempler seul sa grande roue de nouveau en
mouvement.

« J'avais cru voir deux amis.

– Et ce n'était pas eux ?

– Je n'en sais rien, je n'ai pas pu les rejoindre ; ils
reviendront sans doute, dans une demi-heure, au tir là-
bas, pour chercher leur photographie. »

Mais la fatigue a dû s'abattre sur Harriett, tout d'un
coup comme à l'habitude, tel un tiercelet sur un levreau,
et ils ont quitté la foire sans que je les ai revus, négligeant d'emporter leur image que la gardienne des cibles
enregistreuses venait d'exposer sur son éventaire quand
nous sommes repassés devant elle, tandis que d'autres
habitants de Bleston visaient, tiraient, provoquaient parfois la lumière, et qu'elle a refusé de me vendre, déclarant que c'était déjà payé, refusé de me reproduire, par
pure mauvaise grâce, prétextant je ne sais quels règlements.

C'est alors que j'ai dit en français, examinant George
Burton clignant de l'œil derrière le canon de son arme,
à côté de Harriett au sourire figé par le magnésium,
dans une sorte d'inquiétude :

« J'aurais bien aimé conserver ce portrait de vous,
J. C. Hamilton, en flagrant délit ! »

Je ne pensais pas que James eût prêté la moindre attention à ces paroles dites pour moi-même dans ma langue, mais justement ce nom d'ici, J. C. (Djay Ci) Hamilton, s'était détaché dans le contexte des syllabes étrangères, et un peu plus tard, comme nous étions attablés dans un des pubs de toile, autour de deux verres déjà vides :

« Comment s'appelle-t-il, ce monsieur ? » m'a-t-il demandé.

« Celui du tir ? Vous le connaissez ? »

Il a rougi, puis il a commandé deux autres bières.

« Vous n'auriez pas dû, James. Il s'appelle George Burton. »

Il a rougi à nouveau, il a bu lentement, puis il s'est essuyé les lèvres avec son mouchoir.

« L'image elle-même ne m'a rien rappelé ; c'est dans ce que vous avez dit, son nom, je croyais, et pourtant ce n'est pas celui que vous venez de prononcer.

– J'ai pu, en effet, lui en donner un autre ; j'ai pu l'appeler J. C. Hamilton, par exemple...

– Hamilton, c'est cela, Hamilton, qu'est-ce que cela éveille en moi ? C'est le nom d'une ville non loin d'ici, de la gare qui y conduit, d'une rue, mais ce n'est pas cela qui grésille dans mon esprit ; cela doit signifier quelqu'un pour moi. J. C. Hamilton avez-vous dit ? Oui, ce sont bien les initiales aussi ; on a dû me parler de cet homme, j'ai dû lire le nom de cet homme...

– Mais naturellement, James, sur la couverture du *Meurtre de Bleston,* vous savez, ce roman policier que je vous avais passé il y a très longtemps, cet automne, et que vous n'aviez pas tellement aimé. »

JUILLET, mai

Mercredi 2 juillet.

Cette photographie de George Burton que je n'avais pas pu acheter le dernier samedi de mai, voici que j'en ai maintenant entre les mains le négatif tout sombrement brillant, tout hululant, strident des coïncidences qu'il incarne, puisque c'est hier, avant même d'avoir terminé, au lieu de terminer le récit de ma conversation avec James le jour où ce cliché a été pris, que j'ai été mené jusqu'à lui, vraiment sans le savoir, d'un terrain de la foire à l'autre, de l'autre côté de la Slee, comme tenu par une poigne obscure, ce négatif que je ne puis pas regarder sans une sorte de vertige et d'effarement comme s'il était la preuve que je me suis perdu moi-même, que je suis désormais la possession et le jouet d'une immense puissance sournoise.

Le Meurtre de Bleston, m'avait répondu James, « en effet, comment cela a-t-il pu me sortir de la mémoire ? C'était donc le visage de l'auteur du *Meurtre de Bleston,* ce visage qu'il n'ose pas montrer sur la couverture de son livre. Cela vous ennuierait-il, Jacques, que nous retournions au tir ?

— Je ne pensais pas que ce texte vous avait fait tant d'effet, James.

— C'est un livre curieux, certes, curieux, c'est le seul livre de ce genre dont l'action se passe à Bleston, comme si les auteurs avaient évité cette ville, comme s'ils en avaient eu je ne sais quelle peur... Je m'en souviens mal ; je ne pourrais pas vous en parler ; je l'ai peut-être lu trop vite ; il faudra que je me le procure.

— Vous aurez du mal, James, c'est un livre épuisé. J'ai égaré l'exemplaire que je vous avais prêté, et il m'a fallu de nombreuses fouilles dans les librairies d'occasion pour dénicher celui que j'ai maintenant. »

La plupart des baraques fermaient leurs volets ; la femme du tir, qui manifestement ne faisait pas partie

179

des relations foraines de James, me reconnaissant, agacée, a arraché presque avec hargne de son comptoir la photographie des Burton qu'il scrutait.

« Je m'excuse, messieurs, mais c'est l'heure. Vous n'avez pas envie d'un fusil, n'est-ce pas ? Alors... »

A quelques pas de là, il s'est arrêté, s'est retourné, a fixé la boîte de planches.

« C'est donc ainsi qu'est son visage... Il y a quelque chose que je n'ai pas oublié, croyez-moi, quelque chose que je voudrais bien vérifier, croyez-moi... Mais non, c'est inutile, je sais bien maintenant, je suis sûr maintenant... Bah, aucune importance ; ne me parlez plus de ce livre ; allons ! »

Tout cela était si gênant, si bizarre, une telle attitude si anormale pour James, que je me suis efforcé de détourner la conversation comme il me ramenait ici dans la Morris noire, tandis qu'un petit incendie, je ne l'ai appris que plus tard, se déclarait parmi ce village de toile, de bois et de métal peint, ce village nomade, mais si enchaîné dans sa trajectoire de huit mois autour du centre de la ville, telle une planète.

Je me suis efforcé de détourner la conversation, et c'est pourquoi je lui ai posé cette question qui me brûlait les lèvres depuis longtemps :

« Me direz-vous enfin, James, comment il se fait que vous connaissiez si bien tant de gens dans la foire ? »

Ce qui a produit immédiatement une détente, un sourire.

« Chez Matthews and Sons, je n'ai pas l'air d'avoir ce genre de relations, n'est-ce pas ? Mon père fréquentait ces gens depuis son enfance ; c'était mon grand-père qui l'emmenait alors ; c'est ainsi qu'il a connu par exemple, tout jeune, le vieux Tom Brooks de la grande roue, qui était à peu près de son âge, comme j'ai connu tout jeune son fils Dylan. Nous allions les voir très souvent ; quand il est mort, j'ai continué ; ma mère ne voulait plus venir, mais sans aller jusqu'à m'encourager vraiment, comme je ne lui demandais que l'argent des bus à ces occasions, elle me laissait faire, heureuse d'avoir des nouvelles de ces hommes et de ces femmes qui avaient tant intéressé son époux... »

Comme nous arrivions devant ma porte, les nuages pesaient sur Dew Street, commençant à perdre quelques gouttes.

Là-bas, dans le terrain vague du deuxième que nous venions de quitter, tout à côté de ce grand coffre cadenassé où reposait non seulement cette image des Burton que James avait contemplée avec tant de curiosité passionnée, mais aussi son origine, ce négatif, cette pellicule qui m'est si mystérieusement venue entre les mains, vers laquelle j'ai été si manifestement dirigé pendant ma randonnée d'hier, là-bas, dans ce terrain vague, brûlaient, nous ne l'avons su que plus tard, quelques planches mal jointes, quelques barrières, quelques peintures, quelques toiles, rapidement éteintes par la pluie torrentielle qui a suivi.

Ah, les vagues des crépuscules de plus en plus allongées avaient beau projeter chaque soir un peu plus loin leur écume parmi les rochers de briques, les plages de suie, les anses de brumes et les algues des parcs, le mauvais temps demeurait maître de la plupart des heures ; je ne pouvais sortir sans mon manteau teint de la crasse de la ville.

Jeudi 3 juillet.

C'est l'été maintenant, bien reconnaissable, malgré toute cette eau qui tombe depuis quatre heures.

Hier, n'est-ce pas ce ciel si clair après l'orage, ce ciel qui, certes, ne pouvait nous être accordé pour bien longtemps, ce ciel séducteur, qui m'a engagé, à six

heures, à me détourner de ma route habituelle, à frapper chez Horace Buck qui, le premier, en novembre,
m'avait mené dans la foire qui se trouvait déjà de l'autre
côté de la Slee, dans son terrain du neuvième, Daisy
Fields, puis, n'en ayant pas obtenu de réponse, à me
diriger vers la place de l'Hôtel-de-Ville où j'ai dîné seul
à l'Oriental Rose avant de monter dans le bus 29 (Town
Hall – Saint Jude's Gardens) menant jusqu'à ce vieux
quartier Saint-Jude qu'il me faut aller voir, le bus 29
que j'ai quitté après Old Bridge pour m'efforcer de
suivre la rivière (mais elle est tellement bordée de maisons... De temps en temps, dans l'échappée d'une rue,
les tours de l'Ancienne Cathédrale, l'immense flèche de
la Nouvelle, au-dessus des puantes eaux de jais) vers le
nord, vers Daisy Fields, vers ce terrain du neuvième où
j'imaginais que la foire serait déjà à peu près installée,
son déménagement ayant dû commencer dès lundi.

J'ai marché parallèlement à la rivière Slee, à travers
ce quartier que je ne connais pour ainsi dire point, sans
l'aide de mon plan que j'avais laissé ici sur ma table, ne
me doutant pas le matin que me prendrait cette envie
d'errance au sortir de chez Matthews and Sons, de telle
sorte que j'étais obligé de demander mon chemin aux
passants qui m'ont tous répondu, même au moment où
j'étais tout proche enfin (je ne disais pas Daisy Fields,
je parlais seulement de la foire) : « beaucoup plus loin »,
pensant tous à l'emplacement qu'elle occupait le mois
dernier dans le cinquième et qu'elle n'avait pas encore
hier complètement quitté.

J'ai marché vers cet accroc du tissu de la ville, ce terrain vague du neuvième, demi désert malgré les nombreuses roulottes, les quelques baraques ouvertes en
avant-goût, les quelques clients qui ne se trouvaient là
que par accident, ayant rencontré en chemin ces divertissements sans être venus les chercher, qui rôdaient,
qui se renseignaient sur les nouveautés et les transfor-

mations, afin de pouvoir faire les habiles au week-end prochain.

Ce n'était là qu'une moitié de la foire, et c'est pour essayer de retrouver l'autre, la plus lente, que j'ai continué de monter vers le nord, tandis que le crépuscule s'appesantissait, vers le terrain vague du cinquième où j'ai aperçu, parmi les derniers camions que l'on remplissait, un homme s'amusant à faire brûler dans sa main ce que j'ai identifié en m'approchant, juste au moment où il sautait dans sa machine qui démarrait, vrombissante, en projetant, telle une seiche derrière elle, un nuage délétère de sépia, comme une pellicule photographique.

Il y en avait d'autres par terre, dans l'herbe rase et malade, parmi les vieux papiers et les vieilles boîtes qu'un balayeur aura fait disparaître ce matin, une dizaine d'autres que j'ai ramassées, que je suis allé faire miroiter longuement sous un réverbère qui venait de s'allumer de l'autre côté près du grand pont de chemin de fer sur lequel hurlaient de longs trains partant vers l'Ecosse, miroiter jusqu'au moment où j'ai reconnu sur l'un d'eux, sur celui que je tiens maintenant dans ma main gauche, les visages des Burton, lui clignant un œil derrière le canon du fusil qui apparaît, selon l'inclinaison que je lui donne, comme un point noir ou transparent, l'autre œil grand ouvert, grossi, presque rond, avec son nez long, son front découvert, ses cheveux déjà clairsemés, son veston de tweed, elle, l'air inquiet, encore en manteau, frileuse comme moi, sur ce petit rectangle demi transparent que je ne puis regarder sans une espèce d'effroi, que j'hésite à jeter, que je devrais brûler... Est-ce la ville de Bleston qui me donne cette tendance à me venger par les flammes ?

Laissons cela ; il est trop tard ce soir ; la pluie tombe toujours dans l'obscurité derrière les carreaux ; je ne

sais plus ce que je pense, comment pourrais-je contrô-
ler ce que j'écris ?

Je vais remettre le négatif entre les pages du roman.

Vendredi 4 juillet.

Avec non seulement tous ces événements, mais aussi
tous ces souvenirs plus récents qui se mettent en travers, me voici déjà presque à la fin de cette première
semaine de juillet, et il ne me reste plus que cette soirée pour entamer mon récit du mois de décembre, afin
du moins de ne pas laisser s'augmenter cette distance
de sept mois que je n'ai pas encore réussi à res-
treindre ; il ne me reste plus que cette soirée qui
s'éclaire, les queues des nuages se séparant semblables
aux bras d'une pieuvre, découvrant les bas-fonds du
ciel qui vont peu à peu se charger de vase rouge, au-
dessus de Dew Street où sur presque chaque seuil un
chat s'étire, où dans toutes les fenêtres ouvertes des
regards sans sourire ont accompagné mon passage, où,
autour de presque chaque flaque laissée par la pluie
de la nuit dernière et de ce matin, des petites filles en
robes noires ou décolorées jouent avec de vieux ustensiles de cuisine, tandis que leurs frères échangent des
timbres, ou reviennent des terrains vagues, le ballon
sous le bras.

C'est par une bien courte après-midi, le dimanche
2 décembre, en ce temps où c'était encore nuit noire
quand je quittais cette maison pour aller chez Matthews and Sons, nuit noire avec les réverbères allumés
dans la brume de Dew Street déserte, et les lampes ici
et là derrière les vitres embuées, c'est par une bien
courte après-midi avec un soleil rouge dans un
brouillard gelé, que James, qui m'avait invité chez lui
pour déjeuner, ou plutôt comme il dit toujours, chez

sa mère, m'a introduit à la grande foire immobile dans le douzième.

Nous avons pris le bus 32 dans Continent Street, traversant la Slee sur South Bridge, jusqu'à l'entrée monumentale avec ses deux tours carrées à ornementation de stuc très salie, surmontées, comme celles de l'anticathédrale (faudrait-il dire temple ou mosquée ?) qui règne sur la ville de Caïn dans le Vitrail, de deux énormes croissants jaunes fichés sur des paratonnerres, avec ses tours et les deux poutres de fer tendues de l'une à l'autre, supportant l'inscription en lettres de tôle peintes en rouge, perlées d'ampoules électriques légèrement illuminées alors de rose laiteux, «PLAISANCE GARDENS ».

Ah, quelle étrange sonorité donnent les contrôleurs des bus à ce vieux mot français « plaisance » quand ils le hurlent à l'arrêt, parfois méprisante et gourmande à la fois, grivoise, odieuse pour moi, mais aussi bien souvent laissant transparaître dans la façon dont ils s'attardent sur la seconde syllabe, comme s'ils ne se résolvaient pas à la quitter, « plaisaanntse », tant de désirs étouffés de changer, de partir, et de voir !

Cette inscription, d'autres fois je l'ai vue briller à travers la pluie dans la nuit noire, au-dessus des deux grands vantaux blindés et bardés comme pour protéger une chambre forte, qui ne s'ouvrent que pour les grands jours et les grands personnages en grand cortège, tandis que nous, la foule quotidienne, nous avons à nous introduire par quelqu'une des six chatières de la droite (la sortie se fait par celles de gauche) payantes, à tourniquets, guichets et contrôleurs, dont deux seulement étaient ouvertes à ce moment-là, vers trois heures, le dimanche 2 décembre, car il était encore trop tôt pour l'affluence, ainsi que James me l'expliquait.

C'était la première fois que je mettais les pieds dans cette enceinte ; je ne connaissais pas encore ses règlements ; aussi, lorsque le vieillard à la moustache de soie blanche, aux yeux de porcelaine immobiles dans son visage rougeaud, que j'ai aperçu chaque fois que je suis revenu, toujours aussi impassibles sous sa casquette à galon de velours jaune, m'a rendu, après l'avoir perforé, le ticket allongé que l'on venait de me vendre, l'ai-je accepté sans y prendre garde ; je l'ai fourré machinalement dans quelque poche.

C'est seulement en relevant les yeux, que j'ai lu, sur la grande pancarte au milieu de la première petite place dont toutes les maisons sont des bars, qu'il était nécessaire de le conserver parce qu'on le réclamerait pour nous laisser sortir ; c'est seulement après l'avoir recherché avec une certaine précipitation, sous le regard amusé et compatissant de James, que j'ai examiné ce rectangle de carton gris couvert de lettres imprimées :

D'un côté, en grandes capitales allongées, « PLAISANCE GARDENS », puis, en caractères plus petits : « PERMIS DE CIRCULER VALABLE POUR UNE SEULE PERSONNE DURANT LA JOURNÉE DU 2 DÉCEMBRE ».

Et de l'autre : « REMEMBER », souvenez-vous, suivi en très fines minuscules de l'équivalent anglais de ces mots : « que ce jardin est un lieu de délassement, non de débauche ; en toutes circonstances, conservez votre dignité ».

Etrange injonction qui m'aurait fait rire sans doute comme elle a fait rire Lucien quand il l'a remarquée pour la première fois, si j'avais eu un compagnon français, si le soleil gelé dans son brouillard n'avait répandu sur toutes choses un rose si triste, glaçante injonction qui, loin de me faire rire, m'a troublé comme une menace.

Nous nous sommes arrêtés un instant au milieu de la seconde place presque déserte ce jour-là, devant la table de faïence agrandissant, détaillant, et explicitant, avec de nouvelles couleurs et les légendes pauvrement historiées, ce quart de cercle vert à la pointe dirigée vers le centre de la ville, que j'avais déjà regardé si souvent en bas à droite du plan de Bleston que j'avais alors dans la poche de mon imperméable, du plan de Bleston que j'avais acheté à Ann Bailey la première fois que je l'avais vue, ce plan que j'ai détruit et que j'ai dû remplacer à la fin du mois d'avril juste avant de commencer à écrire.

Nous nous sommes arrêtés au milieu de la seconde place, sans presque personne ce jour-là dans ses grands restaurants bon marché, dans ses granges remplies de files de billards, entourée de ses avenues marquées de flèches noires et blanches indiquant les directions de la fosse aux ours, du stade, des montagnes russes, des cages d'oiseaux, du lac, de la sortie, de l'enclos des singes...

Puis, me laissant conduire par James qui avait l'air à la fois heureux et dépaysé, ne disant rien ni l'un ni l'autre, nous avons longé des manèges d'avions en tôle et de chevaux en bois, pour la plupart immobiles, la gare du chemin de fer miniature où trois enfants grelottant sur le banc d'un wagon découvert attendaient le départ, et le lac, vide alors parce que l'on curait son fond de ciment.

Partout des panneaux répétaient : « revenez pour le nouvel an, revenez pour les feux d'artifice », dans le jour qui baissait rapidement, tandis que les allées s'emplissaient peu à peu de foule murmurante puis bruyante, tandis que nous contemplions, dans leurs écuries chauffées, les tristes zèbres, dans le jour qui baissait rapidement de telle sorte qu'il faisait déjà presque nuit quand nous avons quitté le reptilium, et regardé filer crissant sur le grand huit les wagonnets illuminés qui faisaient trembler les échafaudages dont il ne reste plus aujourd'hui, après l'incendie, que de grandes poutres calcinées.

L'incendie, fléau de Bleston ; un autre a eu lieu, je l'ai vu ce soir proclamé sur l'affiche de l'*Evening News,* hier dans le dixième, tout près de chez James.

Le dimanche 2 décembre, rentré dans cette chambre qui était la mienne depuis huit jours, je me suis installé à cette table pour feuilleter lentement *Le Meurtre de Bleston,* sans doute à la recherche de quelque allusion à Plaisance Gardens, et comme j'avais un crayon à la main, machinalement en face d'un paragraphe dans lequel je venais, sans le lire, d'apercevoir les deux mots « Nouvelle Cathédrale », j'ai dessiné une petite image de tortue, me demandant immédiatement pourquoi, parmi les nombreux animaux que j'avais vus ce jour-là, et qui tous avaient quelque correspondant sculpté sur un chapiteau de cet édifice, c'était celui-là que j'avais choisi.

2

Lundi 7 juillet.

Je me le répétais tout à l'heure, tandis que je dînais à l'Oriental Rose, près de la fenêtre par laquelle j'ai vu le soleil de juillet encore très clair disparaître lentement, vers huit heures, derrière les créneaux de l'Hôtel de Ville, je me le répétais après avoir assisté, comme tous les lundis régulièrement maintenant, au spectacle du Théâtre des Nouvelles entièrement composé aujourd'hui de dessins animés comme toutes les quatre semaines :

« Non, ce n'est pas par une sorte de hasard, ce n'est surtout pas uniquement pour moi, comme je l'ai écrit trop légèrement, je le sens bien, la semaine dernière, que j'ai prononcé ce nom, J. C. Hamilton, la veille de ce dimanche premier juin où il est revenu sur le tapis chez les Bailey » (décidément, ah, que Rose est compréhensive et douce !) « de façon si inattendue, si troublante pour moi ; ce n'est nullement par hasard ou par inadvertance que, la veille de ce dîner, le dernier samedi de mai à la foire dans le deuxième, j'ai prononcé ce nom très intelligiblement en présence de James, comme j'examinais sur le comptoir du stand de tir la photographie de Harriett et de George Burton

189

que celui-ci venait de prendre et qu'ils avaient oubliée. »

Cette photographie, je n'ai pu me la procurer, mais son négatif, maintenant cassé, rayé, sali, inutilisable et méconnaissable, gonfle *Le Meurtre de Bleston* dans lequel je l'ai de nouveau inséré.

Car, hier après-midi, comme j'avais décidé, vu le beau temps, d'aller à pied jusqu'à cette église de Saint-Jude que je ne connais pas encore, au fin fond du neuvième, tout d'un coup, au moment où je passais sur Old Bridge, tourmenté par toutes ces histoires obscures, ces imaginations et ces craintes, une idée folle m'est venue, que si je ne voulais pas me débarrasser de cette image en la brûlant, du moins pouvais-je la perdre dans cette eau noire et ainsi m'en délivrer, vraiment comme si elle était une sorte de talisman maléfique ; et j'ai obéi à ces pensées absurdes, j'ai rebroussé chemin.

Au lieu de traverser, je me suis mis à la suivre, avec indécision, hésitations, détours, cette affreuse rivière qui miroitait sous le soleil, et ce n'est qu'arrivé dans cette chambre, ce n'est qu'en revoyant cette pile de pages semblable à un radeau, que j'ai repris possession de moi-même, mais pas encore entièrement puisque j'ai ouvert le livre, j'ai pris dans ma main ce rectangle mi-transparent, mi-noir, et mon poing s'est fermé, s'est serré sur lui comme avec rage.

Non certes, ce n'est point par hasard, mais bien plu-tôt par la ruse d'une volonté sourde et tenace à laquelle j'essayais en vain de me soustraire, qu'au milieu de mes mots français, j'ai prononcé le nom de J. C. Hamilton.

Au sommet de la grande roue où j'étais assis près de James, dès que j'ai aperçu, au milieu de la foule, George Burton en compagnie de sa femme, j'ai senti que je ne parviendrais pas à éviter complètement leur rencontre, j'allais presque écrire leur collision, que je prévoyais dangereuse depuis des mois, depuis que je me doutais de l'identité véritable de l'auteur du *Meurtre de Bleston,* depuis surtout que j'en étais certain, depuis que nous avions réussi, Lucien et moi, à obtenir son aveu, quinze jours auparavant (oui, c'était bien le dimanche, le 18 mai), son aveu qu'il ne nous avait accordé qu'en nous recommandant, sur un ton de plaisanterie bien sûr, mais qui n'en était pas moins net, de lui conserver le secret.

Tant de choses les rapprochaient, le sérieux notamment avec lequel tous deux considéraient le roman policier, à tel point que je n'arrivais plus à penser à l'un sans penser à l'autre, surtout depuis la dernière conversation, huit jours auparavant, que nous eussions eue avec George, Lucien et moi, le dimanche 25 mai, huit jours après l'aveu qui en constituait une indispensable prémisse, car ce qu'il nous a dit ce jour-là sur son art, valable, comme ses paroles des autres fois, pour tous les bons exemples du genre de romans dans lequel il s'est spécialisé, s'applique éminemment à celui qu'il a signé de ce pseudonyme spécial, J. C. Hamilton, *Le Meurtre de Bleston* qu'il commentait ainsi pour nous :

« Tout roman policier est bâti sur deux meurtres » (je ne me souviens plus des mots anglais, ni de l'ordre exact dans lequel sont venues les phrases parmi les questions et les réponses, mais toutes ces bribes qui surnagent s'arrangent en un discours solide), « tout roman policier est bâti sur deux meurtres dont le premier, commis par l'assassin, n'est que l'occasion du second dans lequel il est la victime du meurtrier pur et impunissable, du détective qui le met à mort, non par un de ces moyens vils que lui-même était réduit à employer, le poison, le poignard, l'arme à feu silencieuse, ou le bas de soie qui étrangle, mais par l'explosion de la vérité.

Mais oui, c'est lui le véritable exécuteur » (toujours avec son ironie, sa pudeur, ses mouvements de mains contrôlés, ses brusques sourires, sa tête se rejetant en arrière), « et le bourreau, le procureur, tout l'appareil légal, les inspecteurs de Scotland Yard ou du quai des Orfèvres, ne sont que les instruments de son œuvre, qui toujours, plus ou moins, vous le remarquerez, lui en veulent de se mêler de leurs affaires, et de se servir d'eux dans un dessein si différent du leur (car ils sont les gardiens de l'ordre ancien mis en danger, tandis que lui veut agiter, troubler, fouiller, mettre à nu, et changer), pour en fin de compte parfois les berner, s'érigeant en seul juge, leur soustraire leur proie.

Toute sa vie est tendue vers ce prodigieux moment où l'efficacité de ses explications, de sa révélation, de ces mots par lesquels il dévoile et démasque, prononcés le plus souvent sur un ton solennellement triste comme pour en atténuer le terrible éclat, la lumière dont ils sont chargés, si douce pour ceux qu'elle délivre, mais si cruelle, si consternante, si aveuglante aussi, où l'efficacité de sa parole va jusqu'à l'anéantissement du coupable, jusqu'à cette mort dont il a besoin, seul événement suffisamment définitif pour pouvoir lui servir de preuve définitive, où il transforme la réalité, la purifie par la seule puissance de sa vision perçante et juste.

Une très grande part des relations qu'entretenaient tous les participants du drame ne subsistait que grâce à des erreurs, des ignorances, des mensonges qu'il abolit ; la constellation des acteurs s'organise selon une forme nouvelle d'où l'un des membres de l'ensemble ancien automatiquement s'exclut.

Il purge ce fragment du monde de cette faute, qui n'est pas tant le meurtre lui-même, le simple fait que l'on a tué (puisqu'il peut y avoir un pur meurtre, ce sacrifice de rajeunissement), que la salissure qui l'accompagne, la tache de sang et l'ombre qu'elle répand autour d'elle, et, en même temps, de ce malentendu profond, ancien, qui s'incarne dans le criminel à partir du moment où celui-ci, par son acte, en a révélé la présence, réveillant de grandes régions enfouies qui viennent troubler l'ordre admis jusqu'alors et en dénoncer la fragilité.

Ainsi, le premier meurtre » (celui du joueur de cricket, Johny Winn, abattu par son frère dans la Nouvelle Cathédrale sous le croisement des jubés) « n'est pas seulement l'occasion, mais la préfiguration du second » (celui du fratricide Bernard Winn, qui se fait abattre par Barnaby Morton dans l'Ancienne Cathédrale parmi les taches rouges que projette le Vitrail de Caïn) « qui conclut ce que l'autre avait commencé et laissé en suspens.

Le détective est le fils du meurtrier, Œdipe, non seulement parce qu'il résout une énigme, mais aussi parce qu'il tue celui à qui il doit son titre, celui sans lequel il n'existerait pas comme tel (sans crimes, sans crimes obscurs, comment apparaîtrait-il ?), parce que ce meurtre lui a été prédit dès sa naissance, ou, si vous préférez, qu'il est inscrit dans sa nature, que par lui seul il devient roi, vraiment lui-même, avec ce pouvoir supérieur à ceux que nous octroie la vie commune. »

George est sûrement rentré de Londres, maintenant, il faut que je lui téléphone afin de le voir au prochain week-end.

Mardi 8 juillet.

J'ai constamment pensé à James pendant cette conversation où, pour la première fois, George Burton ne nous parlait plus seulement de l'intérêt littéraire de son art, des nouveautés qu'il apporte du point de vue de la technique romanesque, mais de son essence, de la signification qu'il accorde à son thème fondamental, le meurtre, le double meurtre, nous livrant ainsi beaucoup de lui-même assurément.

Je me demande même, depuis ce dîner le dimanche 1er juin chez les Bailey où pour la deuxième fois j'ai livré ce secret qu'il nous avait demandé de lui garder, où Ann et Rose m'ont appris cette étroite ressemblance si bizarre entre la maison de l'ami de leur cousin et celle des deux frères dans le livre qu'il a signé J. C. Hamilton, de cet ami dont j'ai oublié le nom, de cet ami qui a perdu son frère, paraît-il, dans un accident, il y a quelques années, je me demande même s'il n'a pas voulu, pour une fois, vivre ce rôle de détective qu'il se contentait de décrire sous ses autres pseudonymes.

Si, pendant toute cette conversation, j'ai constamment pensé à James, c'est non seulement parce que ce que j'entendais m'éclairait sur la lecture favorite de celui-ci, mais c'est surtout parce que la veille, le samedi 24 mai, passant à la fin de l'après-midi, à la suite de je ne sais plus quelle vaine randonnée, sur la place de l'Ancienne-Cathédrale, je l'avais contre toute attente aperçu, lui qui m'avait déclaré ne jamais être entré, du moins depuis plusieurs années, dans ce monument vénérable, si absorbé dans la contemplation de l'envers du Vitrail, l'un de ces deux grands hiéroglyphes qui inscrivent le meurtre au front de Bleston, au front de cette ville hantée de meurtre comme il avait si bien su me le faire sentir la première fois que je lui avais parlé du livre de J. C. Hamilton, si absorbé dans son regard étonnamment rempli de haine, qu'il ne s'est nullement rendu compte de ma présence, qu'il ignore cette rencontre dont je ne lui ai jamais rien dit.

Leurs trajectoires se sont croisées, et au début de cet après-midi chez Matthews and Sons (il a plu presque tout le jour, presque comme il pleuvait tous les jours en décembre ; comme il s'est hâté, ce premier avant-coureur de l'automne !), j'ai vu arriver James après son déjeuner, couvert de boue, je l'ai vu fouiller dans les poches de son imperméable et se précipiter en bas pour ramener, un instant après, maculé, un exemplaire du *Meurtre de Bleston* que j'ai identifié quand il me l'a montré, affreusement confus, comme celui que j'avais acheté chez Baron's en octobre, que j'avais marqué de mon nom, qui m'avait servi de premier guide dans cette ville, qui avait attiré mon attention sur le Vitrail et qui m'avait mené à l'Oriental Bamboo, celui que j'avais décoré, revenant de Plaisance Gardens, d'une petite image de tortue, que je lui avais prêté à lui, James, le lendemain, puis à Ann Bailey, celui que j'avais cru perdu, que j'avais dû remplacer par cet exemplaire d'occasion qui se trouve toujours sur le coin gauche de ma table, taché, lui, d'encre, marqué du nom d'un inconnu sans doute écossais, Mac quelque chose (je ne puis pas le déchiffrer), celui que j'avais retrouvé contre toute attente chez les deux sœurs lors de ce mémorable et regrettable dîner le dimanche 1er juin, et que je leur avais laissé, pensant qu'elles le garderaient en souvenir de moi.

Il s'est cru obligé, comme pour s'excuser et les excuser, de me raconter en détail la visite qu'il leur a faite samedi (il les voit de plus en plus souvent maintenant, alors que moi, volontairement, je les néglige, j'évite cette Rose dont le parfum me tente et m'entête, cette Rose qui parle maintenant si délicieusement français), la visite au cours de laquelle elles le lui ont passé, lui rapportant toute notre conversation du 1er juin à son sujet, et lui, pour ne pas être en reste, leur apprenant comment la veille, le dernier samedi de mai, j'avais couru après son auteur à la foire dans le deuxième, la visite qu'il leur a faite samedi, le premier samedi de juillet, tandis que mois, stupidement, sur les gradins du grand stade près d'Oak Park, je m'efforçais de faire croire à Lucien, qui m'avait instamment invité à l'accompagner dans ce lieu qu'il avait découvert sans moi, dans lequel il était entré bien avant moi, que je m'intéressais au match autant que lui.

Puis il a ajouté pour finir, James, le secret James, d'autant plus difficile à connaître vraiment qu'il est la simplicité même en apparence, la simplicité réservée, qu'il avait déjà achevé de le relire, qu'il y avait trouvé ce qu'il cherchait, que cela correspondait bien à son souvenir, à ce à quoi il s'attendait.

Ah, je n'en suis que trop certain ! Je l'observais cet après-midi à sa table, qui, s'efforçant de se cacher de tous et de moi surtout, ne pouvait s'empêcher de le feuilleter avec, par instants, ce même regard de haine, si inattendu chez lui, qu'il avait eu pour l'extérieur du Vitrail.

Mercredi 9 juillet.

Quand je lui ai prêté *Le Meurtre de Bleston* en décembre (je m'en souviens fort bien maintenant, c'était le lundi matin, venant d'arriver dans la grande salle chez Matthews and Sons, où il était déjà installé à sa table), le soleil avait disparu, ce soleil que j'avais connu de plus en plus pâle ou de plus en plus rouge, qui a refleuri au printemps, qui baigne de nouveau, après s'être caché pendant toute la journée d'hier, les briques et les vitres de Dew Street, les minces fumées qui s'élèvent dans l'air immobile comme de jeunes peupliers lointains, comme de jeunes peupliers d'automne tout près de perdre leur feuillage couleur de thé, le soleil avait disparu et la pluie s'était installée, qui n'a pour ainsi dire pas cessé jusqu'aux grands brouillards, une pluie bien plus froide, bien plus noire, bien plus sale, bien plus mauvaise, bien plus décourageante et pénétrante que celle qui battait hier et qui a continué

par intervalles, illuminée de brèves éclaircies, jusqu'à
ce soir vers sept heures, où le ciel s'est enfin dégagé
tandis que je dînais au Sword où, en ce temps-là, en
décembre, je rencontrais Ann Bailey presque tous les
jours de la semaine.

Les grands magasins, Grey's, Philibert's, Modern
Stores, se préparaient déjà pour Noël, remplissant leurs
vitrines sur la place de l'Hôtel-de-Ville, sur Silver Street
et Mountain Street, de sapins vrais ou en carton, aux
branches couvertes de coton hydrophile ou de borate
de soude, piquées de bougies électriques, chargées de
boules brillantes et d'étoiles, au milieu de touffes de
houx, de bouquets de gui suspendus, de chaumières
tapies sous la neige aux fenêtres illuminées, de cloches,
d'enfants de chœur les yeux au ciel, en surplis brodés,
en collerettes élizabéthaines, les mains croisées sur la
poitrine ou étalant des feuilles de musique, d'anges à
longues ailes, de traîneaux pailletés à guirlandes de gre-
lots, débordant de paquets d'où s'échappaient des flots
de lingerie, des petits chevaux, des poupées, attelés de
rennes ou de chiens polaires, conduits par ces
immondes bonshommes joviaux, rougeauds, barbus, à
l'œil pétillant, hottés, bottés, fourrés dans leurs grandes
pelisses écarlates.

À l'intérieur, dans le brouhaha accru, longtemps
ponctué des coups de marteau des décorateurs, une
foule de femmes, parmi lesquelles il s'en trouvait de
presque misérables, toutes en imperméable humide, faisaient queue devant les comptoirs des cartes de vœux,
hésitant longuement avant de décider au dos de quelle
image fade, en face de quel quatrain stupidement souriant elles allaient faire imprimer leur nom, pour les
envoyer à tous leurs amis, à tous leurs voisins, à tous
leurs parents.

Ah, je haïssais Bleston en décembre, et pourtant je
n'en étais encore qu'aux premières semaines de ce

long, triste, accablant hiver cimmérien, et je riais de la Nouvelle Cathédrale, ou plutôt je m'efforçais d'en rire comme en riait l'auteur du *Meurtre de Bleston,* qui m'avait servi de guide jusque-là, alors que j'avais déjà compris qu'il était aveugle sur ce point.

Mais j'avais beau lutter contre moi-même, quand j'y suis retourné le samedi 8, dans le dessein, je dois l'avouer, de lui arracher ses oripeaux, son fard, de me venger de l'impression de grandeur que j'en avais ressentie et dont je me méfiais à l'extrême, de m'en délivrer afin de pouvoir faire éclater en toute liberté et sincérité mes sarcasmes (pourtant je me souvenais bien du regard, du silence de madame Jenkins, de la prudence et du ton de James), le rire s'est étouffé honteux et impuissant dans ma poitrine, devant cette lueur tenace dont je cherchais à me démontrer qu'elle n'était que leurre, mirage, devant cette parole à peine prononcée qui m'était parvenue pourtant dans ma solitude, qui continuait de résonner doucement, avec insistance, au milieu de l'obscurité qui s'appesantissait.

Dès que j'ai commencé de m'avancer dans l'intérieur sombre de cet immense squelette de cétacé, où tout l'ennui de la pluie ruisselait des hautes vitres verdâtres, où l'on distinguait à peine les chapiteaux dans l'ombre portée par les jubés, où l'organiste répétait indéfiniment quatre mesures avec toujours la même faute, c'est l'effroi qui m'a pénétré comme dans une grande forêt l'hiver à la tombée de la nuit.

Je suis allé revoir la tortue-luth énorme par rapport à la tortue vivante que j'avais vue le dimanche précédent à Plaisance Gardens, comme celle-ci était énorme par rapport à celle que j'avais dessinée sur l'exemplaire du *Meurtre de Bleston* que j'avais prêté le lundi à James et qui, de nouveau, se trouve entre ses mains, taché de boue, mais petite elle aussi par rapport à cette tortue

que j'avais décidé d'aller revoir le lendemain, monstrueuse et carnassière, dans la troisième tapisserie du
Musée.

Puis, désœuvré, les mains enfoncées dans les poches
de mon imperméable mouillé, j'ai erré dans le déambulatoire, les yeux attachés au dallage sur lequel mes
chaussures imprimaient leurs traces sur lesquelles je me
suis amusé à remarcher, m'appliquant à remettre le
talon sur l'emplacement du talon, la semelle à côté de
la semelle, afin de produire une figure que j'ai enfin
identifiée comme celle d'une mouche (j'étais hanté par
celle, énorme, que James lui-même m'avait désigné sur
le chapiteau des insectes que je venais de regarder à
nouveau, et qui, naturellement, avait rappelé en moi le
souvenir de celle, réelle, enfermée dans la bague de sa
mère), au moment même où ce trajet emmêlé m'avait
amené dans la chapelle de la Vierge devant cette statue particulièrement fade, au plâtre un peu sali, un
embellissement de ces dernières années sans doute, au
milieu de sa niche de pierre décorée d'une frise sculp-
tée qui, de loin, m'avait semblée faite de fleurs ou
d'oves, mais où, en m'approchant encore, j'ai reconnu
les mouches.

Alors, sur l'éventaire près de la porte de la sacristie,
j'ai pris, parmi les brochures pieuses, la « Notice Illustrée de la Nouvelle Cathédrale de Bleston » qui se
trouve maintenant sur le coin gauche de ma table avec
le guide de Bleston dans la collection « Notre Pays et
ses Trésors » que je ne possédais pas encore en ce
temps-là, avec mon nouvel exemplaire du roman de
J. C. Hamilton, avec le schéma des lignes des bus que
j'avais acheté à Ann Bailey en octobre, et le plan de la
ville que je lui ai racheté juste avant de commencer à
écrire.

J'ai mis dans le tronc les deux shillings qu'elle
coûte ; je l'ai ouverte et feuilletée, mais comme le jour

était déjà trop affaibli, je n'ai rien pu lire à ce moment-là.

L'organiste continuait à ânonner ; la petite lampe, sur son clavier, brillait seule dans le vaisseau vide.

Jeudi 10 juillet.

J'ai oublié de téléphoner aux Burton ce soir ; il faut que j'y pense demain.

Lorsque, rentré ici, le samedi 8 décembre, tandis que sur cette fenêtre s'appesantissaient la pluie et la nuit, s'accrochaient un instant les gouttes avant de couler, milliers de miroirs passagers et tremblants, j'ai examiné ce petit ouvrage que je venais d'acheter dans la Nouvelle Cathédrale, je n'y ai trouvé aucun éclaircissement sur les mouches, pas même une mention de celles qui entourent la statue de la Vierge, mais une illustration m'a fasciné, le détail d'un des porches que je n'avais pas encore regardés, ornés d'allégories des Arts et des Sciences, la figure de la Botanique à la robe comme brodée de fougères, tenant dans sa main droite une grosse graine germante, cotylédons ouverts, et dans l'autre une poignée de fruits, au visage naturellement couronné de fleurs et d'épis, ce visage qu'il me semblait avoir déjà vu, ou plus exactement qui me semblait être le portrait d'une femme vivante que j'aurais rencontrée récemment, dans cette ville même, ce qui était impossible bien sûr, me disais-je, puisque, je le savais, j'avais les dates à ma disposition, il avait été sculpté dans le dernier tiers du dix-neuvième siècle, et que donc son modèle, s'il avait jamais existé, si l'artiste dont le nom m'était donné en bas de la page à droite, E. C. Douglas, ne s'était pas simplement inspiré, en taillant son bloc, d'un simple rêve issu des souvenirs mêlés et fermentés de vingt têtes diverses, son modèle avait dû naître il y a plus de cent années, avait dû vieillir et mourir depuis longtemps.

Le temps, l'usure, avaient passé sur cette pierre, l'avaient rongée, changée, mais bien autrement qu'ils n'auraient changé et rongé la chair de vingt ans qu'elle m'évoquait, dont j'imaginais les traits peu à peu se durcissant, où j'imaginais peu à peu les rides apparaissant, altérant peu à peu l'expression, la modulant de tonalité en tonalité de plus en plus grave, et soudain, ce regard assez enfoncé, à la fois aimable et secret, ce large front aux tempes doucement marquées, ce nez mince et bien droit aux ailes creusées, ces lèvres fines un peu dissymétriques, ces mains allongées même, capables de si bien s'ouvrir et de se resserrer comme une pince de précision, sur lesquels en quelques instants je faisais passer saisons et saisons, je les ai reconnus sans aucun doute possible comme ceux de madame Jenkins qui pourtant, je le savais bien, ne pouvait avoir dépassé la soixantaine, comme ceux de cette femme qui s'était enfermée dans un silence d'alerte lorsque je lui avais parlé légèrement de la Nouvelle Cathédrale, qui avait fixé ses regards sur sa bague comme pour y puiser des forces, comme pour protester d'un attachement, sur ce chaton de verre à l'intérieur duquel ce n'était certes pas par l'effet d'une coïncidence qu'était enfermée une mouche, une mouche réelle qui aurait pu elle aussi servir de modèle pour celles qui ornent la chapelle de la Vierge et le chapiteau des insectes, mais, je le sentais, par l'expression d'une parenté dont je ne connaissais exactement ni la nature ni l'origine.

Je le sentais, mais je n'accordais à tout cela ni importance, ni sérieux ; il a fallu, des mois plus tard, cette étrange attitude de James à la foire le dernier samedi de mai, et ensuite chez Matthews and Sons pour que je commence à me rendre compte de la profondeur, de l'intimité de ces relations.

JUILLET, décembre

Je les ai reconnus, ces traits, comme ceux de la mère de James à qui j'avais prêté le lundi précédent cet exemplaire du *Meurtre de Bleston* par J. C. Hamilton (roman rempli de sarcasmes à l'égard de cet édifice, dont je n'ai apprécié toute la violence qu'en le relisant une fois récemment), cet exemplaire du *Meurtre de Bleston* qu'il a de nouveau maintenant malgré moi entre les mains ; et cette impression n'a fait que se confirmer et s'accentuer lorsque je suis allé la vérifier, non seulement devant la figure de la Botanique elle-même, mais aussi devant toutes ses compagnes sur les porches, le lendemain dimanche, l'après-midi seulement, car j'avais décidé, le soir de ma première visite à Plaisance Gardens, huit jours auparavant, que j'irais revoir le matin les tapisseries du Musée.

J'étais presque seul encore ce jour-là parce qu'il faisait à peine jour, même dehors dans les rues étroites pleines de pluie, dans les salles où l'on entendait le bruit des trains qui relient Hamilton Station au sud et à Londres, quand je suis passé devant les sarcophages d'enfants romains et les robes d'antan aux dentelles séchées et jaunies, pour arriver jusqu'au troisième panneau où j'ai retrouvé l'énorme tortue au milieu de restes humains déchiquetés (il y a cette tête aux yeux fermés, renversée, qui vient de rouler entre deux pierres, dérangeant scorpions et lézards), dans un paysage de rochers et de buissons à l'horizon duquel se profile une acropole, l'énorme tortue semblable, avec son bec sanglant, sa tête carrelée, les replis de son cou, son œil rond, à quelque immense vautour paralysé par la transformation de toutes ses plumes en écailles de lave, ses deux grandes ailes définitivement repliées et soudées l'enfermant maintenant dans cette carapace de lourdeur que parviennent à peine à soulever ses anciennes serres épaissies en courts piliers dont les ongles s'agrippent à la terre, et ces autres pattes pous-

sées des épaules à travers la chape, auprès de son
esclave et complice, le géant Sciron qui arrêtait les
voyageurs pour les lui donner en pâture, dont je ne
savais pas encore le nom, dont je n'ai su le nom
qu'après avoir acheté, la semaine suivante, chez
Baron's, le guide de Bleston dans la collection « Notre
Pays et ses Trésors », que je n'ai même pas besoin
d'ouvrir, sachant par cœur la nomenclature complète
qu'il contient des dix-huit tapisseries Harrey :

« L'enfance de Thésée, le meurtre de Sinnis, le
meurtre de Sciron, le meurtre de Cercyon, le meurtre
de Procruste, Thésée reconnu par son père, le meurtre
des Pallantides, l'enlèvement d'Hélène, l'enlèvement
d'Antiope, le départ pour la Crète, le meurtre du Minotaure, l'abandon d'Ariane, la mort d'Egée, Thésée roi
d'Athènes, la descente aux enfers, Phèdre et Hippolyte,
la rencontre d'Œdipe, et l'exil de Thésée. »

Vendredi 11 juillet.

Je viens de téléphoner chez les Burton, mais il n'y
avait que Doris, la femme de ménage, qui m'a dit que
ni Monsieur ni Madame n'étaient là, qu'il était inutile
de lui poser des questions, parce qu'elle avait promis
de ne rien dire, et qui m'a répliqué, presque avec
aigreur, comme je lui demandais tout de même à quelle
heure je pourrais rappeler demain, qu'elle n'en savait
rien, raccrochant violemment l'appareil pour souligner
que c'était là son dernier mot.

J'ai bien lu sur le journal de ce soir qu'il y a eu un
incendie dans le sixième, tout près de chez eux, dans
ce quartier anciennement distingué qui s'appelle Shoemaker's Park, mais ce ne peut être cela qui a causé tant
d'agitation dans cette demeure que j'avais toujours vue
si calme.

En attendant qu'une réponse vienne, pour ne pas laisser s'échapper ce que je voulais dire hier et qui me semble avoir son importance dans mon affaire, il me faut compléter le récit de ma visite au Musée le matin du deuxième dimanche de décembre ; il me faut ressaisir, restituer au moins en gros cet examen zigzagant par lequel je prenais lentement conscience de l'unité de toutes ces scènes en commençant à les interpréter, de toutes ces scènes dont certaines me demeuraient obscures comme la huitième et la neuvième, les enlèvements d'Hélène et d'Antiope, ou la dix-septième, la rencontre d'Œdipe (j'en suis sûr, ce jour-là, je ne l'identifiais pas encore, ce vieil aveugle), mais que je voyais déjà toutes liées par le personnage de Thésée, toutes faisant partie de son histoire.

Car si ce travail d'approche m'avait été épargné, si j'avais eu d'emblée à ma disposition un catalogue semblable à celui-ci par lequel je sais maintenant les noms de tous ces criminels exécutés, de toutes ces femmes, de tous ces lieux, les tapisseries n'auraient pas pris dans ma vie tant d'importance.

Que m'auraient dit alors ces quelques lignes imprimées ? Bien loin de m'aider à pénétrer dans le domaine circonscrit par les dix-huit portes de laine, je crois qu'elles m'en eussent à tout jamais interdit l'accès, car, sans même en apprécier la valeur, je les aurais sans doute jugées suffisantes, je n'aurais pas cherché plus loin, je ne serais peut-être jamais revenu dans ces salles, tandis que, déjà engagé dans l'exploration de cette contrée d'énigmes, lorsque j'ai eu entre les mains ces renseignements, j'ai pu les estimer aussi précieux que maigres, en extraire toute l'information.

J'étais donc devant le panneau de l'énorme tortue, et je voyais à ma droite, sur l'autre mur de la troisième salle, un autre géant tué par le même jeune homme en cuirasse dans un paysage d'arbres élancés, printaniers, ormes et bouleaux, d'arbres déployés comme des lanières de fouets, d'arbres instruments de supplice, jetant dans l'air violemment, comme des banderolles claquantes, leurs atroces fruits, des moitiés d'hommes pantelantes (Sinnis arrêtait les voyageurs, puis il les liait à deux jeunes troncs qu'il courbait et lâchait comme des ressorts afin de déchirer les corps dans leur longueur ; dans le coin en bas à gauche, cette demi-tête à l'œil encore vif), devant la même acropole un peu plus petite sur l'horizon.

Je voyais à ma gauche, sur le même mur, de l'autre côté de la porte, près de la fenêtre donnant sur Greek Street pluvieuse, la fenêtre qui ne suffisait pas à l'éclairer, un autre géant au visage plus bestial, tué par le même jeune homme en cuirasse, dans un paysage de chênes d'automne, leurs grosses branches courbes comme arc-boutées, chargées de ces terribles grappes, de ces torses rompus pendus par leurs bras, la tête retombant sur le côté, au-dessus de ces étranges végétaux, ces jambes d'hommes plantées en terre, fleurissant d'une énorme plaie à leur ventre (Cercyon arrêtait les voyageurs, puis il les liait à des arbres mûrs et courts, qu'il lâchait comme des ressorts afin de déchirer les corps dans leur largeur), devant la même acropole un peu plus grande sur l'horizon.

Je suis passé dans la quatrième salle, à l'angle de Greek Street, et j'ai vu à droite de la porte que je venais de traverser, un autre géant au visage encore plus bestial, tué par le même jeune homme en cuirasse, dans un paysage de fourrés noirs et de grottes, sur un de ces étranges lits de fer munis de treuils et de couperets, où gisaient des hommes aux pieds et aux crânes coupés (Procruste arrêtait les voyageurs, puis il leur corrigeait la taille) devant la même acropole encore un peu plus grande sur l'horizon.

Puis, sur le mur à ma gauche, sur le septième panneau, sur la place centrale de cette haute ville (je reconnaissais ces temples doriques et ioniques, ces palais et ces monuments dont je m'étais approché scène par scène), devant le vieux roi sur son trône (Egée), j'ai vu le même jeune homme en cuirasse massacrant toute une foule, toujours avec la même épée à poignée très ornée que j'apercevais dans le premier panneau dans la salle précédente, dérobée à la ceinture de ce vieux roi par une jeune femme (Ethra) qui s'enfuit en portant un enfant dans ses bras, cette même épée à poignée très ornée qu'elle offre à droite à un enfant dans lequel on distingue déjà les traits du jeune homme en cuirasse, cette même épée à poignée très ornée que, dans le sixième panneau à droite de la porte au travers de laquelle je venais de regarder celui-ci, le vieux roi sur son trône, sur cette place, désigne avec étonnement de sa main droite quand il l'aperçoit à la ceinture du jeune homme en cuirasse, tandis que de la gauche il repousse une reine qui lui présente une fiole noire portée par une vieille (Médée qui l'avait reconnu et voulait s'en débarrasser par le poison).

Enfin, à travers la porte de gauche, la porte donnant sur la cinquième salle, j'ai vérifié sur le onzième panneau, le panneau pivot, le seul dont j'eusse alors identifié le sujet de façon certaine, que c'était bien ce même jeune homme en cuirasse qui tuait avec la même épée à poignée très ornée le Minotaure, qu'il était donc Thésée, que donc cette ville qu'avait voulu représenter l'artiste du dix-huitième siècle, c'était bien Athènes.

Je me suis approché de la grande Ariane debout sur le rivage de la mer à la porte du labyrinthe, en robe bleue brodée d'argent (et le bateau qui, dans le coin en haut à droite, l'emporte avec sa sœur un peu plus jeune, je le reconnaissais en grand sur l'autre mur, à son départ pour ce voyage, pour le paiement du tribut qui allait tourner en délivrance, sa voile noire pas encore tout à fait levée, empli de jeunes gens en larmes, salué par le vieux roi Egée en larmes sur le quai, devant l'acropole sur l'horizon), Ariane qui, dans la salle suivante, à l'angle de Museum Street et de Roman Street, repose endormie, abandonnée sur le rivage d'une île montagneuse (Naxos) sans se douter que derrière ces rocs vient de débarquer, d'un autre navire, un jeune dieu sur un char traîné de léopards, suivi de tout un cortège.

J'étais encore tout préoccupé par l'apparition du visage de madame Jenkins à travers celui de la Botanique dans la notice de la Nouvelle Cathédrale, et, comme je ne connaissais alors qu'une seule jeune fille à Bleston, Ann Bailey, avec qui je déjeunais presque tous les jours de semaine au Sword en ce temps-là, mon oasis dans ces mois déserts, Ann Bailey que j'étais prêt à déclarer parente de n'importe quelle beauté, c'est à elle qu'immédiatement cette figure m'a fait penser, sans qu'il y eût, je le sais bien, de ressemblance vraiment frappante pour un esprit moins préparé.

Puis (comme tout cela était clair à présent, malgré quelques grandes obscurités, comme tout cela s'organisait à présent, malgré quelques grandes lacunes !), Thésée devenait roi, s'asseyait sur le trône d'Egée, sur la place de cette Athènes, au milieu des temples, des palais et des monuments, se couronnait ; enfin, sur le dernier panneau dans la sixième salle, avant celle des toiles préraphaélites, chassé de sa ville en flammes de l'autre côté de la mer, vieilli, blanchi, sa robe d'or en lambeaux, il gisait près de l'épave de son navire, sur le rivage d'une île (Sciros) assez semblable à celle où il avait laissé gisante Ariane.

Le lendemain matin lundi, ou le surlendemain, j'ai rapporté à James chez Matthews and Sons le roman

qu'il m'avait prêté, et il m'a dit qu'il me rendrait
Le Meurtre de Bleston dès que sa mère l'aurait terminé,
qu'il l'avait trouvé... Ah, quels étaient donc ses mots ?
Des mots polis et réticents, quelque chose comme :
« fort singulier », mais ce n'était pas cela, je le sais.

3

Il a plu hier toute la journée presque sans arrêt, orage
sur orage, éclairs et éclaircies se succédant, se chevau-
chant, le cuivre d'un côté, un coin d'azur de l'autre,
entre les averses noires ; déjà l'obscurcissement commence, les soirées durent encore jusqu'à neuf heures,
mais les voici qui diminuent comme diminuaient les
après-midi en décembre, quand la nuit tombait dès trois
heures.

De grandes nappes d'eau s'effondraient sur la place
de l'Hôtel-de-Ville lorsque je suis allé au Grand Hôtel
annoncer à Lucien cette nouvelle que j'attendais sans
pouvoir me douter de ce qu'elle serait exactement,
comme on attend pendant un orage un coup de
foudre sans pouvoir prévoir où il va tomber, cette
nouvelle qui menaçait, qui pesait depuis des semaines,
en tous les cas depuis cette conversation de mai dans
la maison de Green Park Terrace où George Burton
nous a confirmé ce que nous pressentions déjà depuis
longtemps, que c'était lui l'auteur du *Meurtre de Bleston* (on allait vers la lumière bien sûr, mais il avait
fallu encore allumer fort tôt, il pleuvait, il faisait froid,
c'était le dernier jour de l'hiver perdu dans l'orée de

cette accalmie où nous sommes encore), à Lucien, avec
qui j'ai passé de mornes heures presque sans conversation, avant que nous nous décidions enfin à aller
voir un fort médiocre film italien au Gaiety, à Lucien
qui a été presque aussi ébranlé que moi, ne compre-
nant pas bien tout d'abord de quoi il s'agissait, parce
que je m'exprimais de façon confuse et agitée, puis,
après quelques explications, se remémorant, s'inquié-
tant, ses yeux s'agrandissant, s'emplissant, oui, d'une
sorte de terreur (lui si sain, si calme, si solide, si tranquillement « gallic », apparemment si peu sensible aux
mauvais prestiges de cette ville) et, peu à peu, comme
d'une supplication, comme s'il implorait de moi
quelque pardon, comme s'il me réclamait de l'épar-
gner, lui que tout compte fait tout cela concerne si
peu, jusqu'au moment où je me suis aperçu qu'il se
trompait encore, qu'il s'imaginait que George Burton
était mort et qu'un verdict de meurtre avait été rendu,
où je l'ai éclairé, rassuré, et où il a repris son visage
normal.

Il est vrai que c'est lui qui a posé la question ce troi-
sème dimanche de mai, qui a osé pour moi mettre
notre hôte au pied du mur, qui l'a forcé à reconnaître,
à publier devant nous, qu'il était bien ce J. C. Hamilton qui avait refusé que l'on imprimât sa photographie
sur la dernière page de couverture de l'édition Penguin de son livre, alors qu'il aurait de toute évidence
préféré nous laisser plus longtemps dans l'incertitude,
à le reconnaître, à le publier devant nous avec une certaine gêne, une hésitation mal camouflée, après un
retard, un temps blanc auquel je n'avais pas accordé
d'importance à ce moment-là, tout excité par l'idée que
nous allions enfin savoir, et qui peu à peu m'est apparu
comme essentiel à cette scène, qui s'est mis à cligno-
ter en moi comme un phare d'alarme, après un silence
qui n'a pas duré plus de quelques secondes, une seule

peut-être, qui me semble maintenant long comme de plusieurs mois, et auquel il a coupé court d'un éclat de rire brusque tout en pointes tranchantes comme une vitre cassée, qui nous a enveloppés, emportés.

Tous, nous avons été pris dans ce rire, tous, c'est-à-dire George Burton, Lucien et moi, car Harriett souriait seulement, mais je ne prenais pas claire conscience alors de ce que je voyais pourtant puisque cela m'apparaît de plus en plus précisément chaque fois que je me retourne vers ces instants, ou plutôt chaque fois qu'ils m'imposent ce retour, je ne prenais pas claire conscience alors de l'effort qu'il y avait sous sa maigre gaieté, de la distance qu'elle gardait, pauvre, clair-voyance Harriet.

« Naturellement », nous a-t-il dit, « naturellement ! »

Il ne parvenait pas à reprendre son souffle, sa voix naturelle ; il nous regardait l'un et l'autre en s'épanouissant, tâchant de bien jouer le rôle de celui qui a longuement préparé une bonne farce et qui, lorsqu'elle explose enfin, jouit de l'ahurissement de ses victimes.

Il faisait presque nuit dehors ; on apercevait à peine sous la pluie les jeunes ramures des arbres de Green Park qui se balançaient dans le soir triste.

« Vous vous êtes sûrement demandés comment je gagnais ma vie. Eh bien voilà, chers amis je suis un auteur de romans policiers, un auteur à gros tirage », et de nouveau ce rire encore plus faux.

« Ah, je vois ce que vous pensez, *Le Meutre de Bleston* est l'unique livre de son auteur pseudonyme, et certes ce n'est pas avec lui que j'aurais pu espérer nourrir Harriet ; mes grands succès sont signés Barnaby Rich, et j'ai écrit aussi, avec la très précieuse collaboration de Madame, les œuvres abondantes et à rendement fort honorable de Caroline Bay. »

Ils se détendaient.

« Un jour, il y a de cela bien dix ans, dear », Harriett offrait des cigarettes, « comme notre éditeur nous demandait des photographies (les exigences de la publicité, paraît-il), nous nous sommes amusés à nous déguiser tous les deux : lorgnon, col dur, papillon blanc, fine moustache, pour moi, pour Barnaby.

– Et pour moi, une coifure impossible, talquée, quelques rides...

– Méconnaissables ! Quant à J. C. Hamilton, vous le savez, la grande trouvaille : pas de portrait, un cadre blanc, le grand mystère. Je vous demande de ne pas vendre la mèche. Vous voyez que si je reviens sans cesse sur le sujet du roman policier au risque d'en dégoûter à tout jamais ceux qui ont la patience de m'écouter, j'ai quelque excuse. »

Puis il a continué l'éloge et l'exégèse de son art, reprenant son discours au point où il l'avait laissé le dimanche précédent, mais sur un autre ton, puisque maintenant, de son aveu même, il parlait en son nom propre, nous déclarant que dans les meilleures œuvres du genre, il saluait l'apparition à l'intérieur du roman comme d'une nouvelle dimension, nous expliquant que ce ne sont plus seulement les personnages et leurs relations qui se transforment sous les yeux du lecteur, mais ce que l'on sait de ces relations et même de leur histoire, l'aspect final, l'aspect fixé de celle-ci, sanctionné, comme il nous l'a montré la semaine suivante, par l'anéantissement du coupable, par le meurtre pur dans lequel le détective atteint à sa plus haute vie, l'aspect final n'apparaissant qu'après et au travers d'autres aspects, de telle sorte que le récit n'est plus la simple projection plane d'une série d'événements, mais la restitution de leur architecture, de leur espace, puisqu'ils se présentent différemment selon la position qu'occupe par rapport à eux le détective ou le narrateur...

Mais la nouvelle de cet « accident » qui vient de le frapper, deux mois plus tard, embrouille en moi le souvenir de toutes ses phrases d'alors.

Mardi 15 juillet.

Ce que j'aurais dû faire depuis longtemps, ce que je m'étais décidé enfin à faire vendredi, téléphoner chez les Burton, je l'ai tenté de nouveau samedi vers six heures, sans plus de succès, reconnaissant encore la voix de la pauvre Doris à peine affolée, elle qui d'ordinaire n'est jamais chez eux pendant le week-end.

« Pourriez-vous rappeler, Madame est assez fatiguée ce soir.

– Et Monsieur ? »

Puis j'ai entendu le déclic du récepteur raccroché comme par inadvertance ; et j'ai recommencé mon appel une troisième fois dimanche, vers dix heures du matin, obtenant alors Harriett.

« C'est vous, monsieur Revel ? »

Que sa voix était mince !

« Je suis désolée pour hier soir ; vous comprendrez, vraiment je n'avais plus ma tête ; j'étais dans une telle inquiétude ; j'attendais d'un instant à l'autre une communication du médecin ; grâce à Dieu, il va mieux maintenant, tout s'est bien passé, je vais aller le voir dans une heure ; et tout est fini, je pense, avec la police. Ah, ils m'ont suffisamment interrogée !

– Mais que se passe-t-il ?

– C'est vrai, vous ne pouvez savoir, pardonnez-moi ; je viens de passer deux nuits épouvantables et je suis encore mal réveillée, pas coiffée... Heureusement, Doris est là, vous la connaissez ? Notre femme de ménage qui est tellement bonne, qui a accepté de rester avec moi ces quelques jours dans cette maison qui me semble

213

toute bouleversée maintenant, où j'aurais peur de dormir seule. Elle vient de m'apporter mon petit déjeuner ;
vous voyez comme je suis paresseuse...

– Je vais vous laisser le prendre alors ; je parie que
Doris est là dans un coin et qu'elle regarde l'appareil
d'un œil mauvais.

– Vous entendez ? Vous m'avez fait rire ; c'est la
preuve que cela va mieux.

– Quand pourrai-je vous rappeler ?

– Mais naturellement dès que vous voudrez, dès que
je serai de retour. George m'aura parlé sans doute ; hier,
il n'a prononcé que quelques mots vagues ; je ne suis
même pas sûre qu'il m'ait reconnue. Il faudrait que je
vous raconte tout cela : c'est vendredi soir que c'est
arrivé ; j'avais préparé le thé, je l'attendais, je commençais à m'inquiéter de son retard ; il était déjà presque
sept heures lorsque la sonnerie s'est déclenchée ; je me
suis imaginée que c'était lui qui m'appelait pour
m'expliquer qu'il était retenu quelque part, et je le mau-
dissais doucement ; puis j'ai entendu cette voix, cette
voix que je ne reconnaissais pas, que je ne comprenais
pas tout d'abord, si bien que j'ai dû faire répéter plusieurs fois : « Ici le Royal Hospital de Bleston », cette
voix qui a continué sur ce ton à la fois impersonnel et
compatisant qui vous fait craindre le pire : « C'est vous
madame Harriett Burton ? C'est bien vous l'épouse de
George William Burton ? Nous devons vous avertir que
votre mari vient d'être victime d'un accident assez
ennuyeux ; il a été renversé par une auto comme il traversait Brown Street ; on l'a amené immédiatement ici
où vous pouvez venir le voir, salle 16, lit 7 ; il ne semble
rien avoir de très grave, mais il n'a pas encore repris
connaissance ; on l'opèrera dans la nuit » ; naturellement, j'ai demandé qu'on le mette dans une chambre
particulière le plus tôt possible ; et puis hier, comme je
commençais à respirer, voilà qu'un homme se présente

à la porte, un inspecteur de police, qui me pose toutes sortes de questions même indiscrètes, auxquelles pour la plupart je ne pouvais pas répondre, sur les fréquentations de mon mari, s'il avait des ennemis, que sais-je ? Ah, je n'en pouvais plus, et aujourd'hui, il va sûrement venir tourmenter George, s'il est capable de parler, s'il n'a plus trop de fièvre ; toutes ces choses que nous avons décrites dans nos livres, auxquelles nous devrions être préparés, comme elle vous prennent tout de même au dépourvu quand elles s'abattent ainsi ! Doris est rentrée dans la cuisine, furieuse de mon bavardage ; ses beaux œufs sont froids maintenant. »

Il était presque sept heures, a-t-elle dit, lorsqu'elle a entendu la sonnerie ; c'est donc vers six heures et demie que George Burton a été renversé par cette auto dans Brown Street, tandis que je dînais tranquillement au Sword, songeant aux tapisseries du Musée et à cette Ariane, cette Ann, avec qui j'y déjeunais presque tous les jours de la semaine en décembre et qui m'avait déjà parlé de Rose ; c'est quelques instants seulement après la communication de l'hôpital que j'ai appelé moi-même de la cabine téléphonique au coin de Dew Street et de Tower Street.

Je comprends l'affolement de la pauvre Doris, qui a toujours trouvé sans doute que ses patrons avaient un métier peu convenable et une vie bien extravagante, qui a souvent marmonné sans doute que tout cela finirait mal quelque jour.

Quand j'ai repris notre conversation le soir, Lucien était auprès de moi, tenant l'écouteur, dans le vestiaire de l'Oriental Rose où nous étions allés dîner en sortant du Gaiety.

« Il va mieux, oui, beaucoup mieux ; il a même mangé, il a moins de fièvre, il parle tout naturellement ; j'ai pu rester assez longuement ; il est comme éveillé d'un mauvais rêve. L'inspecteur est venu le voir ; il l'a interrogé surtout, m'a-t-il dit, sur l'accident même. Mais il n'a pas pu donner de renseignements bien précis ; il se rappelle seulement qu'il traversait la rue, qu'il a vu une auto se précipiter sur lui, qu'il a essayé de l'éviter, et puis qu'il s'est retrouvé dans un lit. Je lui ai dit que vous aviez téléphoné. Si vous pouviez aller le voir, il vous en serait certainement très reconnaissant, pas tout de suite, naturellement, il est très fatigué, mais la semaine prochaine. Il restera au moins quinze jours à l'hôpital ; il a eu l'oreille arrachée, l'épaule cassée, des blessures ; il est couvert de bandages, et puis il a tout de même perdu beaucoup de sang. Vous savez : il a failli mourir ; le docteur m'a avoué qu'il craignait une fracture du crâne, et je m'en doutais bien d'après le ton avec lequel il me parlait hier, mais il n'y a rien, heureusement, rien de grave ; il n'y a plus qu'à reprendre son souffle, qu'à attendre, qu'à se reposer. Excusez-moi de m'être mise à pleurer comme cela, c'est de soulagement. »

Jeudi 17 juillet.

Je suis resté hier soir plus longtemps que je n'en avais l'intention chez Harriett Burton que je voyais pour la première fois sans George, sans qu'elle soit dans son ombre (j'ai l'impression que, dans quelques années, Rose, lorsqu'elle sera mariée, aura de ses attitudes), et nous avons longuement parlé de son état, de ses blessures, de l'« accident » mal éclairci qui est sans doute un meurtre manqué, des recherches et des hypothèses de la police qui semble être arrivée à une impasse, qui semble avoir renoncé à résoudre cette énigme pour elle sans grande importance, puisqu'il n'y a pas eu mort d'homme, tandis qu'elle, Harriett, poursuit, je le sens bien, une idée dans sa tête, dont elle ne voulait pas me parler, dont elle n'a sûrement pas parlé à l'inspecteur, dont je ne puis me défendre d'imaginer qu'elle est liée au *Meurtre de Bleston,* qu'elle est liée au nom de J. C. Hamilton, et sans doute à ce personnage dont Ann et Rose m'ont parlé, à cet ami de leur cousin, dont j'ai oublié le nom pour l'instant, mais que je puis retrouver dans ces feuilles, car je me souviens de l'avoir noté dans mon récit de ce dîner du 1er juin, qu'elle est peut-être liée à cette maison qui, paraît-il, ressemble tant à celle des deux frères Winn dans le roman.

L'affaire, dont hier encore la presse n'avait pas soufflé mot, déjà ce matin, sur les affiches du *Bleston Post,* disputait la vedette à l'incendie qui vient de consumer un garage dans le troisième arrondissement entre Lanes Park et l'hôtel de l'Ecrou et s'étale ce soir dans la manchette de l'*Evening News* avec un titre en grosses lettres :

« LE MYSTERE DE BROWN STREET

« Un célèbre auteur de romans policiers échappe de justesse à la mort.

« Une des personnalités littéraires les plus remarquables de Bleston, George William Burton, plus connu sous son pseudonyme de Barnaby Rich (inutile de rappeler ici la longue liste de ses œuvres ; tout le monde se souvient du *Crime Bleu,* de l'*Anneau d'Acajou,* de *la Maison aux Trois Ormes,* de *la Tour des Ombres,* du *Lac aux Renards,* de *la Lime à Manche de Corne,* et de tant d'autres problèmes si habilement résolus par « le petit détective borgne au chapeau de paille et aux souliers blancs »), époux de la non moins fameuse Caroline Bay, traversait vendredi dernier, à six heures vingt, Brown Street, lorsqu'il fut renversé par une auto roulant à vive allure, qui venait de brûler un feu rouge et qui poursuivit son chemin sans ralentir, disparaissant presque immédiatement dans Trinity Street.

« Plusieurs témoins affirment que la voiture a brusquement changé de direction pour se précipiter sur George William Burton. Malheureusement, tout s'est passé si rapidement et dans une telle confusion à cette heure d'affluence, qu'aucun d'entre eux n'est capable de donner un signalement précis du conducteur, qu'aucun n'a retenu le numéro de plaque. La police enquête... »

Mais il n'est nulle part question de J.-C. Hamilton, ni de son livre.

James Jenkins, qui m'évitait au point que je n'ai même pas osé lui demander lundi, comme j'en avais l'intention, de venir voir avec moi, au Théâtre des Nouvelles, le film sur Palmyre et Baalbeck, James Jenkins, qui ne m'avait pas adressé la parole de toute cette semaine, qui a l'air épuisé en ce moment, mal à son aise, est venu me trouver ce soir, au moment où nous quittions Matthews and Sons, pour me demander de venir chez lui samedi, comme autrefois, dans cette grande maison où je ne suis pas allé depuis plus d'un mois, alors que j'y allais presque toutes les semaines en décembre (c'était la seule alors, en dehors de celle d'Horace Buck, qui me fût ouverte dans toute la ville ; je déjeunais presque tous les jours de semaine avec Ann, au Sword, mais je n'avais pas encore rencontré Rose, et je n'étais jamais allé chez elles dans cette maison d'All Saints Gardens qui m'est depuis devenue si familière), dans sa trop grande maison de Geology Street, toute remplie de trésors discrets arrachés aux replis du dix-neuvième siècle, où je ne suis plus allé depuis cette dernière soirée de mai à la foire dans le deuxième, au cours de laquelle, de nouveau, il avait été question entre nous du *Meurtre de Bleston*.

JUILLET, décembre

Vendredi 18 juillet.

« On nous signale que J. C. Hamilton, l'auteur du *Meurtre de Bleston,* ne serait autre que George William Burton, alias Barnaby Rich, qui vient d'être victime d'un étrange accident... »

Aujourd'hui, le voilà qui commence à apparaître, ce nom, J.-C. Hamilton, l'auteur du *Meurtre de Bleston,* de ce livre dont je ne me doutais pas, le dernier samedi de mai, qu'Ann Bailey en avait déjà retrouvé l'exemplaire marqué de mon nom, l'exemplaire qui se trouve maintenant chez les Jenkins.

Je voudrais bien savoir quel effet a produit sur la mère de James l'apparition de ce revenant, car il est impossible qu'elle ne se soit pas aperçue de sa présence, comme il est impossible que James ne se soit pas efforcé de la lui cacher, mais je sens qu'elle perce à jour la moindre de ses tentatives d'échapper à son regard, qu'elle aura compris à son seul air (et dieu sait s'il était transformé !), de quoi il s'agissait, sans qu'elle ait eu le moindre besoin de fouiller, c'est une méthode bien trop basse ; je sens qu'elle aura provoqué un hasard, qu'elle aura rendu inévitable la rencontre, qu'elle aura forcé son fils à l'aveu, et qu'il n'aura même pas pu lui taire, lui, ce grand réservé, le rôle que j'ai joué dans ce retour.

Le troisième dimanche de décembre, donc le 16, tandis qu'il tombait une sale neige, la première de mon année, fondue avant de toucher terre, cet exemplaire même, elle me l'avait rendu avec des remerciments et des compliments judicieux qui ne m'empêchaient pas de lire dans ses gestes et dans son ton, dans ses regards, notamment, qu'elle se concentrait plus souvent qu'à l'habitude sur la mouche enfermée dans le chaton de verre de sa bague comme pour y puiser encouragement ou du moins pardon, une condamnation si grave qu'elle s'accompagnait, malgré tout l'effort de son bon sens et

219

de sa bonté, d'une profonde méfiance à l'égard de qui avait apporté, prétendant offrir quelque liqueur rafraîchissante, cette fiole de venin.

Les sales flocons tombaient de l'autre côté des vitres, se mêlaient aux flaques et à la boue des allées dans le trop grand jardin trop peu soigné de cette grande maison.

Je me trouvais sur un terrain plein de pièges, comme devant un château très savamment gardé dans les fortifications duquel la lecture du *Meurtre de Bleston,* comme l'explosion d'une bombe, avait certes provoqué une grande fissure dont je n'aurais jusqu'à ces derniers temps jamais cru qu'elle fût si profonde et si durable, mais en déclenchant d'un même coup toutes les sonneries d'alarme de telle sorte que, si je voulais pénétrer ne serait-ce que d'un pas plus avant, il me fallait commencer par endormir les sentinelles, camoufler mes desseins, attendre, ruser pour me faufiler.

C'est pourquoi je me suis abstenu ce jour-là, le dimanche 16 décembre, de toute allusion à la découverte que j'avais faite le samedi de la semaine précédente dans la notice illustrée de la Nouvelle Cathédrale, découverte qui s'était tellement amplifiée et précisée le lendemain dimanche, le 9 décembre, l'après-midi, lorsque j'étais allé examiner les statues elles-mêmes des porches et que je vérifiais alors sur le vif en scrutant la figure de madame Jenkins, m'efforçant de débarrasser son front, ses tempes et ses doigts de leurs nombreuses rides menues, de rafraîchir son teint, de raffermir la chair de ses joues, de foncer et assouplir ses cheveux (quant à ses yeux, jamais il n'avaient pu avoir plus d'éclat brillant qu'en ces instants où elle fixait la mouche de sa bague), de la voir en un mot au travers de son apparence actuelle, telle qu'elle avait été dans sa jeunesse.

Plus se prolongeait mon voyage autour de ses traits, plus j'observais ses attitudes au cours de ce déjeuner à la lumière de la lampe, et plus devenait contraignante cette impression que toutes les allégories des Arts et des Sciences sur les porches de la Nouvelle Cathédrale s'animaient tour à tour devant mes yeux (dans cette main tenant l'anse de la théière, je reconnaissais celle de l'Astronomie maniant son sextant), non que les gestes fussent littéralement semblables, mais ceux des statues étaient comme le déploiement immobile, la fixation accentuée de ceux de la vivante qui n'en donnait que la première esquisse, l'indication timide et momentanée ou, dans certains cas, plutôt l'ultime concentration, le résumé parfait repris dans le rythme réel.

Elle est la fille de ce E. C. Douglas qui les a sculptées pour la plupart, et donc de ce modèle qu'il avait si tendrement, si soigneusement, si constamment exploré et épié, mais sa relation avec l'œuvre est tellement intime que cette explication ne suffit pas ; j'imagine que, faisant de son père le véritable Pygmalion, elle s'est lentement appropriée dès son enfance tout ce qu'elle a pu de ces regards, de ces courbes, de ces élégances qu'il avait taillés dans la pierre, qui se sont réunis et incarnés en elle.

4

Lundi 21 juillet.

La nuit regagne ; lorsque je suis sorti avec Lucien qui
m'a quitté pour aller retrouver les Bailey, me proposant
de l'accompagner (et moi, stupide, refusant pour venir
m'enfermer ici devant ces feuilles blanches), Lucien que
je ne verrai plus que pendant deux week-ends, dont le
départ est fixé au dimanche 3 août, dans quatorze
jours, lorsque je suis sorti avec lui du Théâtre des Nouvelles où nous venions de voir le documentaire sur
Oxford dont certaines places et certains monuments
m'ont rappelé d'assez près l'Athènes des tapisseries du
Musée (la semaine prochaine, dans la série « Splendors
of the Commonwealth », les grands lacs canadiens), l'air
était certes plus chaud que lors des derniers lundis de
mai comme je revenais par le même chemin vers cette
chambre à la même heure, mais la lumière était la même,
le soleil à la même place au-dessus des cheminées dans
l'air brumeux.

Quel soulagement me procurait alors cette ouverture
du jour tellement plus long, plus beau, plus sûr de lui,
ce samedi où j'ai désigné à James Jenkins à la foire, sans
le savoir bien clairement, sans le vouloir vraiment,
l'auteur du *Meurtre de Bleston,* que le dimanche pré-

cédent où celui-ci, George Burton, chez lui, dans cette conversation sur le meurtre et le pouvoir de la parole, nous avait dévoilé un peu plus de cette vie clandestine dont il nous avait déjà livré l'un des principaux secrets huit jours auparavant, en nous avouant qu'il était bien ce J. C. Hamilton, auteur du *Meurtre de Bleston,* ce dont nous nous doutions depuis longtemps, huit jours auparavant, un dimanche encore pluvieux mais pourtant déjà plus long, plus beau, plus sûr de lui que celui d'avant, le deuxième de mai, le 10 (je remonte le cours de ce mois vers les journées plus courtes et l'hiver), où notre dialogue prenant l'allure d'une conférence à peine interrompue par nos demandes d'éclaircissements, pour la première fois s'est mis à rouler entièrement sur le roman policier, sujet que nous avions certes abordé depuis longtemps, qui était sous-jacent à tous nos entretiens depuis le début, puisque c'était grâce au *Meurtre de Bleston* que nous nous étions rencontrés, George et moi !

Il nous observait pendant toute cette soirée, amusé de nous voir tant hésiter à lui poser la question Hamilton, nous excitant par des allusions furtives, se demandant quand cela allait venir, bien certain que cela viendrait, cherchant à s'affirmer dans cette certitude et en même temps à reculer l'instant où il lui faudrait enfin nous répondre, heureux, quand nous l'avons quitté, que nous ayons été si près de franchir le pas et que nous n'ayons pas osé, heureux de pouvoir continuer son jeu.

Non, nous n'avions point peur, si nous nous étions trompés, de le blesser par notre supposition, puisqu'il nous avait maintes fois proclamé son admiration pour des écrivains spécialisés dans ce genre littéraire, et s'il y avait bien, au bord des raisons de notre silence, quelque inquiétude qu'il nous jugeât sots si, par un hasard très improbable, ç'avait été tout autre chose qu'il avait voulu faire deviner par sa mise en scène, l'essentiel c'était que nous tenions à obtenir un aveu clair et que nous sentions bien que lui désirait nous laisser un ultime doute, non seulement, comme je le pensais alors, parce qu'il savait que le prestige que lui conférait à nos yeux le titre d'auteur du *Meurtre de Bleston* serait d'autant plus grand qu'il réussirait mieux à en demeurer l'auteur « mystérieux », mais évidemment surtout pour assurer sa propre sécurité.

La suite lamentable n'a que trop montré comme il avait raison de se méfier de nous, comme étaient justifiés son hésitation le dimanche suivant, son silence avant d'éclater de rire, quel risque il avait mesuré, car il est bien certain que, s'il m'était resté la moindre incertitude, je ne serais jamais allé livrer le secret de son identité ni à James Jenkins, ni aux sœurs Bailey.

Nous sentions bien, Lucien et moi, que si nous lui avions posé, ce jour-là, le deuxième dimanche de mai, la question qui nous brûlait les lèvres, il aurait été encore trop sur ses gardes, qu'il nous aurait répondu par un mensonge tout prêt qui n'aurait pas été un vrai mensonge puisqu'il ne l'aurait dit que pour ne pas être cru (c'est-à-dire qu'il ne nous aurait pas répondu, tout en nous interdisant de l'interroger de nouveau sur ce point), nous sentions qu'il nous fallait nous taire, que plus nous attendrions, plus il se ferait notre complice contre lui-même, plus il détruirait ses propres défenses, plus il se moquerait de ses propres précautions, plus nous aurions de chances de savoir.

Ainsi nous nous taisions tous deux dans un massif silence que n'entamaient point nos quelques paroles, l'écoutant nous faire remarquer que, dans le roman policier, le récit est fait à contre-courant, puisqu'il commence par le crime, aboutissement de tous les drames que le détective doit retrouver peu à peu, ce qui est à bien des égards plus naturel que de raconter sans jamais revenir en arrière, d'abord le premier jour de l'histoire, puis le second, et seulement après les jours suivants dans l'ordre du calendrier comme je faisais moi-même en ce temps-là pour mes aventures d'octobre ; dans le roman policier le récit explore peu à peu des événements antérieurs à celui par lequel il commence, ce qui peut déconcerter certains, mais qui est tout à fait naturel, puisque, dans la réalité, c'est évidemment seulement après l'avoir rencontré que nous nous intéressons à ce qu'a fait quelqu'un, puisque dans la réalité, trop souvent, c'est seulement lorsque l'explosion du malheur est venue troubler notre vie que, réveillés, nous recherchons ses origines.

Ainsi moi-même je me suis efforcé de retrouver tout ce qui avait pu m'amener à livrer le véritable nom de J. C. Hamilton à Ann et Rose, donc à leurs cousins et aux amis de leurs cousins, m'amener à ma trahison, il n'y a pas d'autre mot pour dire cela, si lourd, si dur qu'il me semble.

Me semblerait-il trop dur et trop lourd si George n'avait pas échappé à sa mort, et si j'étais obligé de m'apercevoir qu'en effet j'y ai participé ?

C'est pourquoi je suis remonté à ma première trahison la veille au soir, le dernier samedi de mai à la foire dans le deuxième, et à cette triple conversation dans la maison de Green Park Terrace, recherchant tout ce qui pouvait m'excuser, à ce deuxième dimanche du mois de mai où celui à qui nous ne voulions pas encore demander s'il était bien l'auteur du *Meurtre de Bleston* nous faisait remarquer que, dans le roman policier, le récit est fait à contre-courant, ou plus exactement qu'il superpose deux séries temporelles : les jours de l'enquête qui commencent au crime, et les jours du drame qui mènent à lui, ce qui est tout à fait naturel puisque, dans la réalité, ce travail de l'esprit tourné vers le passé s'accomplit dans le temps pendant que d'autres événements s'accumulent.

Ainsi moi-même, c'est tout en notant ce qui m'apparaissait essentiel dans les semaines présentes, et tout en continuant à raconter l'automne, que je suis parvenu jusqu'à ce deuxième dimanche du mois de mai où il nous faisait remarquer que les choses se compliquent bien souvent, le détective fréquemment étant appelé par la victime pour qu'il la protège de l'assassinat qu'elle craint, les jours de l'enquête commençant ainsi avant même le crime, à partir de l'ombre et de l'angoisse qu'il répand au-devant de lui, l'ultime précipitation, les jours du drame pouvant se poursuivre après lui jusqu'à d'autres crimes qui en sont comme le monnayage, l'écho ou le soulignement, et qu'ainsi tout événement appartenant à la série de l'enquête peut apparaître dans la perspective inversée d'un moment ultérieur comme s'intégrant à l'autre série, toutes constatations qui préparaient ce qu'il désirait nous dire le dimanche suivant, et dont je n'ai pu comprendre la véritable portée qu'à travers cette autre conversation.

Mardi 22 juillet.

Tout ce que j'ai raconté jusqu'à présent du mois de mai, ce n'est que ce qui m'a semblé mener directement à l'indiscrète et imprudente révélation du véritable nom de J. C. Hamilton que j'ai faite en son dernier samedi et refaite le lendemain, négligeant mes visites chez les Bailey, ces espèces de répétitions de français que je donnais à Rose (avec quel contentement !), mes déjeuners chez les Jenkins, mes promenades avec Lucien qui n'a plus le temps de rôder avec moi, tout occupé qu'il est de son départ dans treize jours, mais qu'alors je continuais à introduire méthodiquement dans les recoins de la ville qui me semblaient avoir quelque signification ou quelque agrément.

Ainsi, ce deuxième dimanche de mai, au début de l'après-midi, avant de nous rendre pour l'heure du thé dans la maison des Burton en face de Green Park qui commençait à bien porter son nom, toutes les pointes de ses branches s'éclairant de minuscules flammes vert de roseau juste échappées de leurs bourgeons, tandis que sur les pelouses humides les narcisses et les jonquilles faisaient éclater leur fraîcheur, je l'avais conduit voir le Musée dans City Street.

Entre les nuages clairs, des rayons de soleil à peine ternis, couleur de porcelaine transparente, donnaient sur les fenêtres des trois salles exposées au sud, et l'on avait tiré les voilages dont les moirures ondulaient lorsque les légers courants d'air agitaient leurs plis.

Il a écouté avec amusement toutes les explications que je lui fournissais sur chaque épisode, tout en me gardant bien de lui raconter que pour moi désormais Ariane représentait Ann Bailey, que Phèdre représentait Rose, que j'étais moi-même Thésée, qu'il était lui-même ce jeune prince que dans le quinzième panneau, la descente aux enfers, je guidais dans la conquête de l'épouse de Pluton, de la reine de l'empire des morts, Proserpine.

A gauche, ils sont tous deux devant l'entrée, la faille au flanc de la montagne ; au centre, à l'intérieur de celle-ci, dans une salle à stalactites, arches et fumées, aux parois tapissées de végétaux brunâtres et ruisselants, parmi des touffes d'asphodèles décolorés, ils gravissent les marches du trône dans l'étonnement des démons qui n'attendent qu'un signe pour se déchaîner, essayant d'arracher cette femme, cette Phèdre, cette Rose, encore toute vive des couleurs de son printemps, sous sa couronne et ses ornements de flammèches et de pierres précieuses, entreprise qui se termine fort mal puisque, à la droite du panneau, nous les retrouvons enchaînés tous deux dans l'enfer de cet enfer, dans une caverne à l'intérieur de cette caverne.

Je le reconnais maintenant, non seulement dans ce Pirithoüs (nom qui l'a fait rire évidemment, lorsque je l'ai prononcé), mais aussi dans cet autre personnage avec lequel j'avais identifié celui-ci par erreur avant de m'être acheté le guide de Bleston dans la collection « Notre Pays et ses Trésors », ce dieu, ce Dionysos du douzième panneau, débarquant à Naxos, et apercevant, tandis qu'il monte sur son char traîné de léopards, Ariane abandonnée.

Bien plus ignorant en mythologie classique que je ne l'étais moi-même lors de ma première rencontre avec ces grandes illustrations de laine, de soie, d'argent et d'or, c'est seul le nom d'Œdipe, devant la dix-septième, qui a réveillé dans son esprit de vieilles histoires ; et comme je m'appliquais à remettre en ordre les bribes qu'il était si heureux de retrouver, j'ai peu à peu compris à quel point était naturelle et presque inévitable cette rencontre des deux rois de Thèbes et d'Athènes.

Que de similitudes, en effet, rapprochent les destinées de ces deux enfants trompés sur leur naissance et sur leur race, élevés loin de leur ville natale, tous deux tuant les monstres qui en infestaient les abords, tous deux résolvant des énigmes, libérant la voie, tous deux meurtriers de leur père (Thésée, non par le fer, mais par la négligence, bien plus coupable à la vérité, car si Egée s'est suicidé, c'est qu'il a vu la voile noire que son fils aurait dû changer, dont son fils savait que la vue risquait de le faire mourir de désespoir alors qu'Œdipe, lui, ignorait l'identité de sa victime et les liens qui l'unissaient à lui, la voile noire que son fils n'aurait pas laissée, certes, s'il n'y avait pas eu cette Rose, cette Phèdre pour laquelle il avait abandonné Ariane, cette femme dont il ne réussissait pas à se protéger, qui occupait tout son esprit, qui le rendait traître et aveugle), tous les

deux obtenant ainsi une royauté précaire, tous les deux
chassés finalement de leur trône, assistant à l'embrasement de leur ville, mourant loin d'elle, incapables de
lui porter secours.

Il est revenu peu après, ce nom d'Œdipe, quinze jours
après, dans la bouche de George Burton, dans la suite
de cette conversation sur le roman policier qui a commencé vraiment cet après-midi du deuxième dimanche
de mai, lorsque nous sommes allés chez lui, Lucien et
moi, en quittant le Musée, dans la suite de cette conversation dans laquelle nous avons réussi à lui faire avouer
qu'il était bien l'auteur du *Meurtre de Bleston,* qu'il était
bien celui qui se cachait sous le rectangle blanc de la
couverture, sous le nom de J. C. Hamilton, ce que je
n'ai pu m'empêcher de rapporter à James Jenkins, puis
aux sœurs Bailey, ce que j'ai eu bien tort de rapporter
à James à cause de la blessure que cela a rouvert en son
cœur et certainement en celui de sa mère, mais surtout
que j'ai eu terriblement tort de rapporter aux sœurs Bailey, car je crains de plus en plus que son roman ne
démasque cet ami de leur cousin dont la maison est,
paraît-il, si semblable à celle des deux frères Winn, ne
démasque son crime que lui croyait enterré depuis longtemps, car je crains de plus en plus que celui-ci n'ait
cherché à se venger et à se protéger de celui dont il se
demandait s'il n'était pas en train de rassembler des
preuves pour le convaincre, et qu'ainsi ce soit moi, par
mon indiscrétion, qui lui ait fait courir ce danger de
mort, à George Burton (d'après la façon dont il me parlait dimanche à l'hôpital, je crois que c'est ce qu'il pense
lui aussi ; ce qu'il faut absolument que je sache, c'est si
ce personnage dont je pourrai retrouver le nom, je
pense, dans le compte rendu que j'ai fait le lendemain,
de cette fatale conversation chez les Bailey, possède une
Morris noire), ce danger qui subsiste encore, qui sub-
sistera tant que la vérité ne sera pas faite, ce danger de

mort qui planait dans toute la ville de Bleston et qui tout d'un coup s'est concentré sur lui.

Il court maintenant par toute la ville, ce nom de J. C. Hamilton dont aucun journal ne parlait encore jeudi dernier, qui a fait son apparition timidement vendredi dans le petit entrefilet de l'*Evening News,* et qui samedi s'étalait sur toutes les feuilles comme éventré, comme explosé, avec de grands articles sous de grands titres qui reprenaient naturellement celui du livre : « Le Meurtre de Bleston » ; ce nom, il le porte maintenant pour toute la ville, George William Burton qui sans doute ne serait pas sur son lit de blessé s'il ne m'avait pas rencontré, qui nous avait expressément recommandé de lui conserver son secret, que j'ai failli tuer par négligence.

Mercredi 23 juillet.

Quand nous sommes allés le voir dans sa chambre du Royal Hospital, samedi dernier vers quatre heures, comme nous l'avions promis à Harriett, j'avais mis dans la poche de mon veston le numéro du *Bleston Post,* que je venais d'acheter sur la place de l'Hôtel-de-Ville, au coin du Grand Hôtel, en allant chercher Lucien après avoir déjeuné pour la première fois depuis longtemps chez les Jenkins (comme ils étaient tendus, tous deux !), le numéro du *Bleston Post* sur lequel criait en manchette de ce titre, son titre repris, bafoué, falsifié, *Le Meurtre de Bleston,* qu'il a vu dès que nous sommes entrés, essayant de s'asseoir un peu, de se décoller un peu des oreillers pour le désigner du doigt, et commençant à rire de son rire de verre cassé qui s'est arrêté soudain, parce que visiblement cela lui faisait mal, se mettant à tousser péniblement presque comme un vieillard, puis retombant épuisé, assommé, geignant tout bas comme absent, avec un sourire de dégoût : *Le Meurtre de Bles-ton,* balançant la tête à droite et à gauche comme en proie à un cauchemar.

Tandis que Lucien cherchait l'infirmière, je suis resté à l'observer, guettant le moment où son regard retrouverait enfin le mien, où il redresserait la tête, où il me parlerait, où cet accès se calmerait, absorbé de plus en plus par le vol bourdonnant d'une grosse mouche qui venait d'entrer par la fenêtre grande ouverte donnant sur toute la verdure de Willow Park encombré de promeneurs.

Il faisait très beau pour ici, assez chaud, un peu lourd, et tous ces jours-ci, bien que les soirées se raccourcissent inexorablement, il a fait de plus en plus chaud, de plus en plus lourd ; l'air s'est épaissi, encrassé, jusqu'à se recouvrir de cette écume de plomb qui tombe en fines gouttelettes sur ma vitre, brouillant le paysage de Dew Street.

J'avais les yeux fixés sur cette grosse mouche qui décrivait des cercles de plus en plus étroits autour de la tête de George Burton, jusqu'à se poser sur les pansements blancs qui la ceignaient, puis s'est promenée sur son front, pompant de sa minuscule trompe les gouttes de sueur, une mouche velue et métallique, « blue bottle » comme on dit ici (il avait fermé les paupières ; de sa main valide, il faisait des gestes las pour la chasser), sans oser m'approcher, rien faire, soulagé lorsque j'ai entendu la porte s'ouvrir, et la voix de la femme qui entrait avec Lucien nous dire qu'il valait mieux le laisser maintenant, qu'il valait mieux revenir le lendemain quand il serait calme.

Dimanche, Harriett, assise sur la chaise blanche à son chevet, réussissait à rendre presque accueillante cette chambre nue qui sentait un peu l'éther malgré la fenêtre encore grande ouverte parce qu'il faisait, ce jour-là aussi, très beau pour ici, avec seulement quelques nuages blanchâtres et imprécis passant lentement devant le soleil brouillé.

L'air reposé, bien assis, appuyé sur ses oreillers relevés, sans faire la moindre allusion à notre malencontreuse visite de la veille, il a recommencé à nous parler avec sa gentillesse et son ironie d'antan ; mais il y avait une douceur inaccoutumée dans son ton, une douceur très surveillée, comme s'il avait su tous nos torts et qu'il nous les eût pardonnés, comme si quelque chose en lui murmurait inlassablement : « je ne vous en veux pas ; j'ai failli mourir, mais, comprenez-moi bien, je ne vous en veux nullement ; vous voyez : je vous traite de nouveau comme auparavant ».

Il nous a raconté sa propre version de l'« accident » (c'est bien le mot qu'il employait, mais évidemment tout ce qu'il nous en disait ne faisait que confirmer nos craintes, nier cet euphémisme), car il était faux qu'il n'en eût gardé aucun souvenir comme il l'avait déclaré à la Police, comme l'avaient répété les journaux, mais fidèle aux idées qu'il nous avait exposées sur les détectives il y a deux mois, il avait voulu conserver par devers lui quelque élément essentiel afin de se réserver la solution du problème, afin de pouvoir confondre, exécuter le criminel, non de ses propres mains, mais de sa propre voix, nous déclarant, pour nous sonder sans doute, pour voir jusqu'où nous serions capables de le suivre à demi-mot :

« On imagine, on imagine ; on donne corps à des balivernes ; on a l'imprudence de faire des livres ; on décrit angoisses et meurtres ; on amuse avec des cadavres, avec des rescapés aux morts les plus violentes ; et voilà que les choses arrivent, que la balle que l'on avait lancée comme par jeu, après avoir rebondi sur de multiples murs, revient vous frapper ; ce n'est très vraisemblablement qu'un accident sans doute, malgré tout le désir que j'aurais, vous le comprenez bien, de me trouver

mêlé pour une fois, comme un des personnages principaux, à une véritable « affaire » ; ce chauffeur avait un
peu trop bu, voilà tout ; c'était là ce qui expliquait ses
yeux fixes et hagards, cette rage que j'ai sentie se précipiter sur moi, ce visage que j'ai entrevu bien moins
d'une seconde, tellement crispé (était-ce par la terreur
même de cet accident dont il s'apercevait qu'il ne pourrait pas l'éviter, ou bien par la détermination et la haine
folle ?), tellement crispé que je ne saurais pas le reconnaître si je le rencontrais maintenant dans quelques circonstances normales ; il s'est échappé par panique ; il a
tout oublié peut-être déjà ; il est très probable qu'on ne
le retrouvera jamais avec sa Morris noire... »

Aucun journal n'avait précisé la marque de la voiture ; c'était là un indice complètement nouveau ; comment se fait-il d'ailleurs que lui seul ait pu la distinguer,
alors qu'il a disposé de bien moins de temps que les
autres témoins ?

Il est vrai que toute la scène a pu se graver dans sa
mémoire avec une exceptionnelle précision, mais la
vraie réponse ne serait-elle pas qu'il est sur la piste, qu'il
soupçonne quelqu'un dont il sait qu'il possède une
Morris noire ?

Ce qu'il faut absolument que je découvre, c'est si cet
ami du cousin des Bailey, dont je n'ai pas encore recherché le nom dans ces pages, est dans ce cas ; mais comment le leur demander sans éveiller tout de suite des
soupçons qui se révéleront peut-être absurdes, sans les
choquer, sans leur paraître ridicule ?

C'est pourquoi je n'ai pas voulu accompagner Lucien
qui allait les voir en sortant de l'hôpital ; je voulais réflé-
chir à tout cela ; j'ai marché longuement et j'ai fini par
me perdre dans les ruelles désolantes du onzième
jusqu'au moment où j'ai retrouvé la Slee nauséabonde.

« Car c'était une Morris noire ? », avais-je demandé
à George Burton qui m'avait répondu :

« Oh, naturellement, je n'en suis pas absolument certain. »

J'aurais bien voulu m'expliquer, m'excuser, tout lui avouer, que c'était bien moi qui l'avais trahi, que nous étions indignes de la confiance qu'il nous avait témoignée, que c'était bien moi qui l'avais livré, exposé à la mort en dévoilant aux sœurs Bailey le véritable nom de J. C. Hamilton pendant le dîner du dimanche 1er juin (et d'abord à James à la foire, la veille, dans le deuxième, tandis que nous examinions sur le comptoir du tir la photographie dont le négatif sali, rayé, inutilisable, gonfle à présent l'exemplaire du *Meurtre de Bleston* que j'ai sur le coin gauche de ma table avec mes autres documents), le véritable nom de J. C. Hamilton qu'il avait donc, si mes soupçons se justifient, de si fortes raisons de tenir caché.

Mais comment présenter les choses sans savoir ? Par où commencer dans cet amas de craintes et de présomptions pour ne pas provoquer de malentendu ? Comment ne pas paraître absurde si par hasard il n'était pas sur la même piste que moi, et si jamais celle-ci se révélait fausse, pourquoi risquer de l'égarer ? Comment enfin lui parler pour la première fois de Rose qu'il ne connaît pas, à qui je n'ai jamais fait la moindre allusion en sa présence, de Rose et d'Ann, du rôle que je présume qu'elles ont joué dans cette affaire, innocemment de toute façon, puisque je ne leur avais pas dit que c'était un secret, pas plus qu'à James, alors que je le sentais se fatiguer, alors que je sentais Harriett s'inquiéter ?

Bientôt, après quelques instants de silence, l'infirmière est entrée dans la chambre avec un sourire destiné à nous faire comprendre que notre visite était un peu longue.

Jeudi 24 juillet.

Je n'ai pas cessé de penser à James pendant tout ce temps, pendant que nous prenions congé, pendant que je leur promettais de revenir dimanche prochain à la même heure, seul parce que Lucien, qui doit quitter Bleston dans onze jours, sera de garde à son hôtel pour la dernière fois.

Il fait encore plus lourd qu'hier ; j'en viens à désirer la pluie ; mes mains collent sur mon papier, et ma chemise sur mon dos ; tandis que je rentrais ici, l'air épais était âcre de fumée rabattue comme si l'odeur des cendres de ce dépôt de pneus dans le premier arrondissement auprès du Stade, dont l'*Evening News* de ce soir, où il n'est déjà plus question de l'« accident » de George Burton, raconte l'incendie, me poursuivait.

Je n'ai pas cessé de penser à James pendant cette visite à l'hôpital, dimanche, à James et à sa mère (c'était comme si son fantôme était présent dans cette pièce, ses yeux fixés sur le chaton de sa bague), non seulement parce qu'il était question d'une Morris noire, mais à cause de cette mouche tourmentante de la veille, mais surtout parce que, pendant le déjeuner chez eux, le premier depuis bien longtemps, pendant ce repas de réconciliation si tendu, si pénible encore (elle faisait des efforts surhumains pour être aimable, et James, lui, se taisait le plus souvent, me regardait de temps en temps avec des yeux désolés comme s'il cherchait en moi un secours et un pardon), juste avant notre première visite manquée à l'hôpital, ils m'avaient demandé des nouvelles de George avec la plus étrange insistance.

C'était sans doute qu'ils avaient honte de m'avoir montré cette curieuse haine pour un homme maintenant malade ; c'était sans doute qu'ils avaient savouré l'annonce de l'« accident » comme celle de leur vengeance contre la brûlure que leur avaient infligée cer-

taines pages du *Meurtre de Bleston,* viol et défigura-
tion de ce qu'ils avaient de plus cher, plaie qui s'était
à peu près cicatrisée, mais que j'avais rouverte plus
profonde encore par ma maladresse, par mon indiscrétion, par ma trahison, et qu'ils avaient honte de
cette haine, honte de ce plaisir, honte devant moi, ami
de ce J. C. Hamilton, de ce qui est à l'origine de tout
cela, de leur attachement passionné pour la Nouvelle
Cathédrale, de leur intimité, de leur parenté avec elle,
qu'ils regrettent maintenant de m'avoir laissé découvrir, tandis qu'ils suivaient mes progrès avec bien-
veillance à la fin de l'automne, qu'ils s'amusaient des
ruses de ma curiosité, relâchant peu à peu leurs
défenses, parce que ma persévérance les honorait, pendant ces semaines de pluie et de brouillard, pendant
ces journées amputées et aveugles aux alentours de
Noël, comme ce quatrième samedi de décembre où,
après l'avoir emmené déjeuner à l'Oriental Pearl, je
m'étais arrêté avec James devant les porches, devant
les statues des Arts et Sciences, ruisselantes, l'observant m'observer, remarquant en passant : « Quelle
étonnante ressemblance ! », et l'entendant me répondre avant de me proposer d'aller nous sécher
devant un film de gangsters, un simple « n'est-ce pas »
sans questions ni commentaires, qui me prouvait qu'il
m'avait parfaitement compris, que j'étais sur la bonne
voie, qu'il encourageait mes recherches.

Je commençais, en cette obscure fin d'automne, à me
trouver chez moi dans cette chambre qui était déjà mon
refuge, avec cette table qui était déjà mon rempart
contre Bleston, cette table où je n'écrivais pas encore,
mais sur laquelle je pouvais déplier complètement, bien
à plat, le plan que je n'ai plus, le plan que j'ai détruit,
auquel je superposais déjà cet autre qu'aucun imprimeur n'a encore tiré, où les deux Cathédrales appa-
raissent comme les deux pôles d'un immense aimant

perturbant la trajectoire des corpuscules humains dans leur voisinage, à des degrés et dans des sens divers selon les métaux qui les constituent et les énergies dont ils sont chargés, ainsi d'une part James Jenkins et sa mère, et de l'autre ce J. C. Hamilton dont j'ignorais encore le véritable nom.

Je commençais à m'entendre fort bien, en cette obscure fin d'automne, avec la bonne madame Grosvenor à qui j'avais prêté *Le Meurtre de Bleston,* et qui, la période de méfiance étant passée, me tenait de longs discours que je comprenais chaque soir avec un peu moins de difficulté, qui m'a préparé, la nuit de Noël, comme elle était invitée chez une voisine, un petit réveillon pour moi seul (un verre de Sherry, un peu de pudding, une assiette de charcuterie) que j'ai découvert en rentrant après m'être promené pendant des heures sous la pluie, tandis que les cloches de la Nouvelle Cathédrale sonnaient à toute volée comme si elles me pourchassaient, entrant dans tous les édifices religieux que je rencontrais dans mon errance, sans faire attention à leur secte, entendant partout les mêmes cantiques, devinant partout, sous les visages apparemment heureux des fidèles, leurs crânes tristes et inquiets, sentant qu'il n'y avait partout que l'ombre d'une fête, le fantôme d'une fête morte, mais exclu par là de cette ombre même, de ce simulacre, bientôt ne pouvant plus supporter tous ces coups d'œil intrigués qui me signalaient comme un intrus et un danger, obligé, pour ne pas étouffer, de sortir, de retrouver les linceuls noirs de la pluie et le martèlement des cloches.

Le lendemain, le jour le plus obscur de toute l'année, madame Grosvenor recevait chez elle, et il m'avait bien fallu fuir, au risque de la froisser un peu, traînant solitaire dans quelques-unes des rues les plus sordides de Bleston, me faufilant comme un chat maigre sous la pluie qui ne s'est pas arrêtée une minute, le long des

maisons éclairées (ah, lumière du jour, qu'étais-tu devenue en ce temps-là ?) où les parents jouaient avec leurs
enfants, où les cadeaux venaient d'être distribués, où la
cire des petites bougies colorées dégoulinait lentement
le long des branches de sapin, apercevant de loin en
loin d'autres longueurs de murs, exclus comme moi de
toutes réjouissances, même des plus élémentaires,
puisque les pubs étaient fermés par arrêté jusqu'à huit
heures, avant de retourner enfin dans ce quartier pour
voir si Horace était chez lui, trouvant sa fenêtre obscure, montant pourtant, espérant qu'il était en train de
dormir comme cela lui arrive souvent le dimanche
après-midi, entendant les rires dans les chambres voisines, frappant et appelant en vain.

Vendredi 25 juillet.

Donc le jour de Noël, cet atroce jour de Noël (comment pourrais-je ne pas te haïr, Bleston ?), je suis rentré ici pour me changer parce que j'étais trempé, je suis
reparti par les rues jusqu'à la place de l'Hôtel-de-Ville,
je suis entré dans la boutique d'« Amusements » où je
l'ai vu, Horace Buck, l'œil au viseur de la grosse
mitrailleuse, s'acharnant à tirer sur les images d'avions
évoluant dans le ciel de verre peint au-dessus de l'image
d'une ville en flammes, et tout d'un coup secouer
l'appareil avec indignation (j'ai entendu un cliquetis de
mince ferraille), jeter un regard furtif à la vieille qui
remplaçait la caissière habituelle, me reconnaître soudain en éclatant de rire, puis me prenant par le bras
pour m'entraîner dehors.

Il me chuchotait sous la pluie : « Je crois que je l'ai
détraquée », lorsque de nouveau, des cloches se sont
mises à sonner ; alors, les poings fermés, les dents serrées, regardant de côté avec ses yeux jaunes de nègre,

il s'est mis à marmonner : « Leurs cloches, et leur père Noël, et tous les enfants de chœur qui chantent les yeux au ciel et les mains croisées sur la poitrine... », mais elles s'étaient déjà arrêtées ; ce n'étaient pas celles de la Nouvelle Cathédrale, ce n'étaient pas les véritables cloches de Bleston, c'étaient seulement celles du beffroi de l'Hôtel de Ville marquant sept heures, nous rappelant à notre faim.

Tous les restaurants de la place étaient fermés (c'était Noël), fermés aussi tous ceux près des deux Cathédrales (lueurs dans les verrières, quelque office, relents d'orgue, ruelles désertes, c'était Noël) ; je n'avais nulle envie de rentrer mendier un petit repas à madame Grosvenor qui m'avait proposé le matin de m'en préparer un et à qui j'avais dit que c'était inutile (à cette heure-là, elle devait d'ailleurs être chez des cousins, c'était Noël) aussi suis-je entré avec Horace dans le désordre de sa chambre, mais il n'y avait rien dans son placard (sur la table, trois cigarettes qu'il a mises dans sa poche avant d'éteindre), et nous sommes redescendus dans la pluie noire et très froide pour retourner à cette place de l'Hôtel-de-Ville que nous avions quittée un peu plus d'une heure auparavant (nous avions marché ; il n'y avait qu'un seul bus par demi-heure ; c'était Noël), où s'étaient allongées les files d'attente rampant par légers soubresauts à l'entrée des grands cinémas, où les pubs s'étant ouverts enfin, nous avons pu nous réconforter avec deux pintes de Guinness.

Puis, par City Street et Brown Street, nous avons marché jusqu'à Alexandra Place, parce que là, au moins, j'étais à peu près sûr que nous trouverions à manger au buffet de l'une des gares.

Nous avons monté la rampe de Hamilton Station ; nous sommes entrés dans le hall grouillant, dans son humidité, de tous les gens des environs venus passer la fin de la fête à Bleston et qui s'en retournaient chez

239

eux ; nous avons poussé la porte vitrée derrière laquelle non seulement toutes les tables étaient prises, mais de nombreux voyageurs attendaient, valises en tas, près de la cheminée où brûlait un peu de charbon, que quelque place soit libérée.

A neuf heures et demie, quand enfin ç'a été notre tour, quand enfin nous avons pu nous asseoir (nous avions pris du thé debout, nous nous étions séchés devant les braises), nous avons mangé très vite notre repas insuffisant, sentant les regards de ceux qui désiraient que nous ayons fini, et comme nous avions encore assez faim, et qu'il était évidemment impossible de recommencer à dîner ici, nous avons dévalé la rampe de Hamilton Station, nous avons traversé Brown Street, nous sommes montés jusqu'à New Station, mais, quand nous sommes arrivés dans le hall devant la porte vitrée du restaurant, nous avons vu que l'on faisait sortir les derniers clients, et la demoiselle, juste avant de fermer à clé, nous a déclaré qu'il était trop tard, car le dernier train, le nôtre sans doute, allait partir dans cinq minutes.

Aussi, toujours avec la même hâte, dans la pluie salissante et insidieuse, sur les trottoirs luisants et bourdonnants, nous sommes allés tenter notre dernière chance à la troisième pointe du triangle, Dudley Station, où nous n'avons pas eu trop de mal, où l'on nous a servis presque tout de suite ; mais quand nous sommes sortis enfin rassasiés, l'horloge marquait déjà plus de dix heures et demie, par conséquent tous les pubs étaient déjà fermés, et il n'y aurait pas de bus pour rentrer parce que, nous le savions bien, il avait été décidé (c'était Noël) qu'il n'y aurait pas du tout de service nocturne.

Nous avons traversé Alexandra Place, nous avons repris Brown Street puis City Street, nous nous sommes retrouvés encore une fois sur la place de l'Hôtel-de-

Ville où il n'y avait plus de files d'attente, plus personne, pas une voiture, où les enseignes des cinémas étaient éteintes, où l'on ne voyait plus rien que les halos des réverbères dans la pluie épaisse.

Nous avons longé les volets de bois du Prince's Restaurant, la grille du Gaiety, les vitrines de Grey's derrière leurs rideaux de fer à grosses mailles, dans l'obscurité desquelles se devinaient des formes de mannequins et d'arbres, luisaient des paillettes et de l'argenterie.

Nous nous sommes enfoncés dans Silver Street, ce qui n'était évidemment pas le chemin le plus court, mais Horace qui, dans la journée, aurait pu me conduire, était à demi endormi, zigzagant et marmonnant, se laissant guider comme un grand enfant, comme un ours brun, et je ne connaissais pas encore suffisamment ce quartier de Bleston pour m'y diriger autrement que par les grandes rues.

Il s'est arrêté tout d'un coup pour me dire que nous aurions dû passer la fête, puisqu'il y avait fête, à Plaisance Gardens, et puis qu'à la réflexion, non, c'était Noël, Plaisance Gardens avait sûrement été fermé toute la journée comme l'an dernier (les mots naissaient brumeux dans la lenteur de ses épaisses lèvres ; au-dessus de nous, la flamme blème du gaz sifflait au milieu de son essaim de pluie), mais que le 1er janvier, cela serait ouvert, et que nous devrions y aller.

Nous avons repris notre marche par Tower Street, puis Dew Street ; nous sommes arrivés devant cette maison, harassés et trempés, élaborant confusément un programme pour la nuit de la Saint-Sylvestre, nous mettant d'accord pour en passer la plus grande partie dans le cabaret de nègres près de New Station, où l'on pourrait boire et danser, me disait-il, si ça m'était égal de boire et de danser avec des salauds qui se moquaient de lui parce qu'il ne venait pas de la même région qu'eux, où l'on rencontrerait des filles, où il en trouverait peut-être une qui voudrait bien dans quelque temps venir habiter avec lui pour quelque temps.

Le lendemain, le mercredi 26 décembre, comme je déjeunais dans le restaurant de Grey Street, guettant l'arrivée d'Ann, je l'ai vue entrer en compagnie d'une jeune fille plus menue et plus jolie qu'elle, sa sœur évidemment, cette Rose à laquelle elle avait déjà fait allusion, qu'elle m'a présentée en s'asseyant à ma table, m'expliquant qu'étudiante, elle était en vacances, qu'elle avait passé la matinée à fureter dans les boutiques avant de venir la surprendre dans la papeterie, que je pouvais parler avec elle en français, car c'était sa principale matière d'étude à l'Université.

Pour la première fois depuis que j'étais à Bleston, j'avais l'occasion de m'entretenir avec quelqu'un dans ma propre langue ; comme j'étais reconnaissant à Ann de me permettre ce soulagement, de continuer à me sourire pendant tout ce dialogue auquel elle ne comprenait rien ! Car je ne savais encore que peu d'anglais, je ne comprenais ce qu'on me disait qu'au travers d'un brouillard, je sentais que chacune des syllabes que je prononçais sonnait faux, mes interlocuteurs avaient à passer sur mes fautes, à démêler mon intention au milieu du chaos de mes erreurs, car j'étais obligé, n'en possédant pas assez, de forcer perpétuellement le sens des mots pour me faire entendre, traduisant, toujours traduisant.

Immédiatement, j'ai cherché à renouveler ce bain de jouvence ; je leur ai proposé, aux deux sœurs, en deux langues, de les emmener à Plaisance Gardens le samedi suivant, pour y assister aux feux d'artifice.

Lorsque je suis rentré le soir ici, le lendemain de Noël, madame Grosvenor, en me demandant si je pouvais lui prêter un autre roman, m'a rendu *Le Meurtre*

de Bleston dont j'avais déjà parlé à Ann, que j'avais promis de lui passer dès que je le pourrais, que je lui ai
apporté le lendemain, cet exemplaire marqué de mon
nom, que par la suite j'ai cru perdu, que j'ai remplacé,
que je n'ai revu après cela que le dimanche 1er juin, cinq
mois plus tard.

5

Le soleil déjà rose teint ma chambre, éclaire ma table comme le soir où je me suis assis pour la première fois devant ces cinq cents feuilles de papier que j'avais achetées la veille à Ann Bailey, encore dans leur emballage dont j'ai déchiré les bandes collantes qui y étaient apposées comme des sceaux, le soir où j'ai tenu entre mes mains la première de ces pages blanches, dont j'ai regardé par transparence le filigrane de rayures, que j'ai remise à plat dans la lumière, et qui s'est mise à brûler dans mes yeux.

J'avais juste pris le temps de dîner, il était à peu près sept heures ; il est huit heures maintenant, je reviens du Théâtre des Nouvelles où j'ai vu un film sur les grands lacs canadiens, où passera lundi prochain, comme toutes les quatre semaines, un programme composé uniquement de dessins animés.

Le soleil la faisait brûler dans mes yeux, cette première page blanche, tandis que je faisais manœuvrer le petit levier de mon stylo pour m'assurer qu'il était rempli, laissant tomber une goutte d'encre dans le coin supérieur gauche, brûler tandis que j'inscrivais dans le coin supérieur droit le numéro « 1 », l'entourais d'une enceinte pour le protéger du désordre des phrases futures.

Car, pendant le mois de mai, ce qui est important, ce n'est pas seulement que j'aie eu ces conversations avec George Burton qui doit être rentré chez lui maintenant, ce qui est important pour expliquer ma conduite, c'est aussi que j'écrivais tous les soirs de la semaine et que par conséquent j'avais beaucoup moins de temps pour voir Ann et Rose, pour voir James Jenkins en dehors de chez Matthews and Sons, pour voir Lucien ou Horace.

Le soleil de plus en plus rouge éclaire encore le coin gauche de ma table, le soleil que, pendant tant de semaines obscures, tant de semaines d'épaisse pluie, de fausse neige sale, de brouillard gelé, nous n'avions pour ainsi dire jamais vu, qui de temps en temps seulement nous avait fait sentir sa lointaine présence dans une ouverture entre les nuages, un éclaircissement, une zone mangée de brume mais irradiant au milieu des masses plus sombres, le soleil qui enfin était réapparu comme un beau cercle pâle sur les taches de bleu lacté, de bleu lessive, qui parvenaient presque alors à se faire prendre pour le pur ciel, un beau cercle pâle passant derrière les fumées sans se déformer, atteignant soudain le bord d'un nuage et s'étendant alors en rayons qui se levaient ou s'abaissaient sous les doigts du vent comme les touches des claviers d'un orgue, permutaient, se superposaient, roulaient l'un devant l'autre comme des voilages, et puis s'atténuaient, s'évanouissaient (les lèvres d'où s'étaient évadés ces lés de chants se fermaient brusquement comme des cisailles), le soleil qui avait enfin réussi à faire descendre pour quelques instants, à la fin de cette matinée du 1er mai, jusque sur la table qui m'avait été assignée depuis le premier jour chez Matthews and Sons, une tache de lumière rongeant les caractères dactylographiés sur la feuille que je tenais entre les mains, de telle sorte que chacun me semblait entouré de minuscules flammes très blanches sans fumée, qui ne communiquaient au papier aucune chaleur, mais qui me brûlaient l'intérieur des yeux à tel point qu'il m'a fallu les fermer pour les rafraîchir, les caractères dactylographiés qui, dans l'ombre de mes paupières, étaient toujours ardents, non plus entourés par les flammes, mais dessinés par elles et se détachant sur un fond de noirceur violette, comme la dernière lettre de l'inscription « Mané, Thecel, Pharès » dans le fragment du vitrail de Babylone de l'Ancienne Cathédrale, le soleil qui disparaît maintenant derrière les cheminées des petites maisons de Copper Street.

J'ai devant les yeux cette première page datée du jeudi 1er mai, que j'ai écrite tout entière à la lumière de ce jour finissant, voici trois mois, cette page qui se trouvait tout en bas de la pile qui s'est amassée lentement devant moi depuis ce temps-là, et qui va s'accroître dans quelques instants de cette autre page que je raye de mots maintenant ; et je déchiffre cette phrase que j'ai tracée en commençant : « Les lueurs se sont multipliées », dont les caractères se sont mis à brûler dans mes yeux quand je les ai fermés, s'inscrivant en flammes vertes sur fond rouge sombre, cette phrase dont j'ai retrouvé les cendres sur cette page quand j'ai rouvert mes paupières, ces cendres que je retrouve maintenant.

Le soleil avait quitté ma table ; il s'était enfoncé derrière les cheminées de la maison qui est à l'angle de Dew Street, et j'ai écrit cette seconde phrase : « C'est à ce moment que je suis entré, que commence mon séjour dans cette ville, cette année dont plus de la moitié s'est écoulée », m'enfonçant de plus en plus dans ce mois d'octobre, dans cette première nuit, « lorsque peu à peu, je me suis dégagé de ma somnolence, dans ce coin de compartiment où j'étais seul face à la marche », comme je m'y enfonce de nouveau en la lisant et la copiant, comme je m'y réveille de nouveau « près de la vitre noire couverte à l'extérieur de gouttes de pluie ».

Le cordon de phrases qui se love dans cette pile et qui me relie directement à ce moment du 1er mai où j'ai commencé à le tresser, ce cordon de phrases est un fil d'Ariane parce que je suis dans un labyrinthe, parce que j'écris pour m'y retrouver, toutes ces lignes étant les marques dont je jalonne les trajets déjà reconnus, le labyrinthe de mes jours à Bleston, incomparablement plus déroutant que le palais de Crète, puisqu'il s'augmente à mesure que je le parcoure, puisqu'il se déforme à mesure que je l'explore.

Cette page datée du 1er mai, je vais la remettre à sa place sous la pile de celles qui l'ont suivie, sur cette table couverte des mêmes objets que ce 1er mai, des mêmes documents sur le coin gauche, du même exemplaire du plan de la ville, neuf ce jour-là, que je venais de racheter quelques jours auparavant à Ann Bailey, du même exemplaire du *Meurtre de Bleston,* du schéma des lignes des bus, du guide et de la notice illustrée de la Nouvelle Cathédrale.

Le lendemain, j'ai continué, puis peu à peu presque tous les soirs de semaine depuis, m'enfermant dans cette recherche que je ne prévoyais, certes, ni si lente ni si dure, m'imaginant alors qu'à la fin du mois de juillet j'aurais depuis longtemps terminé non seulement mon récit de l'automne, mais celui de l'hiver et du printemps jusqu'à la fin d'avril ; et le surlendemain, le samedi, je me suis retrouvé solitaire comme en ces premiers jours d'octobre que j'allais décrire, parce que Lucien était de garde à son hôtel comme il l'était hier et avant-hier pour la dernière fois, puisqu'il quitte Bleston dimanche, solitaire tournant dans Alexandra Place, errant de gare en gare, déjeunant au buffet de Hamilton Station, buvant pinte sur pinte, puis longeant la Slee jusqu'au soir pluvieux.

Mardi 29 juillet.

Je ne me doutais pas alors que tant de choses vien-draient se mettre au travers de mon entreprise, que les énigmes et les obscurités allaient se compliquer, se mul-tiplier, s'épaissir, que j'allais me trouver mêlé de façon si intime à une tentative de meurtre sur la personne de George Burton, à propos de laquelle depuis une semaine mon enquête n'a pas avancé d'un seul pas, puisque, plongé dans l'écriture, ballotté d'un souci à l'autre, ignorant comment m'y prendre, je ne suis pas encore allé à la recherche de cet ami du cousin des Bai-ley, de ce Richard Tenn que j'ai tant de raisons de soup-çonner et dont j'ai retrouvé le nom dans ces pages, mon enquête n'a pas avancé d'un seul pas, puisqu'avant-hier après-midi, quand je suis arrivé à l'hôpital, j'ai trouvé dans la chambre des gens que je ne connaissais pas, ce qui a rendu la conversation assez difficile, d'autant plus qu'ils parlaient fort vite, que je n'étais pas habitué à leur accent, et qu'ils ne faisaient aucun effort pour m'aider à les comprendre, de telle sorte que je me suis retiré après quelques...

Mercredi 30 juillet.

Ils sont venus hier soir tous les deux, Rose et Lucien ; j'avais commencé à écrire lorsque j'ai entendu frapper.

Ils avaient l'air tellement heureux tous les deux ; elle était tellement en beauté avec son chapeau de toile blanche, cette Rose que j'ai laissée échapper, cette Rose que je n'ai pas su aimer, que je n'ai pas eu le courage d'arracher à Bleston, cette Rose dont je me suis tant protégé, que j'évitais ces derniers temps, à laquelle je ne me serais jamais cru si attaché, que je lui ai moi-même jeté dans les bras par mon silence, par mon aveuglement, parce que je m'enfermais dans cette chambre, sans me douter que cela pourrait aller si loin, sans m'apercevoir que cela devenait si sérieux, parce que je n'aurais pas cru cela possible.

Ils avaient l'air tellement heureux tous les deux ; ils s'amusaient de ma surprise, alors que moi, je n'aurais jamais cru cela de moi, j'étais obligé de serrer les poings pour ne pas éclater en larmes et en fureur.

Dès que je les ai vus, avant même qu'ils aient ouvert la bouche, qu'elle ait prononcé avec ce si doux, ce si franc sourire, cet atroce mot « fiançailles », ces atroces phrases : « Vous êtes notre meilleur ami ; nous avons voulu que vous fussiez prévenu le premier », ces phrases mêmes, en français, avec cette grammaire presque trop correcte, avec ce délicieux accent humide et un peu tremblant, « d'ailleurs tout ceci est votre œuvre », j'ai compris de quoi il s'agissait, rien qu'à leur air, je me suis senti tout d'un coup dévoré de flammes, vacillant comme si le sol venait de s'ouvrir, perdant ma respiration comme si je m'étais trouvé enveloppé dans un tourbillon de vent, mon cœur devenant dur, comme se calcinant.

J'avais l'impression que du même coup toutes ces pages venaient de tomber en poussière.

À quoi bon maintenant continuer cet immense, cet absurde effort pour y voir clair, qui ne m'a servi qu'à mieux me perdre ? À quoi bon continuer ce vain, ce dangereux travail de fouille et de jalonnage, essayer de renouer ce fil qui s'est rompu ? À quoi bon retrouver la fin de décembre, me replonger dans ces courtes journées de solitude et de brouillard, dans ces interminables nuits ? À quoi bon aviver mes brûlures en pensant à ce soir où j'ai emmené Rose, ma Rose, qui aurait dû être ma Rose, dont j'aurais pu faire ma Rose, qui ne m'a même pas trahi parce que je ne me suis même pas déclaré, Rose que j'ai perdue par cécité, par peur, par haine de cette ville dont j'essayais d'exorciser les sinistres envoûtements, Rose que j'ai manquée à cause de l'horrible pouvoir de Bleston, de ses basses fumées insidieuses et endormeuses, des âcres relents de ces incendies sombres et sournois qui se succèdent ?

Hier encore, dans le deuxième, brûlait un dépôt de pétrole auprès du terrain vague où se trouvait la foire au mois de mai avec son tir photographique.

A quoi bon retrouver ce soir de la fin de décembre où je l'avais amenée, Rose (ah, je ne puis écrire son nom sans que ma gorge se resserre ! Je désire la voir heureuse, je n'en veux pas à Lucien, je ne peux pas troubler leur joie, mais que j'ai hâte qu'il soit parti !), à Plaisance Gardens voir les feux d'artifice des fêtes, en compagnie de sa sœur Ann qui était à ma droite sur les gradins, qui avait mis sa main autour de mon poignet, et qui la serrait, faisant rentrer ses ongles dans ma peau, à chacune des explosions qui embrasaient cette fausse ville dans la brume ?

On entendait de temps en temps les hurlements des animaux dans la section zoologique.

A quoi bon retrouver ce bistrot de nègres, où Horace Buck m'a conduit le dernier soir de l'année, où j'ai bu avec lui comme jamais je n'avais bu à Bleston, comme jamais je n'ai bu depuis, où il a rencontré la fille avec laquelle il partage sa chambre pour le moment, à quoi bon ?

J'ai envie de boire ; il n'est pas encore dix heures et demie ; je puis aller boire.

IV

LES DEUX SŒURS

1

Je m'y remets ; je reprends mes habitudes ; c'est la seule issue.

Au sortir de chez Matthews and Sons, je suis allé au Théâtre des Nouvelles où passait, comme toutes les quatre semaines, un spectacle entièrement composé de dessins animés.

De nouveau, je suis seul à Bleston, seul de ma race et seul de ma langue, car s'il est bien probable qu'il y a d'autres Français que moi dans cette ville, seuls dans leurs chambres, et qui s'efforcent de s'y retrouver, qui passent par la place de l'Hôtel-de-Ville aux heures d'affluence, et qui vont toutes les semaines au Théâtre des Nouvelles, ils n'ont pas su me distinguer, je n'ai pas su les distinguer.

Je n'avais rencontré, reconnu parmi eux, que ce Lucien qui m'a privé de Rose, qui a fini son temps, qui est parti hier, heureusement pour moi, pour lui, pour Rose, parce que je n'aurais pas pu continuer bien long-temps à jouer le personnage d'ami fidèle, dévoré que je suis par cette atroce, absurde jalousie, parce que je sen-tais mon masque à chaque instant près de craquer, des paroles de haine s'accumuler dans mon cœur, prêtes à rompre tous les barrages que je m'efforçais de leur opposer, parce que je parvenais à grand-peine à tenir caché le désir ignoble que j'avais de les séparer, de détruire cette confiance naïve qu'ils ont l'un dans l'autre, ce bonheur d'où je suis exclu, ce bonheur bâti sur mon mal, sur mon aveuglement et ma folie.

Il est parti hier enfin, comme je partirai dans deux mois (je commence à apercevoir, à travers huit semaines encore, l'orée de mon exil) ; je l'ai accompagné à Hamilton Station avec Rose.

Ah, leurs larmes, que je les enviais de pouvoir les répandre ainsi ! Les miennes, toutes chargées de suie, de rouille et d'acide, j'étais obligé de les retenir.

Rose, comme j'aurais voulu ne pas la regarder, comme elle semblait étrangère à cette ville soudain, sauvée !

Je ne l'ai pas vraiment aimée, je n'ai pas su vraiment l'aimer, je me défendais de l'aimer, quel droit aurais-je donc sur elle ? Il n'y a que cette souffrance...

Je l'ai accompagné jusqu'à son train avec Rose qu'il m'a fallu ramener jusqu'à All Saints, jusqu'à sa porte, en la consolant alors qu'elle était si heureuse, en lui parlant de Lucien, en lui disant du bien de Lucien alors que ma gorge se serrait chaque fois que je prononçais ce nom, avec Rose qui m'a demandé d'entrer avec elle, de dîner avec elle, ce qui était vraiment au-dessus de mes forces, de telle sorte que, malgré la distance, afin de calmer mes nerfs, d'épuiser cette horde de murmures qui grouillait en moi, je suis rentré à pied jusqu'ici, traversant les quartiers miséreux que possède l'Université dans le sixième, à l'orient des ponts de chemins de fer sur lesquels venait de passer le train qui emportait Lucien.

Après avoir frôlé les porches de la Nouvelle Cathédrale, je me suis enfoncé par un itinéraire zigzagant dans le vieux Bleston, parce que je savais que j'y trouverais un salon de thé, tandis que le ciel devenait vert au-dessus des trois tours de style perpendiculaire tardif, et de l'enseigne éteinte de l'Oriental Bamboo, tandis que le crépuscule s'assombrissait lentement, plus lentement encore que ce soir, si lentement que lorsque je suis rentré ici, je me suis déshabillé sans avoir allumé, dans la luisance neptunienne de la fenêtre.

Puis, ne pouvant dormir, je me suis relevé pour tourner l'interrupteur, pour reprendre la pile de pages sur cette table, et pour en poursuivre presque toute la nuit la lecture que j'avais commencée jeudi soir.

C'est pourquoi je ressens des crampes ; c'est pourquoi j'ai du mal à tenir mes yeux ouverts ; c'est pourquoi je parviens à peine à former mes lettres.

J'en étais au lundi 2 juin, au récit de cette conversation que j'avais eue la veille chez les Bailey à propos du *Meurtre de Bleston* en l'absence de Lucien, une absence qui n'était pas du tout la même que celle qui a commencé hier, puisqu'il était toujours à Bleston, à son hôtel, puisqu'on pouvait aller le voir le lendemain ou le surlendemain, quand on voudrait, puisqu'on était sûr que lui reviendrait frapper à votre porte, tandis que maintenant il continue à s'éloigner, heureusement pour lui, heureusement pour moi ; maintenant je n'ai plus à craindre de le rencontrer.

J'en étais au récit de cette conversation dans laquelle nul n'a prononcé son nom, n'a demandé de ses nouvelles, mais où pourtant il occupait l'esprit de tous, sans que je m'en rendisse alors compte, l'esprit de madame Bailey qui se méfiait de lui, je le savais, et qu'il n'a pu convaincre que lentement, qui leur a donné son accord, à lui et à Rose, mais qui doit être heureuse elle aussi qu'il soit parti, prudente, désirant que cet amour, malgré tout si soudain, s'éprouve dans l'éloignement, l'esprit de madame Bailey et celui d'Ann qu'il intéressait de plus en plus depuis qu'elle sentait que je m'étais

détaché d'elle, l'esprit d'Ann et celui de Rose surtout
que je me défendais d'aimer, mais que je voulais pourtant séduire.

A cause de cette insomnie dont je subis la fatigue ce
soir, à cause de l'agitation de mon âme, à cause de la
solitude dans laquelle ce départ me laissait, bien plus
profonde que j'aurais pu me l'imaginer ne serait-ce que
huit jours auparavant, j'ai repris dans la nuit d'hier la
lecture de ce texte déjà considérable que j'ai recommencé ce soir à augmenter, je l'ai reprise au récit de
cette conversation du dimanche 1er juin chez les Bailey,
qui est très vraisemblablement à l'origine de la tentative de meurtre contre George William Burton, conversation au cours de laquelle j'ai livré une seconde fois,
pourtant bien prévenu de la gravité de mon acte, le véritable nom de J. C. Hamilton, ce nom crié depuis à tous
les carrefours de Bleston.

Tout cela m'a rendu aveugle, et Rose et Lucien se
sont rapprochés hors de moi.

J'ai donc lu dans la nuit d'hier ce récit que j'ai écrit
moi-même, mais qui m'apparaissait de plus en plus
comme l'œuvre scrupuleuse d'un autre à qui je n'aurais
su confier qu'une partie de mes secrets, par manque de
temps, par incapacité de distinguer encore tout ce qui
était important, et aussi, je dois l'avouer, par le désir de
le tromper, cet autre, de me tromper moi-même.

Car si je retrouvais dans ces pages quantité de détails
que j'avais oubliés ou déformés, il n'en est pas moins
vrai que je possédais encore, que je possède toujours à
ce sujet un certain nombre de renseignements que je
n'y avais point notés, sans doute pour la plupart parce
qu'ils se tenaient alors dans l'ombre, et que ce sont les
événements qui ont suivi qui les en ont arrachés.

Ce sentiment d'insuffisance m'est devenu presque
intolérable lorsque j'en suis arrivé dans ma lecture nocturne aux événements du début de novembre, à ma

seconde visite dans l'Ancienne Cathédrale, parce que cette scène est intimement liée à la conversation chez les Bailey par une autre qui s'est déroulée également le dimanche 1er juin, dans l'après-midi, et que j'avais totalement négligé de raconter, bien qu'elle explique en partie ma conduite de la soirée, peut-être à cause de cela même.

Mardi 5 août.

Il est indispensable que je rétablisse cette cheville, et puisque le souvenir m'en est revenu si précis, il faut que je le fixe dès maintenant dans ces pages, avant qu'il s'efface et s'engloutisse de nouveau sous la pression d'autres vagues d'événements et de mémoire.

C'était donc quelques heures avant de me rendre chez les Bailey.

La veille au soir, j'étais allé à la foire avec James Jenkins dans le deuxième ; du haut de la grande roue, j'avais aperçu George Burton avec Harriett dans la foule ; puis, devant le stand du tir photographique, tandis que nous examinions l'épreuve qu'ils avaient négligé d'emporter, j'avais déjà livré son nom, le véritable nom de J. C. Hamilton.

Quelques jours auparavant, j'avais déjà retracé ma première visite à l'Ancienne Cathédrale, celle d'octobre, celle où je n'avais pas remarqué le Vitrail, celle au cours de laquelle j'étais monté dans la tour, après m'être étalé devant une jeune fille qui s'était enfuie.

Afin de pouvoir mieux retrouver, mieux décrire ma visite de novembre que j'avais l'intention de raconter dès le lundi, le lendemain, ne me doutant pas de tout ce qui allait arriver pendant ce dîner, j'étais retourné l'après-midi du 1er juin sur cette place où le rideau de fer de l'Oriental Bamboo était fermé comme tous les dimanches, cette place qui fut un parvis couvert d'une population hurlante, j'étais passé par le portail de gauche, entre les prophètes, par le petit vestibule noir qui sent si fortement la poussière et qui reste toujours humide, même les jours les plus cléments, j'avais fait grincer encore une fois la porte capitonnée de faux cuir.

Jamais je n'avais vu la nef si claire, la nef, dans cet instant silencieuse et déserte, où je suis resté longuement à tourner autour des piliers comme si j'attendais quelqu'un, le guide de Bleston à la main tel un livre de messe, avant d'aller m'asseoir sur un banc à la croisée du transept pour regarder l'image du fratricide dans laquelle le soleil donnait, pour regarder Caïn si fort dans sa cuirasse, et la tête d'Abel si blanche au milieu de sa flaque de sang, la tête d'Abel dont je cherchais en vain à élucider l'expression, en vain parce qu'il était beaucoup trop loin, ce petit morceau de verre, et pour une fois bien trop lumineux.

Mes yeux se fatiguaient dans cet effort, de telle sorte que bientôt les lignes de plomb se sont mises à trembler et à fondre, le sang rouge à couler comme une teinture épaisse depuis les blessures d'Abel jusqu'à la tunique rouge de Caïn dans le registre d'au-dessous, dans l'entrevue avec le Très-Haut, l'imposition du signe par la foudre sur le front.

Le sang rouge s'est mis à couler jusqu'en bas, comme une lente averse dans tout le ciel rouge de la cité, derrière les métiers de Yabal, derrière l'orchestre de Yubal, derrière la forge de Tubalcaïn, puis, débordant du Vitrail, à couler sur les murs et sur les dalles, même sur les bancs, même sur mes mains, surtout sur mes mains couvertes, teintes, imprégnées de cette épaisse couleur lumineuse, comme des mains de meurtrier, comme si j'étais condamné au meurtre, mes mains au centre de la flaque, mes mains au centre de la tache projetée par la scène d'en haut dans le silence.

Car j'étais seul, car l'orgue au-dessus de la barrière du chœur se taisait, car tout s'accomplissait dans le silence : le labourage, le fratricide, la construction ; les métiers tissaient en silence, les marteaux forgeaient en silence, les musiciens mimaient le bruit dans le silence, jusqu'au moment où m'est parvenu, au travers de toutes ces paroles prisonnières, de ce concert de coups, de cuivres et de plaintes, gelé dans cette fenêtre, m'est parvenu le raclement d'une voiture de police s'arrêtant brusquement, puis sa sirène comme elle repartait ; et certes, c'était bien là une part de ce qui devait passer par les ruelles de cette ville de verre sombre, que ce hurlement arraché.

Alors, je me suis levé, je suis allé regarder par la porte de la sacristie où il n'y avait qu'un autre ecclésiastique lisant son bréviaire, qui ne pouvait m'être d'aucun secours ; et quand je suis revenu à ma place (les taches de lumière s'étaient légèrement déplacées), j'ai ouvert le guide de Bleston, j'y ai relu la description du Vitrail ; à travers ces lignes imprimées, par leur insuffisance justement, par le sentiment de la différence qu'il y avait entre ce texte et l'entretien ancien en novembre, j'ai réussi à reconstituer celui-ci avec une assez grande précision.

Mais tandis que s'affermissait au cœur du printemps cette journée d'automne que je voulais décrire, une autre un peu plus ancienne encore émergeait, celle que j'avais déjà tirée de l'ombre quelques jours auparavant, celle de ma première visite en octobre, beaucoup plus sombre puisqu'il pleuvait, surtout cette scène sur les marches glissantes devant le portail de gauche, la sortie brusque de cette jeune fille devant laquelle j'étais ridiculement tombé, je m'étais ridiculement souillé, de cette jeune fille dont j'étais de plus en plus persuadé qu'elle était bien Rose Bailey ; et je craignais de plus en plus qu'elle n'ait gardé quelque trace de cette lamentable rencontre, qu'elle ne m'ait finalement identifié ne serait-ce que tout au fond d'elle-même, avec cet homme couvert de boue, immonde, pitoyable comme un épileptique dans sa transe, qui avait provoqué chez elle cette répulsion instinctive qui l'avait fait fuir, ce dont l'idée m'était intolérable, ce qu'il fallait à tout prix neutraliser par quelque action, quelque parole qui me donnât du prestige à ses yeux.

Aussi, dans la conversation, le soir, quand je l'ai vue si excitée à propos du roman de J. C. Hamilton, je n'ai pas pu laisser échapper cette occasion de briller devant elle, je me suis arrangé, je le vois bien maintenant, pour me faire extorquer mon secret ; et je savais bien que je risquais de mettre ainsi George William Burton en péril de mort (c'est pourquoi je n'ai pas pu faire autrement que noter dès le lendemain tout ce que j'avais dit), mais j'ai passé outre, je suis devenu meurtrier pour cette Rose que je ne voulais pas aimer, pour cette Rose qui m'est interdite, qui ne pense qu'à son Lucien, pour cette Rose que je n'ai pas su aimer à cause de cette ville de Bleston, à cause de ce combat que je mène contre elle, à cause de ce texte que je poursuis, de cette recherche qui m'épuise, dans laquelle je m'enferme, et qui a occupé presque toutes mes soirées depuis le début du mois de mai, depuis que j'ai déclaré la guerre à cette ville, depuis que j'ai décidé de me délivrer.

C'était à la fin d'avril ; Lucien hésitait encore entre les deux sœurs ; j'avais le champ libre, mais je n'ai pas su vouloir, trop asphyxié, trop enlisé, et puis tellement gêné envers Ann qui m'avait été si précieuse, à qui je m'étais presque déclaré, et dont je m'étais détourné sournoisement.

C'était à la fin d'avril, non le tout dernier jour, non ce mercredi 30, veille du 1er mai, où je me suis mis à raconter mon arrivée, non ce mercredi 30 où je suis allé à la papeterie Rand's pour acheter ces feuilles blanches que je continue à noircir.

Avec quelle insistance, Ann, derrière son comptoir, me regardait, intriguée par ce nouvel achat, attendant si visiblement quelque explication que je n'aurais pas pu lui donner de toute façon, parce que cela aurait été trop difficile alors, trop confus ! Mais elle a deviné mon trouble, elle est restée silencieuse, et j'ai pu me contenter de sourire.

C'était la veille de ce dernier jour d'avril, donc le mardi, lorsque je suis rentré ici et que j'ai vu la couverture toute neuve du plan de Bleston que j'avais racheté à Ann, le soir précédent, le lundi, sa couverture toute neuve sur cette table où se trouvaient déjà cet exemplaire du *Meurtre de Bleston,* ce guide, ce schéma des lignes de bus, cette notice illustrée de la Nouvelle Cathédrale, mais où manquaient encore ces deux piles de pages blanches ou griffonnées.

Alors m'est apparu tout ce qu'avait d'insensé mon geste du dimanche, l'incendie de mon ancien plan qu'il m'avait bien fallu remplacer.

Alors j'ai décidé d'écrire pour m'y retrouver, me guérir, pour éclaircir ce qui m'était arrivé dans cette ville haïe, pour résister à son envoûtement, pour me réveiller de cette somnolence qu'elle m'instillait avec toute sa pluie, avec toutes ses briques, avec tous ses enfants sales, tous ses quartiers déserts, avec sa Slee, avec ses gares, avec ses baraques et ses jardins, pour ne pas devenir semblable à tous ces sommeilleux que je frôlais, pour que la crasse de Bleston ne me teigne pas jusqu'au sang, jusqu'aux os, jusqu'aux cristallins de mes yeux ; j'ai décidé d'élever autour de moi ce rempart de lignes sur des feuilles blanches, sentant comme j'étais atteint déjà, comme je m'obscurcissais, combien j'avais déjà dû laisser pénétrer de vase dans mon crâne, pour en être arrivé à cette situation stupide et pour en éprouver tant de

trouble, sentant comme elle avait circonvenu ma dérisoire vigilance, Bleston, comme, en quelques mois
d'horribles caresses, elle avait rendu ma tête poreuse à
son venin de haine et de léthargie.

Mercredi 6 août.

C'était à la fin d'avril, le lundi, au sortir de chez Matthews and Sons, dans la papeterie de Tower Street où
Ann était seule quand je suis entré en compagnie de
James comme la première fois, comme en ce mois
d'octobre que j'ai commencé à raconter quelques jours
plus tard, tellement comme en ce mois d'octobre que,
lorsque je lui ai demandé un plan de Bleston, elle s'est
mise à rire, croyant que je plaisantais, que je mimais par
jeu d'amoureux notre rencontre, si bien qu'il m'a fallu
lui assurer que j'avais réellement besoin d'un nouveau
plan semblable à celui que j'avais acheté alors, six mois
auparavant, si bien qu'il m'a fallu mentir, puisque je ne
pouvais lui dire que j'avais brûlé volontairement
l'ancien, volontairement, mais dans ce que je considérais comme un acte de folie dont j'avais honte, que
j'aurais voulu oublier.

C'est aussi pour cela que j'ai menti ; ce n'était pas
seulement pour ne pas être ridicule, c'était pour essayer
d'embrouiller, de rayer cet événement dans ma propre
mémoire.

Mais, dès le lendemain, quand j'ai vu en rentrant chez
moi cette couverture si évidemment neuve, j'ai compris
qu'à cet égard tous mes efforts, tous mes mensonges
avaient été vains, puisque ce que j'avais à atténuer, à
camoufler, à recouvrir sous la trame du quotidien,
m'était renvoyé au visage dans son apparence d'absurdité, puisque ce nouveau plan que j'avais eu la chance
de trouver exactement semblable à ce qu'était l'autre

au moment où je l'avais acheté, un peu plus de six mois
auparavant, dans cette même papeterie Rand's, à cette
même Ann Bailey, en compagnie du même James Jenkins, ce nouveau plan dont j'avais espéré non seulement
qu'il remplacerait l'autre, mais qu'il le continuerait sans
faille apparente, qu'il serait le même pour moi, ce nouveau plan se montrait insolemment neuf, jamais déplié
pour ainsi dire, jamais trimballé évidemment dans des
poches d'imperméable trempé, ce nouveau plan, bien
loin de masquer la disparition de l'autre, la proclamait.

J'ai compris que cet acte accompli dans la nuit du
dernier dimanche d'avril, cet acte profondément dérai-
sonnable évidemment ne se laisserait pas noyer, ne se
laisserait pas éteindre, que le plan ancien brûlerait toujours au travers de l'autre, et que la démangeaison dure-
rait tant que je n'aurais pas éclairci un peu ce qui m'était
arrivé dans cette mauvaise ville, ce qui m'avait mené
jusqu'à cette mauvaise flamme, tant que je ne me serais
pas libéré de l'emprise, tant que je n'aurais pas secoué
le manteau de cendres qui s'était amassé sur ma vie,
tant que je n'aurais pas lavé cette pellicule de boue qui
se faisait passer pour ma peau, tant que je ne serais pas
remonté au jour.

J'ai menti à Ann dans la papeterie ; j'ai prétendu que
j'avais égaré l'ancien plan, ce qui n'était pas un bien
grave mensonge en apparence, mais ce qui me gênait
affreusement, parce qu'au travers de la fausseté propre
de ces quelques mots se démasquait pour moi la fausseté profonde de mon attitude envers elle.

C'était à la fin d'avril ; bien des choses avaient changé
entre nous trois depuis ce jour d'octobre où James, qui
ne la connaissait alors qu'à peine, m'avait mené dans sa
boutique et m'avait présenté à elle.

Je l'avais vue souvent ; je m'étais efforcé de lui plaire ;
elle m'était devenue au début de l'hiver presque nécessaire ; mais, depuis de nombreuses semaines déjà, ce

n'était plus à elle que je m'intéressais, mais à Rose ; depuis de nombreuses semaines déjà, j'essayais de me comporter avec elle comme si rien n'avait changé, c'est-à-dire, et c'est là qu'éclatait le mensonge, comme si rien n'avait eu lieu, comme si je n'avais jamais cherché d'elle d'autre regard que celui de l'amitié.

C'était à la fin d'avril, il y a un peu plus de trois mois ; c'était le dernier lundi d'avril ; j'achetais un plan de Bleston pour remplacer celui que j'avais brûlé la nuit précédente en grand secret, presque en grande cérémonie, dans un long, très long moment de déraison, le dernier dimanche d'avril.

J'avais quitté Lucien, le séducteur, Lucien Blaise, le fiancé maintenant, Lucien Blaise à qui je continuais à montrer méthodiquement cette ville, coin après coin, heureux de servir de guide là où j'avais si longtemps, si péniblement erré, le préservant, l'aidant, l'introduisant, préparant mon propre bafouement, Lucien Blaise avec qui je venais de m'ennuyer toute une après-midi à Plaisance Gardens, de m'ennuyer parce qu'il pleuvait, parce que nous avions beaucoup bu la veille chez les Burton, et que nous nous étions couchés tard ; j'avais quitté Lucien après avoir dîné avec lui dans le Town Hall Restaurant.

Le ciel s'était dégagé ; le crépuscule n'était pas encore terminé ; les gens faisaient la queue devant les cinémas, et les gouttes d'eau continuaient à tomber du bord de leurs imperméables.

Pris de l'envie de rentrer à pied par ces trottoirs cirés et éclaboussés comme des bottes, je me suis enfoncé dans Silver Street entre les vitrines de Grey's et de Philibert's dans lesquelles on devinait, derrière leurs grilles, des robes de printemps, des costumes de sport, parmi de grands bouquets de fleurs artificielles.

J'ai tourné dans une rue à droite, puis à gauche, puis à droite encore, continuant dans la direction des tours de l'Ancienne Cathédrale, qui venaient de m'apparaître lointaines à un détour, violacées sur le ciel verdâtre qui s'assombrissait, pour m'arrêter bientôt, désorienté, dans un carrefour étroit où je n'étais jamais venu (et pourtant c'était la région de la ville qui m'était la plus familière), le croisement de Sale Street et de Guard Street, désert, sur lequel la lune se levait, très vite interceptée par un nuage, sur lequel la nuit s'appesantissait, tandis que je commençais à sentir le froid gagner mes jambes et mon ventre, la fatigue s'abattre sur mon dos.

Je me suis dirigé vers la lumière d'un pub que j'apercevais assez loin parmi toutes ces fenêtres qui restaient obscures.

Je suis entré dans ce chaos de buée et de bulles, de vieilles femmes, de bribes de chansons marmonnées, de chapeaux imprégnés de suie.

Je me suis assis près d'une table ronde, couverte de flaques, sur laquelle j'ai déplié, après avoir bu pinte sur pinte, le plan de Bleston que j'avais dans la poche de mon imperméable, le dernier dimanche d'avril, le vieux plan de Bleston que j'avais acheté à Ann en octobre, sali, usé aux pliures, à certains endroits presque effacé, qui s'est imbibé de bière épaisse en grandes taches qui s'élargissaient, envahissant quartiers et quartiers, tandis que je repérais la rue où j'étais, Sale Street, nettement plus au sud que je ne me l'étais figuré, et donc le long trajet que j'aurais à faire pour rentrer ici, tandis que je sentais tous les regards furtivement m'examiner, avant de le replier, ce plan mouillé, l'essuyant rapidement avec mon mouchoir, pour le remettre dans ma poche à côté de mon portefeuille dans lequel je n'avais presque plus d'argent, juste de quoi reprendre encore un verre ; ce que j'ai fait.

Jeudi 7 août.

C'était à la fin d'avril, le dernier dimanche d'avril, tard dans la nuit noire, avec la pluie qui avait recommencé.

Je suis monté ici, me tenant à la rampe, et comme je trouvais la chambre très froide, j'ai allumé le radiateur à gaz dont les tubes ajourés de terre réfractaire se sont métamorphosés en un filet vivant de braises sous le chant flûté des flammes bleues.

Après avoir enlevé mes chaussures trempées et les avoir mises à sécher de chaque côté, je suis resté longuement accroupi, immobile, à me réchauffer, sans songer à me dévêtir, devant ce foyer rouge au milieu de l'obscurité ruisselante.

Je n'avais pas touché le bouton de la lampe ; je devinais l'ampoule au-dessus de moi par le reflet courbe qu'elle accrochait, et j'entendais, derrière mon dos, les innombrables, les inlassables menues gouttes s'écraser sur les vitres.

Puis j'ai pris le plan de Bleston que j'ai déplié, que j'ai tendu entre mes deux mains, qui s'est éclairé par transparence de telle sorte que je pouvais distinguer le tracé des rues principales et les monuments les plus importants à travers la vapeur qui s'en dégageait comme de mes vêtements, puis qui s'est obscurci par places, répandant une odeur de fumée (l'étoffe de mon pantalon à l'endroit des genoux était brûlante), qui s'est soudain ourlé de minces flammes en bas, s'agrandissant tout en montant, tout en couvrant et dévorant, tout en calcinant, tout en déchirant cet écran (l'haleine du gaz tout d'un coup m'a soufflé violemment au visage), tout en le déchirant en deux fragments se transformant en mince écaille noire se pulvérisant au moindre souffle (je regardais disparaître l'étoile à six branches qui représente la prison dans le neuvième), en mince écaille noire jusqu'aux deux coins que pressaient mes doigts, aux deux coins que j'ai mis dans mon cendrier en me relevant, sur un petit bûcher d'allumettes déjà utilisées, pour qu'ils soient brûlés eux aussi.

J'ai rêvé cette nuit du dernier dimanche d'avril, après avoir ainsi détruit l'image de cette ville, ce vieux plan que j'ai dû remplacer dès le lendemain, car je ne pouvais m'en passer pour m'y retrouver dans ses petites rues.

Après avoir éteint le radiateur à gaz, m'être dévêtu dans le noir hanté d'odeurs rousses, dans le noir où se détachaient à peine les trois carreaux de ma fenêtre battus de pluie, au-delà des barreaux de mon lit, dans le noir qui se refroidissait rapidement, j'ai rêvé que j'étais en train de dîner chez les Burton en compagnie de Lucien comme la veille au soir, que Doris apportait à chacun de nous pour dessert un exemplaire du *Meurtre de Bleston* trempé dans du rhum, et que George lui disait d'éteindre.

J'ai rêvé que sur chacune de nos assiettes, dans l'obscurité, les sept lettres du nom de Bleston devenaient lumineuses, que le rhum se mettait à flamber doucement, que l'incendie gagnait les lettres du nom de l'auteur, J. C. Hamilton, qui se sont dessinées en braise, chacun retenant sa respiration ; puis tout s'est effacé.

C'était la première fois, la veille, le dernier samedi d'avril, que j'emmenais Lucien dîner chez les Burton ; c'était la première fois qu'il voyait Harriett, et il craignait horriblement, dans cette salle à manger particulière bien meublée, de ne pas savoir se tenir, son métier lui faisant accorder aux questions d'étiquette une importance démesurée.

Il craignait ses impropriétés de langage, car il n'était à Bleston que depuis deux mois, et ne réussissait encore à s'exprimer couramment que dans un anglais assez populaire.

Mais s'il n'a pour ainsi dire pas prononcé une parole de tout le repas, c'est surtout à cause de la mise en scène que George avait préparée afin de nous troubler, George que nous sommes allés revoir samedi dernier dans son lit, en compagnie de Rose, c'est surtout à cause de ces deux exemplaires du *Meurtre de Bleston* dont nous ne savions pas encore qu'il était l'auteur, de ces deux exemplaires neufs disposés l'un à côté de l'autre sur la petite table, dans leur vestibule en face des porte-manteaux, pour que nous les apercevions dès notre entrée, et dont nous ne pouvions détacher nos regards pendant qu'il faisait les présentations, si bien que Harriett a demandé à Lucien :

« Vous l'avez lu, n'est-ce pas ? »

Et George a éclaté de rire (comme il jouissait de notre embarras !), en lui répondant pour nous :

« Mais naturellement ! Jacques le lui a passé. T'imaginais-tu, par hasard, que je ferais venir ici des illettrés ? »

A travers les classiques propos sur la cuisine française, et les lamentations sur les restaurants de la ville, à travers l'évocation de l'Oriental Bamboo où George nous avait rencontrés l'un et l'autre, nous avons louvoyé vers cette question qu'il nous avait forcé à nous poser, sans réussir à l'aborder de front, si habilement il esquivait toute insinuation trop précise, si promptement, si aisément.

« J. C. Hamilton, savez-vous qui c'est ?

— Je crois le savoir.

— Il doit très bien connaître Bleston.

— Il y a vécu un certain temps, c'est l'évidence.

— Pensez-vous qu'il ait écrit d'autres livres ?

— Ne sent-on pas là une main exercée ?

— Mais alors, pourquoi ce pseudonyme particulier pour celui-ci ?

— Sans doute il ne correspond pas aux mêmes pré-

occupations ; je gage que ce qu'il a écrit sous d'autres
noms est assez différent. »

Qu'il s'amusait alors, George William Burton, le
samedi 26 avril, George William Burton que quelques semaines plus tard nous avons forcé à l'aveu, que
nous avons trahi, qui a échappé de justesse à la mort,
qui est rentré de l'hôpital, que j'ai revu samedi dernier
dans cette même maison du sixième au coin de Green
Park Terrace et de Hatter Street, pâle convalescent
dans cette chambre au premier dont la fenêtre donne
sur les arbres aujourd'hui dans tout leur vert, cette
fenêtre qu'il avait fallu fermer à cause de la pluie défer-
lante, en cette horrible journée d'humiliation, de
rage, et de déchirant effort pour les masquer, cette
horrible journée du triomphe bien mérité de mon
rival !

Quelques instants seulement, heureusement, au
début de l'après-midi, ce samedi 2 août (ah ! cette fois,
c'est moi qui ne pouvais parler), je l'ai revu, George
William Burton, en compagnie de Lucien totalement
inconscient de l'orage qu'il avait déchaîné en moi, en
compagnie de Rose aussi, dont la seule approche ravi-
vait toutes ces larmes de braise acide dont je ne pouvais délivrer mes yeux, de Rose que Lucien avait
voulu lui présenter en lui disant au revoir, de Rose
qu'il avait invitée à midi dans la grande salle à manger de son hôtel, où il déjeunait lui-même pour la première fois, ne faisant déjà plus partie du personnel
puisque son stage était fini, de Rose avec qui il est
reparti à pied sous la pluie, par Hatter Street et Dig-
gers Street vers All Saints, pour aller aider aux prépa-
ratifs de la réception du soir, en l'enlaçant, la caressant, et l'embrassant.

Août, août

Vendredi 8 août.

Rose que j'ai retrouvée dans cette horrible lourde soirée de samedi (de nouveau s'amassait un orage), parmi
toutes sortes d'invités qui s'écrasaient dans le petit
living-room des Bailey tout décoré de fleurs blanches,
en robe longue de tulle mauve qui ne lui allait pas,
qu'elle avait manifestement empruntée pour l'occasion,
parce qu'elle n'avait pas eu le temps de s'en faire une,
Rose qui restait assise sur le bord de cette table couverte d'une nappe blanche, que l'on avait installée dans
un coin pour y disposer de gros gâteaux indigestes, qui
restait assise à plaisanter en français approximatif avec
ses camarades de l'Université, tandis que madame Bailey surveillait tout d'un œil sévère, ne quittant pas
Lucien d'une semelle, de peur qu'il ne laissât échapper
quelque fausse note, l'empêchant de parler, lui servant
d'interprète, tandis qu'Ann, avec un terne sourire
immobile, murmurant mécaniquement des noms auxquels je ne prêtais aucune attention, me présentait à ses
amis, aux personnes de la famille, me présentait à ce
cousin Henry dont il avait été question dans cette même
pièce pendant ce dîner du 1ᵉʳ juin dont j'allais lire le
compte rendu le lendemain (James Jenkins entrait à ce
moment avec sa mère, nous sommes allés ensemble les
saluer), me présentait enfin à ce Richard Tenn qui était
bien ce Tenn, T, E, deux N, dont la maison était décrite
dans *Le Meurtre de Bleston* m'a-t-elle expliqué (mais
certes je n'avais nullement envie de parler, dans cette
soirée de fiançailles, de George Burton et de son « accident »), ce Richard Tenn qui s'est montré assez aimable,
qui était allé à plusieurs reprises sur le continent, ce
Richard Tenn sur qui je désirais avoir plus de renseignements (c'est pourquoi, lorsque James et sa mère
m'ont proposé, avec leur gentillesse habituelle, malgré
l'énorme détour que cela faisait pour eux, de me rame-

270

ner chez moi dans la Morris noire de chez Matthews
and Sons, j'ai refusé), ce Richard Tenn que j'ai entendu
répondre à une dame que non, il n'avait pas sa voiture
aujourd'hui, qu'elle était en réparation, qu'elle ne serait
prête que dans quelques jours,

Rose qui m'a regardé de façon si touchante comme
si elle me comprenait, comme si elle regrettait quelque
chose (mais cette pitié, cette sympathie, n'entamaient
nullement sa joie), en me rappelant que j'étais invité
le lendemain, ce que j'aurais eu tendance à oublier en
effet, à déjeuner dans la grande salle à manger du
Grand Hôtel, comme je lui disais au revoir pour me
lancer à la poursuite de Richard Tenn qui venait de
sortir et que j'ai rattrapé à l'arrêt du bus 24 dans All
Saints Street, sous le pont de chemin de fer où passent les voies qui viennent de Hamilton Station, au
moment où il montait dans la voiture (le signal du
départ avait été donné, le contrôleur m'a aidé à me
hisser sur la plate-forme), ce Richard Tenn dont j'ai
repéré la nuque au-dessus de l'un des dossiers au premier étage (les premiers éclairs du nouvel orage défer-
laient, roses et sourds, dans la nuit brune), qui est descendu au terminus, place de l'Hôtel-de-Ville, où il a
repris le bus 27 dans lequel je l'ai suivi, le bus 27 qui
passe par Silver Street entre Grey's et Philibert's (dans
les vitrines obscures derrière les grilles, les mannequins
continuaient leur conversation immobile, assis sur des
fauteuils de jardin, les pieds dans le gravier), puis par
Tower Street devant chez Matthews and Sons, par
Chorley Street, tout près de chez Horace Buck, qui
traverse la Slee sur Brandy Bridge (les grosses gouttes
du nouvel orage commençaient à s'écraser sur les
vitres), puis longe le terrain vague du cinquième, où
se trouvait la foire au mois de juin, où j'ai découvert
au début du mois de juillet le négatif de la photographie des Burton, le terrain vague du cinquième de

l'autre côté duquel passent les voies de chemin de fer qui partent de Dudley Station, le terrain vague du cinquième, désert sous la pluie chaude et fumeuse (c'est tout près de là qu'a brûlé cette fabrique de meubles dont parle l'*Evening News* de ce soir), ce Richard Tenn qui a quitté le bus 27 tout près de Ferns Park, le terminus, dans ce quartier de petites maisons presque toutes semblables, Richard Tenn qui s'est mis à courir à cause de l'averse, qui a pris bientôt deux ou trois cents mètres d'avance sur moi, comme s'il me fuyait, qui est rentré chez lui en faisant claquer la barrière, je ne savais pas quelle barrière exactement, chez lui, dans l'une de ces trois maisons obscures (sa chambre doit donner sur l'autre côté, nulle fenêtre ne s'est allumée), ces trois maisons plus confortables avec garage, dans cette maison (laquelle des trois ?) dont l'intérieur est si exactement décrit, paraît-il, par J. C. Hamilton dans son livre, cette maison du meurtrier, dont je n'ai pu trouver le numéro, non loin du 216, dans Lichen Street,

Rose avec qui j'ai déjeuné le lendemain dans la grande salle à manger du Grand Hôtel, évidemment en compagnie de ce Lucien que tous les garçons félicitaient de son choix, de ce Lucien pour qui j'ai hélé un taxi, de ce Lucien pour qui j'ai acheté un billet Bleston-Londres tandis qu'ils s'embrassaient (le soleil donnait à travers la verrière fumée ; il y avait de minces rayons dans les jets de vapeur s'échappant des cylindres), de ce Lucien que nous avons installé dans son compartiment,

Rose qui restait près de moi, serrant son mouchoir dans sa main, regardant le train s'éloigner,

Rose que j'ai dû ramener chez elle sans pouvoir entrer,

Rose qui compte tant sur moi pour lui parler de Lucien, pour me parler de Lucien,

Rose qui a tellement changé depuis que je la connais, depuis les derniers jours de décembre, depuis le feu d'artifice à Plaisance Gardens, depuis ces repas de janvier au Sword, où elle était la seule dans toute la ville à me parler un peu français, depuis ce temps de grands brouillards jaunes où parfois on apercevait à peine sa propre main même à midi, qui a tellement changé depuis sept mois de nourriture et de croissance, sept mois d'études et de rencontres, sept mois de résistance dans cette ville, jusqu'à ce milieu de l'été, et en plus l'aventure de cet amour si soudain, si violent, si direct, de ces fiançailles avec un étranger, en plus mes regards, mes précautions, ma sournoise tendresse si surveillée,

Rose dont le corps s'est assuré, dont la voix, l'accent, la connaissance de notre langue, se sont épanouis, dont le visage s'est lavé, dont les cheveux se sont fleuris, dont les vêtements se sont accordés (sauf, cet horrible samedi, cette horrible robe empruntée), en ces sept mois qui ont passé sur Ann aussi, qui ont dû changer Ann aussi, mais beaucoup moins évidemment puisqu'elle est un peu plus âgée, qui l'ont laissée presque semblable à l'image qui me reste d'elle dans les premiers jours de janvier quand elle m'a donné au Sword le calendrier de la nouvelle année, me disant que je l'aurais quittée, que j'aurais quitté cette affreuse ville avant que ne fussent écoulés tous les jours qui y étaient inscrits, le calendrier que j'ai mis dans le guide de Bleston que j'ai acheté chez Baron's à cette époque, et qui y demeure comme signet à la page des tapisseries, Ann dont je me détournais déjà pour Rose, très lentement,

Rose qui aurait dû mieux me deviner, qui aurait dû me tendre un piège,

Rose à qui je dois renoncer complètement, c'est-à-dire dont je dois rester l'ami fidèle, patient, le consolateur, le gardien (ah ! du moins qu'elle ne vienne pas sonner ici trop tôt !), parce que je ne lui veux pas le moindre mal,

Rose, ma Perséphone, ma Phèdre, ma Rose qui s'est ouverte dans ce marais de paralysie et de gaz lourds, depuis le temps des grands brouillards, hélas non point ma Rose, mais seulement Rose, l'interdite Rose, la dérobée, la réservée, la vive, la simple, la tendre, la cruelle Rose.

2

J'ai profité de tout ce qui restait de jour pour terminer la lecture, commencée samedi, de ce que j'avais écrit
à cette table même, il y a deux mois, la deuxième
semaine de juin.

J'avais achevé avant-hier les pages datées du lundi et
du mardi, relatant ma conversation avec Lucien le soir
du 7, ici d'abord, puis dans le bus 33, puis au premier
étage de l'Oriental Bamboo, près d'une des fenêtres
qui donnent sur la façade de l'Ancienne Cathédrale,
avec Lucien déjà parti depuis huit jours maintenant,
notre conversation sur ma trahison, sur la façon dont
Lucien avait parfait ma trahison en désignant, à Rose
et Ann Bailey, George Burton dont je leur avais déjà
livré le nom, ce qui avait tellement troublé mon esprit
que moi qui faisais tout pour entrouvrir mes yeux et les
dégager des brumes et de la vase de Bleston qui les cou-
vraient et les contaminaient, je devenais encore plus
aveugle.

Je suis devenu encore plus aveugle surtout depuis
le jour de l'« accident » dans Brown Street, que je
croyais le résultat direct de ces imprudences, de
ces indélicatesses, m'imaginant que le coupable était

cet ami de leur cousin, dont la maison ressemble tellement, paraît-il, à celle des deux frères Winn dans le
roman, cette maison où je ne suis jamais entré, m'imaginant que le coupable était ce Richard Tenn furieux
d'être démasqué, lorsque, vraisemblablement, cette tra-
hison-là, celle du dimanche 1er juin chez les Bailey,
n'aura été néfaste que pour moi, tandis que c'est
l'autre, celle de la veille, du dernier soir de mai à la
foire dans le deuxième, devant le stand du tir photographique... Mais comment croire que James, le doux
James... ?

Elle n'aura été néfaste que pour moi, cette trahison
du dimanche, puisque la Morris de ce Richard Tenn, je
m'en suis aperçu hier soir, n'est pas noire, mais grise,
assez clair, de telle sorte qu'il est vraiment très difficile
que ce soit elle, que ce soit lui qui ait renversé George,
dans Brown Street, étant donné que, s'il est un point
sur lequel les témoins s'accordent, c'est bien sur cette
couleur noire.

Donc ce soir, après avoir vu au Théâtre des Nouvelles le documentaire sur San-Francisco, après avoir
dîné à l'Oriental Rose, revenu ici, à cette table, j'ai continué à lire ces phrases datées de la deuxième semaine
du mois de juin, qui enfoncent brusquement leurs
pinces dans novembre après avoir quitté cette conversation du samedi avec Lucien, sans qu'il soit question
du dimanche 8, de cette autre conversation le
dimanche 8 avec James Jenkins cette fois, qui n'était
déjà plus du tout le même envers moi, dans le Musée
cette fois, à propos des tapisseries, qui m'est revenue
en mémoire au travers de cette lecture, à cause de
l'influence évidente qu'elle a eue sur la rédaction de
mon texte, sur la façon dont je suis passé du dernier
dîner dans ce restaurant chinois au premier, sept mois
auparavant, par l'intermédiaire de ce personnage
inchangé, de ce garçon jaune, petit, un peu gras, avec

ce même air, avec ce même dessin de lèvres qui était peut-être un sourire.

J'ai profité de tout ce qui restait de jour pour lire les pages concernant ce dîner à l'Oriental Bamboo avec James, il y a neuf mois, où il avait déjà été question de J. C. Hamilton et de son livre, les pages concernant le « Guy Fawke's Day », concernant l'étrange attitude de madame Jenkins lorsqu'il avait été question de la Nouvelle Cathédrale, et concernant enfin ma seconde rencontre avec Horace Buck, toutes ces pages que j'avais rayées de lignes pendant la deuxième semaine du mois de juin, puis je me suis levé pour allumer la lampe, car la nuit, très noire maintenant, la nuit, chaque soir plus pressée, était déjà presque tombée, et c'est alors, alors seulement, que je me suis mis à écrire.

Mardi 12 août.

L'après-midi du dimanche 1er juin, préparant le récit de ma rencontre avec le Vitrail du Meurtrier en novembre, j'étais allé revoir l'Ancienne Cathédrale, mais après avoir transcrit le lendemain et le surlendemain cette conversation chez les Bailey où, pour la seconde fois en deux jours, j'avais livré le nom de J. C. Hamilton, quand j'ai repris le cours des événements de l'automne après cette première interruption, je me suis souvenu que c'était avant d'aller constater l'existence de cette verrière dont il était question dans la première phrase du *Meurtre de Bleston* que j'étais entré pour la première fois dans le Musée, que, pour la première fois, je m'étais trouvé en face des tapisseries Harrey la veille, en attendant que le photographe eût développé ces petits portraits de moi-même dont la Police avait besoin pour m'enregistrer, et dont je possède encore un exemplaire, collé, tamponné sur la

carte d'identité d'étranger que l'on m'a remise ce jour-
là.

C'est l'effort dont j'ai eu besoin pour raconter cette
visite qui m'a donné grande envie d'interroger de nouveau ces fastueux panneaux de laine que j'étais pourtant allé revoir il n'y avait pas si longtemps, à peine un
mois auparavant, le dimanche 11 mai, en compagnie de
Lucien, avant de nous rendre pour l'heure du thé chez
les Burton, grande envie qu'il ne m'a pas été possible
de satisfaire le samedi 7 juin, parce que je voulais rentrer ici au plus tôt pour en finir avec le texte de la
semaine en train, avec le discours de l'ecclésiastique
dans l'Ancienne Cathédrale au sujet du Vitrail de Caïn,
grande envie qui s'est trouvée là fort à propos le
dimanche parce que, James et moi, au restaurant Bombay dans City Street, nous ne savions quoi nous dire,
nous ne voulions pas parler de la foire, ni du *Meurtre
de Bleston,* ni de la Nouvelle Cathédrale, de tous ces
sujets qui nous hantaient tous deux, de tous ces sujets
qui nous éloignaient si péniblement l'un de l'autre, de
telle sorte que ç'a été presque un soulagement pour lui
quand je lui ai demandé si cela ne l'ennuierait pas trop
de m'accompagner au Musée tout proche (il pleuvait),
au Musée qu'il connaissait déjà bien sûr, mais qu'il
n'avait pas revu depuis longtemps, m'a-t-il dit, au
Musée où il m'a surpris encore une fois par sa péné-
tration, me faisant remarquer un aspect essentiel des
tapisseries auquel je n'avais pas pris garde, à savoir
qu'elles ne sont pas des instantanés mais qu'elles repré-
sentent presque toutes des actions qui durent un certain temps, ce qui s'exprime par le fait que l'on peut
voir, réunies dans la composition d'un seul panneau,
plusieurs scènes en succession, le même personnage
apparaissant ainsi deux fois, trois fois dans le
numéro 15, la descente aux enfers (Thésée et Pirithoüs
à gauche, devant la faille qui mène au monde souter-

rain, Thésée et Pirithoüs au centre, escaladant les
marches du trône pour en arracher Perséphone, et les
mêmes Thésée et Pirithoüs à droite enfin, dans la cave
de cette cave, immobilisés par des fers), des actions qui
durent un certain temps, ce qui s'exprime de façon
encore plus frappante par le fait qu'une même figure
peut y participer à des événements parfois évidemment
séparés par plusieurs années, comme dans le numéro 1,
« l'Enfance de Thésée », tableau qui jusqu'alors m'avait
semblé le plus obscur

(à gauche, au milieu de cette place que l'on retrouve,
élargie, au numéro 6, « Thésée reconnu par son père »,
7, « Thésée abat les Pallantides », et 14, « Thésée roi
d'Athènes »,

à gauche sur le trône est assis Egée auprès de qui
Médée debout chasse du geste une femme qui fuit en
courant, un sein découvert, un voile sur le visage,
cachant presque entièrement sa petite couronne, qui
fuit vers un vieillard assis à droite dans une grotte, à
qui elle va confier le nourrisson qu'elle porte sur un
bras, tandis que de sa main libre elle tire une longue
ceinture dont une extrémité touche encore l'un des
pieds du roi, un vieillard à droite qui ne la regarde
pas, qui a les yeux tournés vers un Thésée adolescent
lequel semble prêt à partir, semble leur dire adieu à
tous les deux, à ce vieillard et à cette femme, les remercier, en commençant à s'entourer la taille de cette
longue ceinture qu'elle apporte, à laquelle est accro-
ché le poignard qu'il ne quittera plus désormais, le poignard avec lequel il tuera Sinnis, Sciron, Cercyon, Procruste, les Pallantides, et le Minotaure, le poignard
brillant, très orné, très reconnaissable, qu'Egée, dans
le numéro 6, désignera avec un tel étonnement, certain désormais que ce jeune étranger à qui il voulait
faire boire, selon les conseils de Médée, le poison
qu'apporte une vieille, c'est le fils qu'il avait perdu, le

poignard, cette distinction qui le sauvera, qui finalement l'établira roi),

le numéro 1, « l'Enfance de Thésée », tableau qui
jusqu'alors m'avait semblé le plus obscur de tous, mais
dont il a su, lui, James Jenkins, me fournir un com-
mentaire pour la première fois satisfaisant, analysant
l'ensemble en ses trois moments principaux

(d'abord c'est Egée qui change de femme, et
l'ancienne reine répudiée s'enfuit avec son enfant ; puis
c'est l'arrivée de ceux-ci dans le refuge de Pitthée ; enfin
le nourrisson, devenu jeune homme, va quitter son édu-
cateur et sa mère qui l'arme de ce signe de meurtre,
dérobé autrefois pour lui, de ce poignard, preuve de
son identité, de sa naissance),

donnant son véritable rôle à cette figure de femme
dans laquelle ce qui est fixé, ce n'est pas un instant seulement de sa course, mais toute une très longue histoire,
toute une croissance, tout un très lent changement, à
cette figure de femme, Ethra, dans la course de laquelle
passent les années,

me faisant remarquer, lui, James Jenkins, expert
incomparable en certains secrets de Bleston, cet aspect
essentiel des tapisseries auquel je n'avais pas pris garde,
me les lisant, me les éclaircissant ainsi presque toutes
jusqu'à la dernière, l'exil de Thésée qui meurt à Scyros,
tandis que la ville d'Athènes brûle dans le lointain,

avant que nous redescendions sur la place humide
caressée du doux soleil de juin apparaissant entre les
nuages après la pluie, sans plus savoir quoi nous dire,
sans plus savoir où aller ensemble, gênés au point qu'il
a soudain prétexté que sa mère n'était pas très bien et
qu'il était inquiet de la laisser seule, de telle sorte que
nous avons pris City Street jusqu'à la place de l'Hôtel-
de-Ville à la station du bus 23, parce qu'il n'était pas
venu avec la Morris noire de chez Matthews and Sons
ce jour-là,

de telle sorte que nous sommes passés devant la boutique d'« Amusements » entre le commissariat de police et le cinéma Royal, la boutique d'« Amusements » qui était encore plus fermée que tous les autres dimanches puisque sur son rideau de fer était collée une petite affiche manuscrite avertissant que la maison rouvrirait le 16 juin,

de telle sorte que j'ai demandé à James s'il savait quelque chose sur cette clôture, et qu'il s'est mis alors à me dire que non, naturellement il n'en savait rien, mais qu'il croyait se rappeler avoir entendu parler d'un petit incendie ou de quelque chose dans ce genre, que ce n'était peut-être qu'une simple imagination parce qu'il avait été tellement question d'incendie à la foire dans le cinquième où il était allé la veille, d'assurances contre l'incendie à cause d'une baraque qui avait brûlé le dernier soir de mai,

de telle sorte qu'il s'est mis à me dire tout cela presque malgré lui, m'en voulant manifestement d'avoir provoqué par cette question ses confidences, de l'avoir amené à aborder ainsi ce sujet qui le tourmentait mais qu'il avait si bien réussi à éviter jusque-là (j'avais presque l'impression qu'il me rendait responsable de ce petit sinistre), ce sujet, la foire, qui le tourmentait, je pense, d'autant plus que vraisemblablement il était allé au tir photographique regarder de nouveau l'image que George Burton avait prise de lui-même, et dont j'ai retrouvé le négatif au début du mois de juillet sur ce même terrain du cinquième, m'en voulant manifestement tellement que, lorsque le bus 23 est arrivé, il m'a quitté presque sans me dire au revoir.

Mercredi 13 août.

Or je connaissais un grand habitué de la boutique d'« Amusements » qui pourrait certainement me donner des renseignements sur ce qui s'était passé, cet homme, ce nègre que j'y avais retrouvé cet horrible jour de Noël (car, si elle est fermée tous les dimanches, elle reste ouverte pour les fêtes), Horace Buck que je n'avais pas vu depuis plus d'un mois, depuis ce samedi d'avril où j'avais amené Lucien chez lui, ce samedi où tous les deux, Lucien et moi, nous avions déjeuné au restaurant chinois face à l'Ancienne Cathédrale, où nous avions rencontré George Burton, Horace Buck dont je voulais avoir des nouvelles.

Il m'a accueilli d'abord avec ses bizarres injures désespérées, sous prétexte que je le laissais tomber, lui que je dérangeais certainement, car il était avec Gaby qui remettait ses petites chaussures noires lorsque je suis entré, puis il m'a offert comme à l'habitude un grand verre de rhum.

« La boutique d'« Amusements » ? Elle n'est pas encore rouverte ? Oh, il y a plusieurs semaines que ça a eu lieu... Un petit incendie en effet : il y avait un jeu de massacre, vous savez, des bonshommes en étoffes, tous en rang, avec des têtes en bois, un clergyman avec son col, un agent de police avec son casque, un juge avec sa perruque, un professeur de l'Université avec son carré noir, une demoiselle de l'Armée du Salut avec sa capote, un officier avec sa casquette, un lord avec sa couronne, une vieille dame avec son chapeau à fleurs, des têtes en bois sur lesquelles on tape avec des balles remplies de sciure pour les faire tomber en arrière sur la planche avec un bruit sec comme celui d'un maillet, eh bien, c'est ça qui a brûlé, toute cette vieille sciure, toutes ces vieilles étoffes, toutes ces vieilles têtes (vous pensez si ça a pris facilement), ce n'est que cela, mais

comme ça avait tout de même beaucoup sali le mur derrière et le plafond au-dessus, ils ont décidé de tout
arranger, de tout repeindre, ce qui ne fera pas de mal,
n'est-ce pas, parce que vraiment c'était devenu ignoble,
n'est-ce pas...

— Et on ne sait pas comment ça a brûlé ?

— Eh, monsieur le Français, avec tous leurs appareils
qui ne marchent jamais, qui se détraquent dès qu'on y
touche, qui vous flanquent des décharges dans les doigts
juste au moment où l'on commençait à gagner un peu,
ce qui est étonnant, vous savez, c'est que ça n'ait pas
brûlé plus tôt, c'est un miracle, vous savez ; il a peut-
être suffi d'une cigarette lancée sur un de ces tas de
papiers qu'il y a toujours dans les coins, une cigarette
que l'on n'a pas pensé à éteindre, et peut-être qu'il se
trouvait là une boîte d'allumettes pleine que l'on avait
jetée sans faire attention... Vous savez, le type qui a fait
ça, même s'il l'a fait en le voulant (c'est-à-dire qu'il n'a
pas dû le faire en le voulant vraiment, mais au moment
où il a vu la fumée sortir doucement, la sciure à côté
devenir rouge, eh bien, au lieu de chercher à éteindre
tout ça, il a laissé faire, vous comprenez), je suis tout
prêt à le féliciter, parce que comme ça au moins, ça ne
sera peut-être tout de même pas tout à fait aussi moche
quand ça rouvrira... »

Je ne l'avais pas vu depuis le samedi 19 avril, lorsque
j'avais amené Lucien dîner chez lui (Gaby n'était pas
là, je ne sais plus pourquoi, mais elle avait préparé la
cuisine), Lucien qui avait très envie de voir en réalité
ce personnage dont je lui avais maintes fois parlé, et
dont les histoires l'amusaient, mais qui, dès qu'il s'est
trouvé en face de lui, ne l'a plus trouvé drôle du tout,
mais plutôt un peu terrifiant, a été envahi d'une espèce
de peur instinctive à son égard, de malaise, d'éloignement, de méfiance, malgré tous ses efforts, malgré tous
leurs efforts, tous ses efforts à lui, le pauvre Horace,

tout aussi méfiant, tout aussi mal à son aise, guindé, honteux, cachant mal son antipathie, sa sourde colère, sa déception.

Je ne l'avais pas vu depuis le samedi 19 avril, lorsque nous étions allés tous les trois, après avoir mangé chacun notre orange, presque silencieusement, dans l'ennui, dans la lassitude qui s'accroissait, trois somnambules inquiets, nous observant mutuellement, moi cherchant un moyen d'arranger les choses, une parole qui tranchât cet âpre voile de brumes et d'aiguilles qui s'épaississait entre eux deux irrémédiablement semblait-il, irrémédiablement du moins dans cette ville de Bleston, lorsque nous étions allés tous les trois, comme il avait été prévu, à la foire qui jamais ne m'avait paru, jamais ne m'a paru depuis si morne, si morose et vaine, la foire qu'ils aimaient tous deux, incapable de les réunir, sous le bas ciel noir, sous le ciel de poussier humide de cette froide nuit de printemps, la foire alors au nord-ouest dans le premier arrondissement, entre Oak Park et le quartier juif élégant, la foire qui est passée après cela dans le deuxième où je suis allé la retrouver le dernier soir de mai en compagnie de James Jenkins, pour mon malheur, pour son malheur, et pour le malheur de George Burton, la foire qui a traversé la Slee sur Port Bridge, qui s'est installée dans le cinquième sur le terrain vague au bord de l'eau méphitique, le long des voies ferrées qui partent de Dudley Station (et c'est là que j'ai découvert le négatif qui gonfle maintenant, sali, rayé, inutilisable, l'exemplaire du *Meurtre de Bleston* sur le coin gauche de ma table), qui est descendue vers le sud dans le neuvième toujours le long de l'eau, puis, sans pénétrer dans le douzième où règne Plaisance Gardens, continuant son tour de huit mois, a retraversé la Slee sur New Bridge et campe maintenant pour ces quelques semaines, à la limite nord du onzième, toujours le long de l'eau, où il m'a fallu conduire Rose samedi dernier.

Je ne l'avais pas vu depuis que nous étions allés tous les trois à la foire, depuis ce samedi dont je sais qu'il est le 19 avril parce que c'est ce jour-là, au moment du déjeuner, que George Burton nous a invités tous les deux, Lucien et moi, à venir chez lui, huit jours plus tard, le dernier samedi d'avril, la veille de ce jour où, n'en pouvant plus de tout cet obscurcissement, de tout cet empoussièrement, de toute cette dégradation de moi-même, j'ai brûlé le plan de Bleston.

C'est ce jour-là, le samedi 19 avril, comme nous avions terminé nos sablés et bu notre dernière tasse de thé vert, Lucien et moi, au premier étage de l'Oriental Bamboo, à cette même table, près de cette fenêtre qui donne sur la façade de l'Ancienne Cathédrale, sous l'œil de bienveillant reptile du garçon jaune un peu gras assis à l'angle opposé de la pièce, près du buffet chargé de verres et de couverts, avec ce même air, avec ce même dessin de lèvres, qui était peut-être un sourire, que lors de ce dîner de novembre avec James, où nous avions parlé du *Meurtre de Bleston,* que lors de ce dîner de juin avec Lucien, où nous avons parlé de J. C. Hamilton et des sœurs Bailey, que lors de ce déjeuner de l'hiver, dont je retrouverai la date exacte en poursuivant cette recherche, où j'avais rencontré pour la première fois George Burton, où il m'avait adressé la parole parce qu'il avait remarqué l'exemplaire de son livre dans l'édition Penguin que je venais de racheter dans une librairie d'occasion et que j'avais posé à côté de moi, que lors de ce déjeuner de samedi dernier avec Rose (ah, pourquoi est-elle venue me tourmenter si tôt ?), où il n'a été question que de son Lucien, c'est ce jour-là, le samedi 19 avril, comme nous avions fini notre repas, comme nous nous levions pour partir, que cet homme, George Burton, qui a frôlé la mort de si près, et qui n'est pas encore complètement remis, que cet homme dont nous ne pensions pas alors qu'il était J. C. Hamilton, George Burton, dans toute sa santé, dans toute sa gaîté, George Burton magnifique est entré dans la salle, qu'il s'est dirigé vers nous deux, et qu'il s'est mis à s'esclaffer en apercevant sur notre nappe l'exemplaire du *Meurtre de Bleston* qui est maintenant sur le coin gauche de ma table, du *Meurtre de Bleston* dont nous ne savions pas encore qu'il était l'auteur, cet exemplaire que j'avais apporté à Lucien qui l'avait posé à côté de son assiette comme moi lors de ce déjeuner de l'hiver, à s'esclaffer de son grand rire brusque.

C'est ce jour-là qu'il a commencé à manigancer sa mise en scène pour nous intriguer davantage, Lucien et moi, Lucien l'évadé, l'heureux, et moi, Lucien le fiancé, le bien-aimé, le bien-aimant, et moi, Lucien qui va très bien, qui va on ne peut mieux, qui écrit des lettres à Rose, qui ne désire que sa Rose, qui a déjà conquis la Rose, et moi.

Jeudi 14 août.

Pourquoi Rose, pourquoi es-tu venue si tôt me tourmenter, si tôt raviver cette blessure qui commençait à se fermer, qui doit se fermer, qui se ferme, mais si lentement, si douloureusement encore, à cause de toi ?

Pourquoi, Rose, pourquoi m'as-tu apporté cette demi-journée de supplice, samedi, par ton sourire, par ta beauté, par ton bonheur, par ton français de plus en plus délicieux, par ce plaisir que tu me donnais et que je ne pouvais accepter ?

Pourquoi m'as-tu forcé à recommencer à renoncer à toi ?

J'avais beau faire, chaque fois que je te regardais, je

ne pouvais empêcher mes yeux de chercher, de suivre tous les contours de ton corps sous ta robe d'été.

Pourquoi es-tu venue me surprendre au sortir de chez Matthews and Sons, m'as-tu demandé si je pouvais déjeuner avec toi, si je pouvais t'accompagner dans quelques courses ?

Pourquoi donc as-tu accepté quand je t'ai proposé de t'emmener à la foire dans le onzième ?

Je savais bien qu'en fin de compte, tu m'abandonnerais encore plus seul qu'avant.

Pourquoi, alors que c'était Ann que j'avais envie de voir, qui m'aurait été douce, qui m'aurait consolé, que j'avais besoin de voir, à qui j'avais besoin de parler, pour savoir quels sentiments elle avait conservés pour moi, s'il était possible qu'elle me pardonnât, pourquoi es-tu venue me dire qu'elle n'était pas dans ta maison, qu'elle déjeunait avec un ami, tu ne savais pas lequel, tu ne savais pas où, qu'elle t'avait proposé de venir avec elle, mais que tu n'avais même pas écouté, parce que tu préférais venir à ma rencontre pour savoir si j'avais reçu des nouvelles de Lucien ?

Non, je n'en avais pas reçu ! Que m'importait ce Lucien, maintenant qu'il était sorti de Bleston en emportant ta promesse, avant de venir te reprendre toute entière, chair et voix ?

Pourquoi es-tu venue me lire ces premières lettres reçues de lui, ses protestations de tendresse, ses renouvellements de serments, le récit de son beau voyage ?

Pourquoi es-tu venue me masquer de nouveau la beauté d'Ann, moins merveilleuse et qui par là-même convient mieux à ma nature indigne de toi, cette beauté plus grave dont tu m'avais déjà détourné ?

Cette journée de samedi, cette journée de dimanche, comme je voudrais les saisir, comme je voudrais les transcrire complètement, les étaler sur le papier afin que je puisse les lire, afin qu'elles deviennent transparentes à la lumière de toutes ces phosphorescences que je ramène de mon dragage des mois passés, ces deux journées, les seules de ma semaine que j'aie vraiment vécues, puisque les autres sont mangées par la poussière de chez Matthews and Sons et l'écriture nécessaire et laborieuse, pour les comprendre, pour me comprendre, avant qu'il soit trop tard, avant que les choses se soient décidées sans moi.

Je sens, tout autour de moi, les fils de la chaîne envahir la trame comme une marée ; bientôt mes mains seront prises dans cette toile, et moi, tout enfermé dans ce métier, je ne réussis pas à découvrir le levier à mouvoir qui changerait le point.

Il fait déjà nuit noire ; nous sommes jeudi déjà ; il ne me reste plus que demain vendredi, dans cette semaine qui passe, pour faire remonter à la surface les événements de janvier qui dorment à la profondeur de sept mois, tels ceux de mon arrivée en octobre quand je les ramenais, les repêchais, les racontais en mai, à cette distance de sept mois que j'espérais réduire, mais que je n'ai réussi qu'à conserver (et avec quel mal !), tant d'ombres, tant de conséquences, tant d'accidents, tant de fantômes sont venus se mettre en travers, sous une profondeur de sept mois d'eau de moins en moins transparente parce que l'agitation a dérangé la vase.

Il faut que j'en aie terminé avec ces deux journées ce soir, et je ne veux pas me coucher avant d'en être arrivé à ce moment de dimanche où je me suis couché, avant d'avoir écrit « et je me suis couché » (l'heure tourne ; si je ne dors pas suffisamment cette nuit, la prochaine se vengera) ; c'est pourquoi je ne puis m'attarder à détailler cette conversation de supplice avec Rose, ce déjeuner de supplice à l'Oriental Bamboo, ces courses de supplice à la recherche d'une écharpe que nous avons enfin trouvée dans le magasin le plus distingué de Bleston, Minton's, dans City Street,

cette visite de supplice au Musée comme nous revenions vers la place de l'Hôtel-de-Ville (« si vous me
montriez vos chères tapisseries... » ; mais comment lui
parler de Phèdre et d'Ariane ? et pourtant, comme elle
était charmante, intelligente, attentive ! qu'elle était
prête à les aimer...), cette promenade de supplice à la
foire dans le onzième, dans le beau temps d'été qui
faisait miroiter la Slee, cet au revoir, ce dernier sourire comme elle montait dans le bus 24 pour rentrer
dans la maison d'All Saints Gardens, ma saoulerie en
compagnie d'Horace Buck que sa Gaby laisse tomber,
semble-t-il, de plus en plus souvent, la lecture, tard
dans la nuit, de ce que j'écrivais les deux premiers
jours de la deuxième semaine du mois de juin, le récit
de cette conversation avec Lucien, toujours Lucien, à
l'Oriental Bamboo, le samedi précédent.

C'est pourquoi j'en viens dès maintenant (l'heure
tourne) à l'après-midi de dimanche, comme j'étais dans
la maison de Green Park Terrace, où Harriett avait
retrouvé son sourire, dans la chambre au premier étage,
où le soleil entrait par la fenêtre avec l'odeur des arbres,
avec le murmure de la foule fourmillante par les allées,
couchée sur les pelouses, affalée sur les bancs, où le
soleil jetait sur les draps des taches de lumière moirée,
mouvantes, où George était assis tranquille, semblant
guéri, me déclarant :

« Tout est fini ; je l'ai échappé belle ; je serai prudent
désormais en traversant les rues. »

Tandis que nous blaguions en prenant le thé, ses yeux
se sont mis à suivre une mouche qui tournoyait dans
les rayons, à la suivre si attentivement qu'il s'est tu, et
peu après Harriett aussi, puis moi, si bien que l'on
n'entendait plus que son bourdonnement et celui de la
foule des dimanches dans le parc avec le souffle du vent
dans les grands pins, lorsque soudain il s'est dressé, ren-
versant son plateau et sa tasse, si bien que la petite

cuiller est tombée sur le sol en tintant et que le thé a fait une grande tache sur le linge blanc qui s'est mis à goutter, puis retombant sur l'oreiller, haletant, la tête en arrière, la tournant à droite et à gauche, les yeux demi-fermés, les mains sur le visage comme pour les protéger, murmurant plaintivement à Harriett qui s'était immédiatement levée et penchée vers lui :

« Ne pourrais-tu pas la chasser ? »

Tandis que je restais immobile debout, ma tasse de thé dans les mains, elle la poursuivait, cherchant à l'écraser, la forçant enfin à s'échapper par la fenêtre qu'elle a fermée, de telle sorte que l'on n'entendait plus ni son bourdonnement, ni celui de la foule dans le parc, ni le vent dans les grands pins, de telle sorte que l'on n'entendait plus que la respiration de George qui devenait plus régulière à mesure qu'il se réinstallait.

« Pardonnez-moi.

— Veux-tu une autre tasse de thé ?

— Je vais vous laisser.

— Non, Jacques, attendez encore un instant, venez près de moi, je voudrais vous poser une question. On a dit que c'était un accident, je vous ai dit que c'était un accident, mais vous, Jacques, ne pensez-vous pas comme moi que c'était peut-être autre chose ? Que savez-vous, Jacques ? Je vois à vos yeux que vous hésitez à répondre.

— Qu'allez-vous imaginer là ? Que saurais-je ? Que cacherais-je ? Je n'étais pas dans Brown Street le vendredi 11 juillet vers six heures et demie ; je n'ai rien vu ; j'ai cherché à me renseigner, je cherche encore.

— Vous avez cherché à vous renseigner ?

— Mais je n'ai rien trouvé ; il n'y a sans doute rien à trouver...

— Jacques, je vous regarde, Jacques, je vous observe depuis ce jour-là. Pourquoi n'avez-vous pas confiance en moi ? Croyez-moi, quoi que vous ayez pu faire, vous n'avez nullement à craindre...

– Que voulez-vous me faire dire, enfin ? S'il y a quelqu'un qui doit savoir ce qui s'est passé ce jour-là, c'est bien vous, Barnaby Morton...

– Taisez-vous !

– Vous avez tout deviné, bien sûr... Je vous en demande pardon.

– Calmez-vous, Jacques, qu'avez-vous ? Je n'ai rien deviné encore, je n'ai que des soupçons, des idées en l'air. Pourquoi ne voulez-vous pas m'aider ? Le jeu n'est-il pas amusant ? Mais pourquoi faites-vous cette tête ? Ce n'est sans doute qu'un accident, n'est-ce pas ? On l'a dit, je l'ai dit... Excusez-moi ; n'en parlons plus ; allons, je suis assez fatigué maintenant. Heureux de vous avoir vu, Jacques. Des nouvelles de Lucien ? J'ai été très touché de sa visite. La jeune fille est très charmante. Bailey, avez-vous dit ? Et vous, avez-vous fait quelque conquête ? Revenez nous voir le plus tôt possible. »

Je suis bien certain qu'il pensait à ce Richard Tenn, et je m'imaginais, moi aussi, que c'était lui le coupable, mais cela est impossible puisque sa Morris est grise comme je l'ai constaté le soir même (ah, je voulais absolument tirer la chose au clair !), en allant rôder dans Lichen Street, dans cet affreux quartier du cinquième, près de ces trois maisons plus grandes et plus confortables que leurs voisines, ces trois maisons dont je ne savais pas encore laquelle était la bonne, au milieu de ces logements étriqués parmi leurs minables jardinets, rôder pendant des heures jusqu'à la nuit noire, attendant qu'il rentre ou qu'il sorte, voyant enfin arriver cette voiture qu'il conduisait, indubitablement grise et non noire, d'où il est sorti avec plusieurs femmes, et que j'ai pu examiner de près à la lumière du réverbère qui est juste en face de chez lui, tandis qu'il ouvrait sa barrière et son garage, sans me faire remarquer, sans craindre de me faire reconnaître parce qu'il ne m'avait évidemment pas accordé la moindre attention, huit jours auparavant chez les Bailey, pendant cette soirée donnée en l'honneur des fiançailles de Rose, cette voiture semblable à celle de Matthews and Sons dont James a la garde et la jouissance, mais grise avec d'anciennes éraflures (n'est-il pas possible que George ait su que ce Richard avait une Morris sans en connaître la couleur ?), grise (mais cela ne conclut nullement cette affaire, cela ne me met nullement hors de cause, puisque James... Ah, je ne puis croire que James...), grise.

Aussi suis-je rentré, et je me suis couché.

Vendredi 15 août.

Je suis allé déjeuner seul dans le restaurant de Grey Street où je déjeunais tous les jours de semaine avec Ann au début de l'hiver jusqu'au milieu de février, pendant le temps des grands brouillards, avec Ann qui m'aidait tellement alors à supporter Bleston, et dont Rose n'était encore pour moi que la petite sœur charmante ; je suis allé ce soir à la papeterie, au sortir de chez Matthews and Sons, pour la voir, mais il y avait de nombreux clients, si bien qu'il m'a fallu attendre auprès de James, qui est entré juste après moi, que chacun d'eux ait acheté carnets, crayons, plans de Bleston.

« Alors Jacques », m'a-t-elle dit, « nous nous voyons demain soir ? »

J'avais oublié cette invitation que Rose m'avait faite samedi, au milieu de tout ce tumulte qu'elle avait provoqué en moi.

Ainsi, je les verrai toutes les deux ensemble ; il ne sera encore question que des lettres de Lucien, et moi je ne pourrai toujours rien dire à Ann de ma solitude et de mon besoin.

Je n'ai pas pu lui arracher un instant de conversation particulière parce que James ne nous a pas quittés, parce qu'il nous a accompagnés jusqu'à l'arrêt du bus 24 sur la place de l'Hôtel-de-Ville où la pluie s'est mise à tomber sur l'asphalte chauffé tout le jour lourd, parmi les relents des usines, des cuisines de restaurants, des trains quittant ou approchant Hamilton Station avec leurs sifflets jaunes comme l'hiver, et de toutes ces voitures serrées à cette heure-là.

O Bleston, ville de fumées, quand nous sommes passés devant la pharmacie, j'ai vu sur l'affiche de l'*Evening News* qu'un dépôt de peinture avec brûlé près de la prison dans le neuvième ; Bleston, comme tes flammes sont noires, implacables et puantes !

La lumière est semblable à celle de trois heures en janvier (nous laissions allumé tout le jour chez Matthews and Sons) ; je regarde le ciel gris et la pluie qui tombe sur mes vitres, obscure comme la neige fondante d'alors ; la couleur des objets s'enfonce ; je ne distingue plus, sur ma table, que les rectangles plus clairs des feuilles sur lesquelles les lignes écrites ne font que des rayures discrètes qu'il faut regarder de plus en plus près pour analyser ; je ne puis continuer sans ma lampe.

Ann, mon Ann de janvier, Ann qui m'était si proche en ce temps-là, que j'ai abandonnée pour Rose, très sournoisement, essayant de tout effacer, de lui faire croire qu'il n'y avait jamais eu entre nous autre chose que de l'amitié, Ann que je rencontrerai demain en vain, à qui je n'arriverai pas à faire parvenir ce cri de détresse, cet appel au secours, cette supplication qu'elle peut exaucer si elle ne s'est pas trop irréparablement éloignée de moi par ma faute, si ma déplorable ruse, si ma dérisoire habileté n'a pas trop complètement, trop ironiquement réussi, Ann à qui je désirerais tant répondre aujourd'hui après avoir laissé en suspens sa question pendant plus de trois mois, pendant toutes ces semaines d'écriture et de tribulations, à qui je désirerais tant maintenant expliquer pourquoi, les derniers jours d'avril, je lui ai racheté un second plan de Bleston, et cette rame de papier blanc que je continue à noircir.

Je n'écrirai plus bien longtemps ce soir, sur ces pages éclairées en jaune, devant cette fenêtre bleue que la pluie continue à battre tandis qu'on entend rouler le tonnerre lointain, car je sens l'envie de dormir qui me gagne et qui va vaincre cette main qui s'efforce de poursuivre son petit sillon, cette main qui transpire et colle.

Ann avec qui je déjeunais tous les jours de semaine au Sword, même le samedi parfois, comme ce premier samedi de janvier où Rose était là, Rose dont les cours n'avaient pas encore repris, Rose qui m'a mené dans le brouillard où commençait à tomber la neige, la sale neige de Bleston, visiter l'Université, ses laboratoires, sa bibliothèque, son musée d'Histoire Naturelle avec ses animaux empaillés et ses pauvres fleurs toujours un peu fanées dans leurs vases de verre étiquetés.

Ce sont les quelques épaves du premier week-end de janvier que je puis ramener sur cette grève de papier sans faire de longues fouilles, sans faire les fouilles qu'il faudrait, que désormais je ne pourrai plus faire que dans des conditions de plus en plus mauvaises, car la vase des mois va s'épaississant ; mais ces débris du moins, que la vague ne les remporte pas !

Ann à qui j'avais demandé de me rapporter *Le Meurtre de Bleston,* qui s'est excusée de ne pouvoir me le rendre encore parce que sa mère était en train de le lire, à qui j'ai dit naturellement que cela n'avait aucune importance, qui ne me l'a jamais rapporté, qui m'a prétendu me l'avoir rendu jusqu'à ce dimanche 1er juin où je l'ai revu entre ses mains, ce qui m'a causé tant de trouble, Ann que j'appelle au milieu des brouillards de janvier (je parviens à peine à la voir), mais ma voix se perd dans la neige fondante qui tombe sur les innombrables ruisseaux du grand marécage de Bleston, la neige, l'orage, mais ma voix s'éteint dans l'étouffement de l'orage, ô Ann...

Je suis resté je ne sais combien de temps sans écrire, les yeux fermés, et si je reste sur ma chaise, devant cette feuille, devant cette table, devant cette fenêtre où fondait la neige, où collaient les brouillards de janvier, où vient de trembler un très lointain éclair violacé, c'est qu'il me faut quelques instants encore pour me persuader que tout effort de poursuivre, de prolonger cette plongée, est vain ce soir, qu'il ne me reste plus qu'à arracher mon stylo de cette page où il se traîne en s'agrippant, pour me lever et me déshabiller, pour éteindre ma lampe et dormir.

3

Au sortir de chez Matthews and Sons, je suis passé devant le restaurant Burlington, devant la pharmacie, devant le vendeur de l'*Evening News,* toujours à son poste, devant Rand's Stationery, la papeterie d'Ann, déjà fermée comme tous les lundis ; j'ai pris Silver Street jusqu'à la place de l'Hôtel-de-Ville ; je me suis glissé dans la foule qui sortait de Grey's et de Philibert's ; je suis passé devant le commissariat de police, devant la boutique d'« Amusements » dans laquelle Horace Buck avait provoqué un commencement d'incendie au milieu de mai, rouverte depuis le 16 juin, un peu rajeunie, requinquée, repeinte, avec un nouveau jeu de massacre, avec de nouvelles têtes de clergyman, d'agent, de juge, de professeur, de salutiste, d'officier, de lord et de vieille dame, déjà défraîchies maintenant, avec les mêmes appareils usés, billards, mitrailleuses, chasse à l'ours, je suis passé devant le cinéma Royal, devant le restaurant chinois, l'Oriental Rose ; je me suis glissé dans la foule qui sortait de Modern Stores ; j'ai traversé Moutains Street ; j'ai longé la pâtisserie, les cinémas Continental et Artistic ; je suis entré dans le Théâtre des Nouvelles, où j'ai vu le film sur les ruines de Rome (la semaine prochaine, Athènes, la semaine dernière, San Francisco), je suis entré dans le Théâtre des Nouvelles où, sur l'écran qui s'est ouvert en ciel italien, réapparaissait l'azur de la Crète, réapparaissait, derrière les pierres et les peintures, celles du palais de Minos, réapparaissaient toutes les images que j'y avais vues le lundi 16 juin, après être passé devant la boutique d'« Amusements » qui venait de rouvrir, toutes ces images et cette couleur bleue, qui m'avaient tellement aéré, soulagé, que j'étais allé les revoir le lendemain, toutes ces images dont j'avais lu hier soir l'évocation que j'en avais fixée à mon retour dans cette chambre le lundi 16 et le mardi 17 juin dans l'intention justement de les retrouver, les cours tapissées d'herbe fine autour desquelles tournent les escaliers, de gypse et d'albâtre, les cornes du taureau sur l'esplanade, les dallages dont les anémones fleurissent les innombrables fêlures sous la profonde vitre du ciel sans buées, fumures ni rayures, l'azur de la Crète transparaissant inaltéré dans l'azur romain sur les ruines impériales dans les parenthèses de la ville vivante, renaissante et baroque.

Les jours baissent, le temps de plus en plus se gâte, mais il y aura encore d'assez belles heures jusqu'à mon départ, d'assez belles heures comme celles que j'étais incapable d'apprécier en octobre, écrasé par la désolation étrangère qu'elles m'éclairaient.

Au sortir de chez Matthews and Sons, comme tous les lundis maintenant, je suis allé au Théâtre des Nouvelles, puis, traversant la place de l'Hôtel-de-Ville sur laquelle la nuit tombait déjà, je suis allé dîner au premier étage de l'Oriental Rose d'où j'ai regardé les derniers rougeoiements disparaître derrière les ridicules tours crénelées du bâtiment municipal ; j'ai pris le bus 27 jusqu'à la station de Chorley Street ; j'ai allumé la lampe dès que je suis rentré ici et j'ai terminé la lecture de ce que j'avais écrit pendant la troisième semaine du mois de juin : l'après-midi du dimanche 15 à la foire dans le cinquième avec Lucien, Ann et Rose, où j'avais vu de nouveau, sur l'éventaire du tir photographique, le portrait de George et de Harriett Burton (mais je m'étais bien gardé d'attirer sur lui l'attention de mes compagnons, redoutant toute conversation sur ce sujet), la soirée du samedi 17 novembre à la foire dans le neuvième, en compagnie d'Horace Buck, la découverte, grâce à lui, l'après-midi du même jour, de cette chambre, et mon installation le lendemain dimanche, puis ma première visite à la Nouvelle Cathédrale, l'après-midi.

Mais je n'ai rien lu, n'ayant rien écrit, sans doute par une sorte de honte devant moi-même, parce que je refusais d'accepter mes propres sentiments, je n'ai rien lu sur l'expédition que j'avais faite, le samedi 14 juin, seul, à Plaisance Gardens, et qui est si étroitement liée à ce qui a motivé ce récit, à ma destruction du plan de Bleston.

Si je ne m'étais senti profondément consterné, responsable, serais-je allé à la grande foire immobile dans le seul dessein d'y contempler les ruines du grand huit qui avait flambé quelques nuits plus tôt, dans ce seul dessein, puisque je ne suis entré dans aucune baraque, puisque je n'ai pas fait un seul détour, puisque je ne me suis même pas promené dans le jardin zoologique ? Aurais-je décidé d'aller constater les dégâts par moi-même, dès que j'avais vu l'affiche de l'*Evening News* : « Incendie à Plaisance Gardens » ? Me serais-je précipité sur l'article ? Aurais-je éprouvé ce soulagement en lisant qu'il n'y avait aucune victime ?

Je venais d'apprendre, quelques jours auparavant, l'incendie qui avait détruit une baraque à la foire dans la nuit du 31 mai au 1er juin, et celui, minuscule, qui avait sali la boutique d'« Amusements » au milieu du mois précédent ; je sentais la flamme courir, gagner la ville ; je la sentais, avec une intense satisfaction vengeresse ; je n'ai cessé de la sentir courir, applaudissant à tous les incendies, dans tous les quartiers de la ville.

Je n'ai rien lu sur cette expédition à Plaisance Gardens, si étroitement liée dans mon esprit, non seulement à ma destruction du plan de Bleston, mais aussi à cette autre destruction minime, insignifiante en apparence, qui la préfigurait et qui s'est imposée si fortement à ma mémoire quand je suis sorti de l'enceinte et que j'ai rendu mon ticket, à cette destruction minime un dimanche du mois d'avril.

Mardi 19 août.

Comme nous errions, Lucien et moi, parmi la foule de plus en plus clairsemée à mesure que nous avancions entre les enclos des tristes bêtes sauvages, loin de l'entrée monumentale aux tours de stuc sali, sommées de croissants de tôle peinte en jaune, un dimanche du mois d'avril, j'ai aperçu par terre, dans une allée reculée, un de ces rectangles de carton gris perforés, avec d'un côté l'inscription « Remember », et de l'autre « Plaisance Gardens », un de ces permis de séjour que l'on exige de nous à la sortie (le malheureux qui avait perdu celui-ci a dû payer une forte amende) ; je l'ai ramassé, je l'ai examiné, j'ai vu qu'il était daté de la veille ou de l'avant-veille, je ne sais plus.

Dans une allée très reculée, bientôt solitaire, j'ai pris ma pince à ongles entre le pouce et l'index gauche pour le tenir, les trois autres doigts serrant ma boîte d'allumettes sur ma paume ; j'ai fait craquer le phosphore et j'ai approché la flamme, expliquant à Lucien intrigué :

« Il avait échappé au sort de ses frères, les choses sont rentrées dans l'ordre maintenant. »

Un dimanche du mois d'avril, un dimanche puisque c'est la veille, l'après-midi (par conséquent forcément un samedi), au cinéma Royal, que nous avions décidé d'aller là-bas, comme nous regardions distraitement passer sur l'écran *The Red Nights of Roma.*

J'allais bien plus souvent m'asseoir devant des films dont les nuées de Bleston rendaient floues toutes les images, mais qui me fournissaient du moins un sujet de conversation et de sarcasme, désœuvré en ce mois d'avril, pas encore fixé par cette tâche que je poursuis, n'ayant pas encore sous mes pieds ce sol qui s'affermit, qui m'affermit de page en page, m'enfonçant alors de jour en jour dans la mare, approchant du niveau de l'absorption complète et de l'asphyxie, m'éloignant de plus en plus d'Ann, craignant de m'approcher de Rose, soutenu seulement par ma haine, ma haine qu'il me fallait sauver, qu'il me fallait rendre solide par un acte, ma haine qui cherchait déjà à se soulager par cette infime destruction, qui s'est un peu soulagée quand j'ai brûlé le plan de Bleston, que je soulage maintenant, laborieusement, continuellement, par ce texte.

C'était une sorte de *Quo Vadis,* superproduction en technicolor avec martyrs, fauves et bains des dames, avec de grandes flammes naturellement, dévorant les quartiers de carton, avec le reflet rouge de la destruction sur les nuages, s'interposant subrepticement hier soir, dans le Théâtre des Nouvelles, entre le bleu du ciel intact italien évoqué par la caméra pour les gens d'ici et le bleu du ciel de la Crète, semblable à lui, tandis que l'on nous déployait les arcades du Colisée, parmi lesquelles se profilaient pour moi, non seulement les taureaux de Cnossos fonçant les cornes en avant, mais encore, entre leur claire splendeur neuve d'antan disparue, leur splendeur du jour inaugural, et leur délabrement actuel freiné par les restaurations, leur longue, lente, brûlante métamorphose en labyrinthe s'éboulant

enserré dans le labyrinthe des papes, se profilait pour
moi l'embrasement des derniers jeux sacrificiels et des
invasions, le reflet rouge de la destruction sur les
nuages, s'insinuant subrepticement hier soir dans le
Théâtre des Nouvelles, à l'intérieur du bleu du ciel pro-
jeté sur l'écran, de cet azur qui certes renvoyait d'abord
à un moment du passé bien précis, encore que sa date
exacte, récente m'en reste inconnue, à ce moment où
les opérateurs, que ce soit en Crète ou en Italie, lui
avaient fait impressionner leur pellicule, c'est-à-dire à
un instant situé quelques mois, au plus quelques années
plus tôt, à l'intérieur de cet azur qui renvoyait surtout
à un moment beaucoup plus ancien et plus étalé, effaçant presque cet instant dans notre esprit de spectateurs, de cet azur qui nous renvoyait à l'époque où ces
monuments étaient villes et non vestiges, à l'intérieur
du bleu du ciel qui proclamait sa permanence, sa conti-
nuité avec celui qui s'étendait, pur, bénéfique, immense,
sur la jeunesse de ces palais et de ces temples.

L'après-midi d'un samedi d'avril, au cinéma Royal,
nous regardions distraitement, Lucien et moi, passer
sur l'écran ce long film absurde avec ces nuées rouges
dont il était bien évident qu'elles étaient artificielles,
qu'elles venaient d'être fabriquées dans le dessein
d'être montrées à des milliers de spectateurs à demi
sommeilleux comme nous, qui les rembourseraient à
cent fois leur valeur, avec ces simulacres de nuées,
rouges comme le ciel de verre au-dessus de la ville de
Caïn dans l'Ancienne Cathédrale, avec ces simulacres
rouges, produit d'une spéculation criminelle sur l'abru-
tissement de tous ceux empêtrés comme nous dans les
lacets de géantes villes sournoises, rampantes, insidieuses, telle Bleston, mais aussi, comme j'ai commencé
à le comprendre hier au Théâtre des Nouvelles quand
leur reflet rouge a imprégné un instant ma vision, mauvais miroirs, grossiers miroirs, troubles miroirs ternis,

confus, dépolis, par lesquels cependant réussissait à nous atteindre toute une suite de rougeoiements, tout le long, fumeux, crépitant, hurleur, ancien rougeoiement intermittent, séparant la ville dont les ruines du palatin restent la trace, de celle des palais romains encore debout.

L'après-midi de ce samedi d'avril, au cinéma Royal où nous étions allés dans le dessein avoué de rire, ah, certes, nous n'avons trouvé que trop de matière à sarcasmes dans cette bande abêtissante, misérable d'un bout à l'autre, odieuse, impardonnable, *The Red Nights of Roma,* où nous avons pourtant senti, au-delà de toute cette louche cuisine, autre chose, le reflet du feu, l'appel de ce feu, si bien que, je m'en souviens, en sortant sur la place de l'Hôtel-de-Ville, je regardais les briques des murs comme peintes en trompe-l'œil sur des toiles mal tendues qu'il serait facile de faire brûler, je regardais les briques des murs comme destinées à la flamme, l'après-midi de ce samedi, de ce samedi 12 avril, puisque c'est ce jour-là que j'avais amené Lucien pour la première fois déjeuner au premier étage de l'Oriental Bamboo, face à l'Ancienne Cathédrale, huit jours avant le samedi 19 avril où George William Burton nous y a rencontrés, nous a invités chez lui pour le samedi suivant, quinze jours donc avant ce dernier samedi d'avril où il nous a, chez lui, tant intrigués par cette mise en scène, par ces deux exemplaires du *Meurtre de Bleston,* seize jours donc avant cette nuit de dimanche où j'ai fait brûler le plan de la ville que j'ai racheté à Ann le lendemain, à Ann que je croyais ne plus aimer, à qui j'essayais de faire croire que je ne l'avais jamais aimée, ce qui était bien impossible, ce dont j'espère bien que c'était impossible, seize jours avant cette nuit de dimanche où j'ai fait brûler le plan de la ville que j'ai retrouvé le surlendemain, le mardi, sur cette table, tellement neuf, proclamant tellement la destruction de l'autre, le plan que le mardi je suis allé acheter à Ann, sans pouvoir ni vouloir alors lui expliquer pourquoi, ces feuilles de papier sur lesquelles j'ai commencé à écrire ce texte le 1er mai, vingt jours avant ce 1er mai, l'après-midi du samedi 12 avril, après avoir emmené Lucien pour la première fois déjeuner au restaurant chinois, face à l'Ancienne Cathédrale, à la table même près de la fenêtre où j'avais fait la connaissance un jour de cet hiver de George William Burton, où lors d'un dîner en novembre j'avais parlé pour la première fois du *Meurtre de Bleston* à James Jenkins.

Tandis que nous mangions à l'« Oriental Bamboo », ce deuxième samedi d'avril, Lucien m'a demandé qui était ce George Burton à qui je l'avais présenté la semaine précédente à la sortie d'un autre cinéma, de telle sorte que je lui ai expliqué ce que j'en savais, les circonstances de notre rencontre à l'endroit même où nous étions, à peu près deux mois plus tôt, qu'il était venu s'installer à cette table, que la conversation s'était mise à rouler sur un livre que j'avais posé à côté de moi, *Le Meurtre de Bleston* par J. C. Hamilton, que je venais de racheter dans une librairie d'occasion, un livre qui m'avait servi de guide aux premiers temps de mon séjour ici, un livre grâce auquel notamment j'avais découvert ce restaurant, un livre que je pouvais lui prêter, à lui Lucien, s'il le voulait, que je lui ai apporté le lendemain à Plaisance Gardens, donc le dimanche 13 avril, qu'il m'a rapporté le samedi suivant, le 19 avril, à cette même table où George Burton l'a revu, à cette même table où un soir de juin, nous avons parlé tous les deux, Lucien et moi, de J. C. Hamilton et des sœurs Bailey, de cette Rose dont il est le fiancé, avec qui j'ai dîné à cette même table il y a dix jours, de cette Ann avec qui je voudrais tant prendre un repas un de ces jours à cette même table parce que c'est là l'endroit, me semble-t-il, où je pourrai le mieux lui expliquer mon aventure et ma conduite, où je pourrai le mieux lui parler de ce texte que j'écris parce que j'ai brûlé le plan de Bleston que je lui avais acheté il y a très longtemps, en octobre, la première fois que je l'avais vue, parce que j'ai brûlé le plan de Bleston, ce qui était préfiguré par la destruction du ticket de Plaisance Gardens, un dimanche du mois d'avril, le deuxième dimanche d'avril, le 13 avril, puisque c'est le samedi 12, la veille, que nous étions allés voir au Royal, Lucien et moi, *The Red Nights of Roma,* que nous avions parlé du *Meurtre de Bleston* au restaurant chinois, face à l'Ancienne Cathédrale, sous l'œil de bienveillant reptile du garçon jaune un peu gras.

Mercredi 20 août.

Or, ce samedi 12 avril, comme nous avions beaucoup de temps entre la fin de notre déjeuner à l'Oriental Bamboo et la prochaine séance au Royal à trois heures et demie, nous sommes allés jusqu'à la place de l'Hôtel-de-Ville à pied malgré la pluie, en passant par la Nouvelle Cathédrale que Lucien n'avait encore jamais vue (il n'y avait qu'un peu plus d'un mois qu'il était arrivé à Bleston, un peu plus d'un mois que je le connaissais) ; aussi, lorsque je suis retourné seul dans ce grand vaisseau froid, il y a quatre jours, samedi dernier, le 16 août, après avoir déjeuné seul à l'Oriental Pearl, le restaurant chinois qui fait le coin de White Street, l'esprit tout occupé d'Ann Bailey que je devais voir le soir même, mais en compagnie de Rose, sans pouvoir, je le savais, être un instant seul avec elle, l'esprit tout occupé d'Ann, de Rose, et donc de Lucien, me suis-je souvenu de cette visite d'avril avec lui, pas tellement de ce que nous avions fait ou vu à l'intérieur que de l'aspect

qu'avait la place ce jour-là lorsque nous l'avions traversée, de l'aspect notamment qu'avait, sous la pluie, la
charpente de béton du nouveau grand magasin de Bleston à l'est, dont le soleil, il y a quatre jours, éclairait la
déplorable façade presque achevée, derrière les palissades sur lesquelles j'ai lu l'annonce de son inauguration dans un peu moins de trois mois, au début de
novembre, après mon départ, les dix étages qui, s'ils ne
montent pas aussi haut que la flèche, dépassent largement la nef, qui sont désormais la masse principale de
cette place, ce dont je ne m'étais pas aperçu en avril,
parce qu'il n'y avait alors que leur tracé léger dans l'air
gris, comme une grande espérance musicale, aujourd'hui emprisonnée, perdue, les dix étages de comptoirs, de caisses et de réserves qui, nouveau pôle commercial intervenant dans la vie de tous ses habitants,
vont déformer la ville entière, multipliant l'agitation
dans les rues proches, enlevant à la place de l'Hôtel-de-
Ville son monopole sur les achats hebdomadaires des
quartiers pauvres, de telle sorte que les trajets du samedi
s'équilibreront différemment.

Il y a quatre jours, le 16 août, cette façade en plein
soleil, criant sa nouveauté, m'a fait presque oublier
l'édifice déjà ancien que j'avais l'intention de visiter
encore une fois, où je ne suis entré que pour quelques
instants sans pouvoir examiner quoi que ce soit avec
attention, ni les mouches autour de la statue de la
Vierge, ni le croisement des jubés, ni la grande tortue-
luth du chapiteau des chéloniens, parce que je ne pouvais pas ne pas voir, au travers des hautes vitres
blanches, cette énorme paroi de briques luisantes, cette
preuve, hélas, de la vitalité de cette ville mauvaise, ce
grand changement fait pour condamner tout vrai changement, cette façade qui me déclarait :

« Jacques Revel qui veut ma mort, regarde ce nouveau visage de l'hydre, comme il est fort, comme il sera difficile à abattre ; sur cette immense carapace, quelle brûlure minuscule provoquera tout ce que tu pourras rassembler de braise ! Je suis Bleston, Jacques Revel, je dure, je suis tenace ! et si quelques-unes de mes maisons s'écroulent, ne va pas croire pour autant que moi je tombe en ruines et que je suis prête à laisser la place à cette autre ville de tes faibles rêves, de tes rêves que moi j'ai réussi à rendre si minces, si obscurs, si dispersés, si balbutiants, si impuissants, à cette autre ville dont tu t'imaginais peut-être que cette charpente, si bien enrobée maintenant, annonçait l'approche en avril ; mes cellules se reproduisent, mes blessures se cicatrisent ; je ne change pas, je ne meurs pas, je dure, j'absorbe toute tentative dans ma permanence ; ce nouveau visage que je te montre, tu le vois bien, ce n'est pas vraiment un nouveau visage, ce n'est pas un visage du présent, ce n'est pas le premier symptôme de ma contamination par cette ville fantastique que l'on prétend m'opposer sans être capable de me la décrire, mais c'est le visage présent de cette ville non pas ancienne, mais vieille que je demeure, de cette ville que certains disent condamnée ; regarde, Jacques Revel, rien ne m'a recouverte, rien ne m'a fait reculer, regarde comme je suis encore toute neuve, toi qui me hais si fortement, toi qui comptais sur ma décrépitude, qui supputais le temps de ma dégradation, de mon abdication, qui éparpillais mes cendres au vent dans tes rêves, tous tes calculs sont à refaire, ce n'est même pas à partir de maintenant, vois-tu, qu'il faut recommencer tes évaluations, simplement à partir du moment où je serai débarrassée de toi, petit rongeur, puisque ce grand magasin que tu contemples déjà, qui t'écrase déjà, qui t'engloutit, ne sera achevé qu'alors ; cette ère dont tu voulais tant t'éloigner, elle n'a même pas encore fini de venir ; c'est sans espoir, Jacques Revel, toute la force est de mon côté, ne l'as-tu pas encore suffisamment éprouvé ? Tu as failli causer toi-

même la mort de ton complice George Burton ; cette
Rose que tu aimais, tu l'as perdue par ta propre faute,
et par ta propre faute, cette Ann que tu voudrais tant
retrouver ne pense plus à toi ; renonce, minuscule
Jacques Revel qui cherchais à te réveiller, qui pensais
échapper à mes sortilèges d'usure et de poussière ; dors,
ferme donc ces yeux qui te font mal, renonce, dors. »

Cela ne faisait qu'augmenter ma haine, qu'affermir
ma résolution de poursuivre, et je me souvenais de l'élé-
gance qu'avait en avril, sous la pluie, la charpente maintenant enfermée dans cette horrible gangue de briques,
derrière les grandes palissades couvertes d'affiches iro-
niques vous invitant au départ : « Prenez l'Avion »,
« Visitez l'Europe », comme s'il était question de partir, derrière ces grandes palissades déjà couvertes
d'affiches de voyages battues de pluie au mois d'avril,
qui avaient éveillé déjà notre rancœur et nos sarcasmes,
comme nous passions, Lucien et moi, venant de l'Oriental Bamboo, allant au cinéma Royal, par cette place de
la Nouvelle-Cathédrale, couverte d'affiches anciennes
recouvertes par d'autres, puis d'autres, puis celles-ci, de
plusieurs épaisseurs d'affiches dont j'apercevais des
fragments à plusieurs niveaux au travers des déchirures
des dernières.

Jeudi 21 août.

Or, ce samedi 16 août, il y a cinq jours, comme
j'avais beaucoup de temps entre ma sortie de la Nouvelle Cathédrale et mon rendez-vous à six heures chez
les Bailey, comme j'avais grand besoin de calmer mes
nerfs afin de pouvoir profiter le soir de toutes les occasions pour m'adresser à Ann, ce à quoi je n'ai
pas réussi, je suis allé jusqu'à All Saints à pied, par
Moutains Street, la place de l'Hôtel-de-Ville, Continent

Street où je me suis arrêté, lors de la première averse de cet après-midi qui se gâtait, dans l'Université, vide d'élèves pour tout l'été, que Rose m'avait fait visiter au mois de janvier alors que je ne la connaissais qu'à peine, alors qu'elle n'était pour moi que la petite sœur de cette jeune fille avec qui je déjeunais tous les jours de semaine au restaurant Sword ; je suis allé revoir dans l'Université, ce samedi 16 août, tous ces animaux empaillés, épinglés, séchés ou plongés dans l'alcool, classés selon les mêmes principes que ceux sculptés sur les chapiteaux de la Nouvelle Cathédrale par cet E.-C. Douglas, père de madame Jenkins, et ses aides.

Je suis allé revoir dans l'Université le Musée d'Histoire Naturelle où j'ai contemplé, dans la boîte de la famille des muscidés, parmi les diptères, une mouche semblable à celle qui est enfermée dans le chaton de la bague de madame Jenkins, une mouche semblable à celles qui tourmentent George William Burton, le Musée d'Histoire Naturelle où je suis descendu dans la section de géologie, au sous-sol, parmi les dioramas qui évoquent avec maladresse le paysage de Bleston avec ses plantes et ses bêtes, tout au long des ères, jusqu'aux temps romains, parmi les cartes si proches parentes, avec leurs couleurs bien tranchées signalant des périodes différentes, de ces affiches déchirées sur les palissades devant le grand magasin inachevé, place de la Nouvelle-Cathédrale, dans la section de géologie au sous-sol, ce qui me ramenait encore à madame Jenkins, par l'intermédiaire de la statue de cette science sur le portail de la Nouvelle Cathédrale devant laquelle je venais de passer, le visage tourné vers la terre, les yeux fixés avec cette expression que je ne connais que trop bien, non point sur le chaton de verre de sa bague, mais sur un fossile dans sa main, sur une pierre portant l'empreinte d'un gros insecte, à madame Jen-

kins et à son fils dans leur grande maison de Geology
Street vers laquelle Continent Street mène directement,
dans leur grande maison dont une chambre est pleine
des romans policiers collectionnés par le père, dans
leur grande maison dont le garage sert à ranger la Morris noire de chez Matthews and Sons, dans la section
de géologie au sous-sol, ce qui me ramenait encore à
madame Jenkins, à James, et à cet « accident » du
11 juillet dans Brown Street, à cette conversation à la
foire dans le deuxième, le dernier soir de mai, à ce
dîner chez les Bailey le lendemain où je n'avais pas
voulu reprendre mon premier exemplaire du *Meurtre
de Bleston* qu'Ann venait de retrouver, qu'Ann a passé
quelques semaines plus tard à James, de telle sorte que
mon esprit de plus en plus, bien loin de se calmer,
s'irritait, le Musée d'Histoire Naturelle que je n'ai
quitté que lors de sa fermeture à cinq heures, sous une
fine pluie, une pluie d'automne déjà, pour reprendre
mon chemin par Continent Street, songeant à Ann,
n'espérant qu'en Ann, m'efforçant de laisser de côté
pour l'instant tout ce que j'avais pu lui reprocher, et
tous mes soupçons, toutes mes enquêtes, tout mon travail de tous les soirs de la semaine, en vain puisqu'à
ma gauche j'apercevais le Royal Hospital que George
William Burton avait quitté il n'y avait pas si longtemps, mon chemin par Continent Street, puis Surgery
Street, laissant à ma gauche, avant de passer sous les
voies des trains qui vont de Hamilton Station vers le
sud, le terrain vague sur lequel était la foire au mois
de janvier, sur lequel elle va se réinstaller dans
quelques jours pour y demeurer tout au long de septembre, avec sa grande roue, son cirque, ses jeux de
massacre, sa chasse à l'ours, et son tir photographique,
poursuivant son imperturbable trajectoire de huit mois
autour des trois arrondissements centraux, mon chemin par Continent Street, puis Surgery Street, puis All

Saint Street, puis All Saints Gardens sur la gauche, traversant la rue des Veuves, la rue des Evêques, et la
rue des Orphelins.

Aussi est-ce en retard, et l'esprit plus tumultueux que
jamais, que j'ai sonné à la porte de cette maison que
vous êtes venue m'ouvrir, Rose, avec un sourire contre
lequel je me croyais mieux prémuni, en me parlant dès
le premier instant des lettres que vous veniez de recevoir de Lucien (qui lui aurait cru la plume aussi facile ?),
en m'avertissant au moment où vous me faisiez entrer
dans le living-room tout doré de la lumière du soir
mouillé qu'Ann n'était pas encore rentrée (et moi
j'aurais tant voulu que vous me disiez où elle était, avec
qui elle était, ou du moins qu'elle me le dise lorsqu'elle
est arrivée, elle aussi avec un sourire qui m'a déchiré
autant que le vôtre par tout ce qu'il me faisait craindre ;
je sais bien que le nom m'aurait été inconnu sans doute),
Ann à qui je n'ai pu parler à cause de vous, Ann avec
qui je n'ai même pas pu, ce soir-là, fixer un rendez-vous
précis pour ce repas au restaurant chinois face à
l'Ancienne Cathédrale, pour ce repas d'explication et
de pardon, parce que vous étiez toujours là, et que je
ne pouvais pas en parler devant vous, parce que vous
me troublez trop encore, Rose, parce que, pendant le
dîner, j'étais captivé aussi bien par votre visage dont je
voulais me délivrer que par le sien dont je voudrais être
captif, parce que je ne me lassais pas de vérifier que
tout ce que j'avais vu dans le vôtre, je le retrouvais plus
profondément dans le sien, de la découvrir derrière
vous.

O Rose, ayez pitié de moi, effacez-vous ; je n'ai pas
pu, à cause de votre sourire, à cause de votre regard,
supplier Ann de me recevoir dimanche, de remettre à
un autre jour tout ce qui pouvait l'empêcher de
m'entendre, et, lorsque je me suis précipité chez vous,
il y a quatre jours, au début de l'après-midi, désirant à

tout prix hâter les choses, c'est encore vous qui êtes
venue m'ouvrir, heureuse de me voir, m'accablant de
vos prévenances, c'est encore vous qui m'avez dit, avec
un sourire, qu'Ann était de nouveau sortie ; et c'est
parce qu'il faut que vous vous effaciez entre nous deux,
ô Rose, que je n'ai pas voulu vous demander de lui
transmettre mon invitation.

Vendredi 22 août.

Ann, je n'ai pas réussi à vous parler samedi ; je n'ai
pas réussi à vous voir dimanche ; lorsque je suis passé,
lundi, devant votre papeterie, en allant place de
l'Hôtel-de-Ville voir au Théâtre des Nouvelles ce film
sur les ruines de Rome, elle était déjà fermée comme
toutes les semaines ; et le lendemain, le mardi, lorsque
je suis sorti de chez Matthews and Sons, comme James
prenait le même chemin que moi, James plus secret
que jamais, James incomparablement moins tourmenté
apparemment, incomparablement moins gêné de lui-
même, comme s'il commençait à oublier un acte terrible et manqué, je l'ai laissé partir devant, je l'ai vu
pousser cette porte par laquelle je voulais entrer, j'ai
attendu qu'il s'en allât, posté sur le trottoir d'en face
près du vendeur de l'*Evening News,* mais vous avez
baissé votre rideau de fer, vous êtes sortie avec lui par
l'intérieur de l'immeuble, vous vous êtes éloignés
ensemble vers Silver Street, et j'ai renoncé à vous
suivre.

Ce n'est donc que le mercredi, Ann, avant-hier, que
j'ai réussi à vous attendre, après avoir regardé James
monter dans la Morris noire, démarrer et passer devant
votre boutique sans s'arrêter, que j'ai réussi à vous
atteindre et à vous demander de venir déjeuner avec
moi demain samedi.

Vous avez paru surprise, Ann, mais agréablement, et j'ai cru observer sur votre visage, non pas votre sourire de vendeuse, mais une sorte de soulagement, comme si une longue absurde brouille s'abolissait, sur votre visage dans l'ombre au-dessus de votre comptoir, et c'est moi qui vous ai accompagnée ce soir-là, une fois le rideau de fer baissé, par Tower Street et Silver Street, jusqu'à la station du bus 24, sur la place de l'Hôtel-de-Ville, mais vous n'avez rien dit pendant tout le trajet, comme si vous aviez perdu l'habitude de vous trouver seule avec moi, comme si vous ne parveniez plus à vous souvenir des mots dont vous vous serviez avec moi dans ce mois de janvier dont il me semble que les brouillards vous entourent toujours, plus épais encore, mêlés de toutes les fumées de ces incendies qui se sont succédé ces dernières semaines.

Demain, Ann, au premier étage de l'Oriental Bamboo, à cette table, je l'espère, près de la fenêtre donnant sur la façade de l'Ancienne Cathédrale, à cette table fatidique de la première scène du *Meurtre de Bleston,* sous l'œil du génie jaune, je réussirai à vous exposer ma solitude et mon besoin de vous, à vous expliquer mon silence et les bizarreries, les oscillations de ma conduite, à déchirer ce voile qui me sépare tellement de vous, à toucher de nouveau les profondes citernes de votre cœur, à retrouver cette miraculeuse intimité avec vous, que j'avais un instant ressentie au milieu des brouillards de janvier, en cette saison de déréliction souveraine où l'on ne voyait plus ses propres mains dans les rues sous les réverbères qui restaient allumés même en plein midi, cette miraculeuse intimité un instant ressentie parmi les arbres décharnés de Willow Park, un instant ressentie déjà parmi les appareils décharnés dans la grande salle de l'institut dentaire, en face du Royal Hospital, en face de la caserne de pompiers, à l'angle de Continent Street et de Surgery Street.

Alors je déjeunais tous les jours de semaine avec vous au Sword dans Grey Street ; je marchais le plus vite possible pour venir de chez Matthews and Sons ; vous étiez une telle lueur dans mon obscurité !

Ann, mon Ann de janvier, c'est en cette région de mon année, au milieu du mois de janvier, que vous avez dû permettre à votre cousin d'emporter l'exemplaire du *Meurtre de Bleston* que je vous avais prêté et que vous avez passé maintenant à James Jenkins ; c'est alors que vous avez dû l'oublier, cette permission que vous aviez donnée automatiquement sans doute, sans y accorder la moindre attention ; c'est alors que vous avez dû commencer à me dire, vous étonnant légèrement de mon insistance, que ce livre, certainement, vous me l'aviez déjà rendu depuis longtemps, le cherchant chez vous par acquit de conscience, constatant naturellement que vous ne l'aviez plus ; c'est alors que j'ai dû commencer à vous croire.

C'étaient les brouillards de janvier dans votre tête comme dans la mienne, ces brouillards jaunes et insinuants, ces brouillards âcres et glacés qui s'étendent encore entre nous aujourd'hui, mais que nous réussirons à percer comme nous y avions réussi alors.

Je m'en souviens, c'est comme je traversais la place de la Nouvelle-Cathédrale, presque invisible, qu'une douleur suraiguë a commencé à me tarauder la mâchoire ; c'est comme je traversais cette place, dont je ne voyais pas les côtés lorsque j'étais au centre, où rien encore du grand magasin aujourd'hui presque achevé ne dépassait les palissades déjà couvertes d'affiches, rien, pas même cette haute charpente harmonieuse d'avril, si bien enrobée, si bien dérobée aujourd'hui sous la bave, sous le limon, sous les moulures, sous l'inertie, sous l'opacité de Bleston.

Je m'en souviens, je me suis mis à marcher très vite pour me calmer, à tourner et à retourner dans les rues, dans le brouillard jaune et râpeux, sous les halos des réverbères fusant, semblables à des essaims de mouches blanches, à la recherche d'une pharmacie pour y acheter un calmant, aboutissant finalement, après un long trajet sinueux, vain, après avoir longé plusieurs fois, sous des croix éteintes, des rideaux de fer bien baissés (c'était dimanche), aboutissant finalement à celle qui est au coin de Tower Street et de Grey Street, en face de « Rand's Stationery », à celle devant laquelle, tous les soirs de semaine, se tient le vendeur de l'*Evening News*.

De toute la nuit je n'ai pu dormir, et, le lendemain, ce doit être en arrivant chez Matthews and Sons que j'ai demandé à James de m'indiquer l'adresse d'un dentiste, et qu'il m'a conseillé d'aller me faire soigner gratuitement à l'institut dentaire de l'Université, en face du Royal Hospital.

Je m'en souviens, le vieux Matthews m'a accordé immédiatement la permission de m'absenter pour le reste de la matinée, sans me poser de questions, mais avec un regard d'insultante pitié ; et l'on m'a fait entrer dans cette immense pièce meublée de cinq rangs de chacun vingt fauteuils de dentiste, aux appareils bourdonnants, où je vous ai aperçue, Ann, quelques jours plus tard, où je vous ai surprise, où j'ai saisi chez vous cette terreur et cette honte, cet aspect si secret de vous-même, ce désarroi en général si bien caché.

Ann, mon Ann, comment donc ai-je pu tenter de me faire croire à moi-même que je ne vous avais jamais vraiment aimée ?

4

C'est un simple échec temporaire, Ann, un retard bien malencontreux, mais c'est seulement un retard ; les mots de votre langue m'ont soudain fait défaut, j'étais si désorienté par ce contretemps, par ce rideau de fer baissé ; mais j'attendrai que l'Oriental Bamboo rouvre, et je vous amènerai à cette table près de la fenêtre qui donne sur la façade de l'Ancienne Cathédrale, où je pourrai enfin répondre à cette attente que je sentais si déçue dans vos yeux.

C'est un simple échec temporaire, et je crois que j'arriverai à vous l'expliquer lui aussi ; c'est un simple retard sans importance, qui n'a rien changé à ma vie qui se règle de plus en plus, qu'il importe de plus en plus de bien régler pour que je sois aussi calme que possible lorsque je recommencerai ma tentative auprès de vous, un simple retard qui me trouble certes, mais ne me décourage nullement, qui ne m'a pas empêché de me remettre à lire, samedi soir à mon retour ici, ce que j'écrivais au mois de juin, abordant la quatrième semaine que je viens de terminer il y a quelques instants (l'allongement des jours de plus en plus souvent presque bleus, l'après-midi à Plaisance Gardens pour

315

fêter la réussite de Rose à son examen de français, le
travelogue sur Petra, et ma visite au mois de novembre
à la Nouvelle Cathédrale en compagnie de James Jenkins), ce que j'écrivais en ce mois de juin qui me paraît
si lointain maintenant, qui est séparé du présent par de
si profonds changements, puisque le temps s'améliorait
alors tandis que maintenant la pluie et la nuit gagnent,
puisque je croyais ne plus vous aimer, Ann, puisque je
ne pensais qu'à Rose, puisque je m'efforçais alors de ne
pas trop le lui montrer (vous voyez qu'en dépit de toutes
les apparences, au plus profond de moi je vous étais
fidèle, mon Ann), en ce début de juin si lointain, séparé
du présent par de si profonds changements puisque
depuis ces belles soirées où je m'émerveillais des éclats
moites du soleil, fauves et comme doucement velus,
réfléchis par les fenêtres entrouvertes sur le côté droit
de Dew Street, la main de Bleston s'est abattue sur
George Burton qui n'a échappé à la mort que de justesse, la main de Bleston que seule, j'en ai peur, mon
amitié pour lui m'empêche d'appeler James Jenkins,
depuis cet après-midi où je me promenais dans Green
Park parmi les tulipes remplacées aujourd'hui par des
dalhias et déjà, en certains endroits, par des chrysanthèmes, en ce début de juin séparé du présent par de
si profonds changements, puisque, depuis, mes yeux ont
été si douloureusement ouverts par les fiançailles de
Rose et de Lucien qui nous a quittés, si douloureusement ouverts, mon Ann, qu'ils n'ont pas pu, mes yeux,
ne pas chercher secours et baume en vous, leur
ancienne, leur profonde nourriture, ne pas chercher à
vous revoir, mes faibles yeux rougis, si atrocement irri-
tés par toutes les fumées qui les attaquent dans cette
ville.

   C'est un simple retard sans importance, Ann, qui ne
m'a nullement empêché de finir tranquillement ce soir
la lecture de ce que j'écrivais dans la quatrième

semaine du mois de juin, ce soir après avoir dîné à l'Oriental Rose, d'où j'ai vu les dernières ramures du jour s'effondrer, se noyer, se dissoudre au-delà des ridicules tours crénelées du bâtiment municipal, de l'autre côté de la place où s'allumaient les bus et les réverbères déjà ouatés de brume, après avoir dîné à l'Oriental Rose en sortant du Théâtre des Nouvelles comme tant d'autres lundis, ou comme ce mercredi 25 juin où James et moi nous essayions de fêter notre réconciliation, le début de cicatrisation de cette blessure que j'avais rouverte en lui le dernier samedi de mai à la foire dans le deuxième en lui désignant J. C. Hamilton, de cette blessure qui s'est tellement envenimée depuis, lorsqu'il a relu son ouvrage, *Le Meurtre de Bleston,* dans cet exemplaire même où il l'avait lu en automne, dans cet exemplaire que je vous avais prêté, Ann, que j'ai revu chez vous le 1er juin, que je vous ai laissé en espérant que vous le garderiez, que vous avez passé à James sans pouvoir vous douter, évidemment, de ce que vous faisiez (c'est une des choses que j'aurais voulu vous expliquer samedi, Ann, qu'il me faudra vous expliquer lorsque le restaurant chinois face à l'Ancienne Cathédrale sera rouvert et lorsque toute cette affaire sera devenue plus claire et plus sûre en moi-même), de cette blessure qui, contre toute attente, aujourd'hui semble presque guérie après son effroyable inflammation au moment de ce qu'il n'est tout de même pas possible d'appeler purement et simplement un « accident », qui semble s'être calmée, refermée en même temps que celles de la victime, George William Burton.

C'est un simple retard auquel je n'ai que trop tendance à attacher de l'importance ; mais ce serait jouer le jeu de la ville qui veut m'empêcher de vous atteindre, vous qui devez redevenir mon Ariane (oh, j'ai bien reconnu sa ruse !) ; et c'est pour cela qu'il était essentiel ce soir de ne rien changer à mes habitudes, de terminer tranquillement la lecture de ce que j'écrivais pendant la quatrième semaine du mois de juin, ce soir, tranquillement, après avoir dîné à l'Oriental Rose en sortant du Théâtre des Nouvelles où est annoncé pour lundi prochain un spectacle entièrement composé de dessins animés, où j'ai contemplé ce soir, les ruines d'Athènes dans les parenthèses d'une ville vivante comme il y a huit jours, celles de la Rome des empereurs, où j'ai bu, ce soir, cette liqueur fabuleuse, Ariane, qui ruisselait sur les pierres du haut du pur ciel bleu, cette liqueur que j'ai reconnue, qui imprègne profondément la laine, la soie, l'or et l'argent des tapisseries du Musée.

Mardi 26 août.

A travers la fumée de nos cigarettes et notre épaisse haleine d'habitants de Bleston, je suivais les rayons semblables à ceux d'un soleil pâle au milieu de nuages rapides, qui projetaient, sur la toile légèrement tremblante et si grossière que l'on en distinguait la trame, les colonnes éblouissantes telles des blocs de sel gemme, non point tout à fait blanches, mais comme doucement moirées d'un sang minéral, aux cannelures vives rongées par la rare pluie violente et le vent, les angles de ces temples plus anciens que ceux du forum, les vestiges de cette haute ville profondément parente, sans qu'aucun détail soit identique, de celle qu'avait imaginée l'artiste du dix-huitième siècle pour y situer quelques-unes des actions principales de son ancien roi, son héros Thésée, et les coins des maisons ou des monuments publics actuels que les photographes n'avaient pas réussi à éliminer de leurs cadrages, datant au plus tôt du milieu du dix-neuvième siècle, tous beaucoup

318

plus récents par conséquent que les églises et les palais baroques de la ville des papes.

Dans le ciel bleu liant ces deux âges, le ciel bleu virant au rubis puis à l'iris à la fin de ce court métrage, découvrant tout un lointain paysage d'îles, de montagnes et d'anses, dans l'intervalle séparant les rues nouvelles des frontons et des chapiteaux les plus anciens, je retrouvais le ciel romain, s'intercalait l'empire, le halo de sa capitale, s'exprimant particulièrement par cette porte sur laquelle est inscrite cette phrase que je traduis selon la version du commentateur : « Ici finit la ville de Thésée, ici commence celle d'Hadrien. »

Mais si la séance d'il y a huit jours influait sur ma vision d'hier, celle-ci à son tour a transformé rétrospectivement la première, parce que l'Amphithéâtre Flavien, les Thermes de Caracalla, le Panthéon et les ruines du Palatin me sont apparus au travers de leur écho dans Athènes (la Nouvelle Agora, le Temple de Jupiter, et la grande Bibliothèque) comme le foyer d'une gigantesque résonance, telle une flamme qui se multiplie dans une enceinte de miroirs en quantité d'images d'elle-même, dont la chaleur lui est renvoyée de telle sorte que l'incandescence augmente.

Intervenaient dans cette représentation non seulement les images qui défilaient devant mes yeux, mais celles affleurantes d'autres ruines plus lointaines encore du centre attisé, notamment celles du travelogue sur Petra que j'avais vu avec James Jenkins dans cette même salle le mercredi 25 juin, et sur lequel j'avais écrit le lendemain quelques lignes que j'ai lues hier, de retour ici, après avoir dîné à l'Oriental Rose dans le crépuscule qui s'assombrissait, celles affleurantes de cette brûlure laissée par une ville dans la falaise de Transjordanie semblable à un immense bloc de soie tout animé de vagues cramoisies (les gradins d'un amphithéâtre, quelques tombes, et les colonnes du trésor), cette cica-

trice imprimée comme la marque indélébile d'un forçat
sur la peau vive de la Terre (tandis que nous admirions
ces antres de marbres, je l'ai appris par l'*Evening News*
du lendemain, brûlait dans le neuvième arrondissement
un hangar), intervenaient d'autres images, celles des
ruines de Petra, celles du temple de Baalbeck que j'avais
vues un peu plus tard, toujours dans cette même salle,
celles du quadrillage de Timgad sous l'Aurès, au milieu
d'un film dont j'ai oublié le nom, dont toute l'action se
situait en Afrique du Nord pendant les vacances (on
voyait les deux amoureux s'embrasser longuement dans
un des thermes, longuement, dans la délicieuse chaleur
sèche que nous pourrions aller sentir un jour ensemble
si vous m'aidez à vous atteindre, si vous redevenez mon
Ariane, Ann lointaine, Ann que je distingue à peine, tellement mes yeux se sont embrouillés, à qui je n'ai pas
réussi à parler samedi ; mais ce n'est qu'un retard sans
importance ; vous êtes toute prête à m'entendre ; vous
attendez avec votre patience, votre indulgence, votre
inépuisable pardon ; on voyait les deux amoureux
s'embrasser longuement dans un des thermes tandis que
les autres touristes parcouraient sagement les rues dallées, examinaient l'arc de triomphe, les portes, les
mosaïques et le marché), les images du quadrillage de
Timgad au milieu d'un médiocre film français qui passait au Continental en version originale avec sous-titres
non seulement pour secourir les spectateurs ignorant
tout de notre langue, mais aussi pour aider ceux qui en
avaient quelque teinture, comme vous, Ann, pour les
aider à faire l'inverse de ce pénible travail de traduction que je réussis chaque jour un peu moins douloureusement, un peu plus naturellement, qui était encore
harassant à ce moment, aux alentours de Pâques, mais
dont je me tirais alors beaucoup mieux que ce matois
de Lucien malgré ses dispositions plus grandes, que ce
sournois dans sa simplicité, que ce candide ravisseur,

loin de Bleston maintenant, tranquille, dans la beauté
du temps de son pays, sûr de sa proie, de l'admirable
Rose frémissante et chantante, que je ne veux plus voir
avant plusieurs semaines parce que ses yeux troublent
encore mes regards et m'empêchent d'atteindre les
vôtres, les images du quadrillage de Timgad au milieu
d'un médiocre film français que nous étions allés voir
au Continental, Lucien et moi, le même soir que George
Burton qui m'a aperçu à la sortie, qui m'a abordé, à qui
j'ai présenté mon camarade qu'il n'avait encore jamais
vu, qui nous a emmenés boire au bar de la Licorne au
coin de la place de l'Hôtel-de-Ville et de Continent
Street à côté de ce Théâtre des Nouvelles où je n'entrais
alors qu'irrégulièrement, qui nous a emmenés boire en
nous parlant d'abord français avec un fort accent, puis
après avoir buté sur un mot, changeant de langue (et
nous lui répondions avec un fort accent), changeant de
langue mais s'efforçant de bien articuler ses consonnes
pour que nous le comprenions aisément, et recherchant
les gallicismes, aplanissant la mélodie de ses phrases à
notre contact, de même que, sous l'influence du parler
d'ici, nous avons senti peu à peu s'incurver celle des
nôtres, un soir au début d'avril, quelque huit jours avant
cette conversation au restaurant chinois dont nous
avons trouvé la porte close samedi, Ann, de telle sorte
que je n'ai pas pu vous parler, à l'Oriental Bamboo qu'à
mon insu avaient atteint les mauvaises flammes, ces
flammes qui sont parties de mes mains, qui ont couru
au travers de la ville, mais que celle-ci a réussi à déna-
turer et à retourner contre moi, quelque huit jours avant
cette conversation entre Lucien et moi au premier étage,
à cette table près de la fenêtre qui donne sur les tours
de l'Ancienne Cathédrale, au cours de laquelle il m'a
demandé qui était ce George Burton avec qui nous
avions bu au bar de la Licorne au sortir de cette séance
au Continental, et où je lui ai dit tout ce que j'en savais

alors, où je lui ai parlé du *Meurtre de Bleston* dont j'ignorais encore que ce George Burton était l'auteur véritable, quelque huit jours avant cette conversation, quelque quinze jours avant cette seconde rencontre entre Lucien et lui à cette même table où je n'ai pu vous amener samedi, Ann, à cette même table sur laquelle était posé ce jour-là l'exemplaire du roman de J. C. Hamilton que j'ai maintenant à ma gauche, au début d'avril, aux alentours de Pâques, alors que les prés d'Easter Park, dans le nord du neuvième, rayonnaient de narcisses, alors que sur votre comptoir, dans « Rand's Stationery », comme sur tous ceux de toutes les papeteries de Bleston, s'étalait un choix de cartes de vœux avec rubans et paillettes, décorées de poussins, de lapins, et de cloches, alors que toutes les vitrines des confiseurs se garnissaient de simulacres d'œufs en toutes sortes de matières sucrées, en prévision de ce dimanche de Pâques si semblable aux autres, qui n'a différé pour moi des autres que par cette longue impitoyable sonnerie de carillons de la Nouvelle et de l'Ancienne Cathédrale, qui m'a poursuivi pendant des heures d'errance pluvieuse et lasse.

Mercredi 27 août.

Intervenaient dans cette représentation de Rome, de cette Rome impériale devant laquelle passe toujours dans ma vision un écran d'incendies obscurs, âcres, et hurleurs, la houle d'une dévastation pesante et rouge, de cette Rome impériale dont le vitrail a disparu, comme le foyer d'une gigantesque résonance, intervenaient non seulement les images d'Athènes qui défilaient devant mes yeux comme la Porte et la Bibliothèque d'Hadrien (« ici finit la ville de Thésée »), non seulement celles affleurantes de Petra, Baalbeck, et Tim-

gad, toutes sur champ de ciel et de sable éclatant, mais
aussi celles, bien moins lumineuses, celles teintes
d'angoisse moite et frissonnante, de ces petits sarcophages lugubres comme un bouquet de roseaux morts
où tremble un animal perdu dans l'hiver qui va le rai-
dir puis le dissoudre, de ces sarcophages d'enfants
morts de fièvre et de froid loin de leur grande ville
natale, dans les vents mauvais et les vapeurs jaunes, près
des marécages hantés de menus hululements sourds,
d'enfants morts d'ennui et d'effroi, de regret du jour
clair et chaud,

    intervenaient aussi les images lugubres de ces sarco-
phages blancs ou gris, décorés de portraits grossiers,
avec des têtes rondes et seulement trois, quatre plis mar-
qués pour la tunique, avec de brèves inscriptions en
caractères maladroits donnant le nom et l'âge du petit
cadavre que l'on y avait déposé, de ces sarcophages
découverts dans la région de la Nouvelle Cathédrale et
de Matthews and Sons lors du creusement des fondations de grands immeubles, et qui font maintenant
l'ornement principal de la première salle du Musée,

    intervenait l'image de la maquette en plâtre peint au
milieu du dernier des dioramas qui, dans le sous-sol de
l'Université, à côté des fossiles et des échantillons de
roche, tentent d'évoquer pour le visiteur toute l'évolu-
tion géologique de la région d'ère en ère, l'image de la
maquette en plâtre peint figurant Bleston, Bellista, Belli
Civitas, au deuxième siècle après Jésus-Christ, quadri-
latère fortifié au milieu des forêts et marais, avec ses
petits thermes, avec son temple de la guerre à l'emplacement même, ainsi que l'indiquent les plans adjoints,
du chœur de l'Ancienne Cathédrale, et la croix centrale
de son quadrillage de rues dallées à l'emplacement
même de l'angle sud-ouest de la place de l'Hôtel-de-
Ville, au point de rencontre de Sea Street et de Continent Street, à quelques pas du fauteuil grinçant sur

lequel j'étais assis dans le Théâtre des Nouvelles, à regarder le bleu du ciel et l'or des pierres blanches autrefois peintes au-dessus du vert calme des aloès,

intervenaient dans cette représentation de Rome, non seulement l'Athènes conquise, non seulement Petra, Baalbeck, et Timgad, mais aussi cette ville de Bleston, cette ville de malédiction et d'oubli, l'ancienne ville de Bleston, Bellista, Belli Civitas, cette ville de mon malheur, cette ville qui s'acharne contre moi, cette hydre, cette pieuvre aux bras ramifiés, cette seiche vomissant son encre sur nous, nous rendant méconnaissables l'un à l'autre et même à nous-mêmes, Ann, cette enchanteresse tellement mon ennemie, qui nous a si longtemps séparés et s'efforce, par tous ses sortilèges, de nous tenir encore éloignés l'un de l'autre, élevant entre nous cette paroi de brumes et de cendres, baissant entre nous ce rideau de fer auquel nous nous sommes heurtés samedi, retournant contre moi les flammes dont j'attendais absurdement sa destruction, vous rendant sourde, me rendant muet, poissant mes yeux de sang fumeux, étourdissant mon cœur de trahisons,

et du même coup, cette ville, je l'ai vue elle-même dans une nouvelle lumière, comme si le mur que je longe depuis mon arrivée ici, par instants un peu moins opaque, soudainement s'amincissait, comme si une profondeur oubliée se déployait, de telle sorte que j'ai retrouvé le courage qui m'abandonnait, me sentant de nouveau capable, grâce à ces nouvelles lueurs, de m'en défier, de cette ville, de m'en protéger, de mieux lui résister jusqu'à cette fin de septembre où je la quitterai, vous arrachant, je l'espère, à ses entrailles de tourbe, pour vous mener jusqu'à ces contrées où l'on goûte la proximité des astres à travers le clair ciel chaud, me sentant de nouveau capable de déjouer ses ruses, de m'approcher de vous, de vous voir, de me faire entendre de vous, Ann, à qui s'adressent toutes ces phrases, île vers qui tendent toutes ces lignes comme des vagues, puisque ce texte commencé au moment même de mon année où j'étais le plus détourné de vous, le plus oublieux de votre beauté, de votre sollicitude, est devenu maintenant comme une lettre que je vous adresserais, est devenu une lettre que vous pourrez lire entièrement lorsque je vous aurai enfin atteinte et prise et que vous aurez adopté ma langue, Ann, Ariane qu'il me semblait voir apparaître avant-hier dans le Théâtre des Nouvelles, ne pensant qu'à vous, ne cherchant que vous à travers toutes ces visions et réflexions, Rome et sa couronne de villes toutes ravagées, effritées, calcinées, dans la contagion barbare et le pourrissement fatal du centre, Petra, Baalbeck, Timgad, et cette Belli Civitas, Bleston d'il y a tant de siècles.

Ann, Ariane dont il me semblait que les pieds passaient sous le ciel athénien plongeant, se prolongeant dans celui de la Crète, votre véritable patrie, vos pieds que je n'ai jamais vus découverts, chaussés samedi de souliers ternis à talons usés, enveloppés samedi dans des bas de fil de la même couleur que le pavé de Tower Street, passaient nus et nourris de soleil, massés par de beaux chemins pavés de cailloux de marbre, massés par l'herbe vive et le sable, derrière les bases du portique de l'Erechteion, pour moi non point celui d'un temple, mais celui d'un de ces palais qui bordent, sur les tapisseries du Musée, la place où Thésée devient roi, passaient derrière les bases où s'enroulent des écailles, telles celles d'un ancien serpent vaincu, soumis, oracle, passaient si beaux, si délivrés que j'ai retrouvé le courage qui m'abandonnait, Ann, Ariane encore terriblement lointaine, dont je recherche l'île au travers des pluies qui s'épaississent de jour en jour, de nuit en nuit, que j'ai retrouvé le courage de déclarer sans importance l'échec de samedi, l'impossibilité dans laquelle je me suis trouvé de vous dire autre chose que ces banalités confuses dont j'avais honte et qui n'amenaient sur votre visage qu'un sourire intrigué et un peu inquiet, tellement pris au dépourvu lorsque nous sommes arrivés sur le parvis de l'Ancienne Cathédrale, et que j'ai aperçu le rideau de fer baissé devant l'entrée du restaurant chinois.

Jeudi 28 août.

J'étais déjà troublé, le cœur battant, plein d'hésitations et de craintes, en quittant Matthews and Sons à midi, en allant vous chercher à la papeterie comme convenu, avec ce manuscrit dans ma serviette, non certes pour vous le faire lire encore, mais pour vous le montrer, pour m'aider à vous expliquer pourquoi, depuis plusieurs mois, je reste enfermé dans ma chambre tous les soirs de semaine, pour faciliter ma réponse à cette question que vous m'aviez posée sans dire un mot, à la fin d'avril, à ce moment de mon année où j'étais le plus détourné de vous, lorsque je vous avais acheté ces feuilles de papier blanc que je vous rapportais toutes sillonnées de ce long chemin d'écriture que je continue à tracer.

J'avais la tête bourdonnante, ne sachant par quel bout m'y prendre pour débrouiller mon écheveau de demandes et de raisons, sûr que tout serait plus facile quand nous serions installés au premier étage de l'Oriental Bamboo, si possible à cette table près de la fenêtre qui donne sur les tours de l'Ancienne Cathédrale, où tant de rencontres s'étaient déjà produites sous l'œil du garçon chinois un peu gras, j'avais la tête bourdonnante lorsque j'ai poussé la porte vitrée, lorsque vous m'avez salué derrière votre comptoir, et surtout lorsque James est venu nous rejoindre, souriant comme si le drame dont il est l'acteur principal n'avait jamais eu lieu, lui qui, quelques semaines auparavant, était tellement hagard, souriant comme si George Burton n'avait jamais été blessé.

J'ai vu celui-ci debout dimanche, le lendemain, guéri ; et il doit avoir découvert lui aussi que ce Richard Tenn que nous soupçonnions est innocent de son « accident » (s'il est bien vrai que c'était lui qu'il soupçonnait ; nous n'avons jamais prononcé son nom), puisqu'il m'a raconté, avec son rire, qu'il avait bâti tout un roman à propos de cette affaire, qu'il s'était imaginé qu'il avait échappé à un meurtre, qu'il avait même cru découvrir le coupable, jouant pour une fois ce personnage du détective, héros central de ses écrits, mais que, vérifications faites, toute la belle construction s'était effondrée d'un seul coup sans qu'il en restât rien ; telles étaient les chimères auxquelles l'exposait sa profession.

Lorsque j'ai vu le visage de James apparaître derrière la vitre, lorsque vous l'avez accueilli avec tant de grâce, je me suis demandé, la tête bourdonnante et le cœur battant, s'il allait cette fois encore nous accompagner, se mettre entre nous, ne respirant un peu que lorsqu'il nous a dit au revoir à tous les deux, comme s'il savait que nous allions déjeuner ensemble, lorsque vous avez fermé cette porte, et que vous m'avez fait sortir par celle du fond.

Si je ne vous ai pas, pour ainsi dire, adressé une seule parole dans le bus 18, c'est que j'avais peur, en brusquant les choses, de commettre quelque maladresse irréparable, c'est que j'avais la tête bourdonnante et le cœur battant, c'est que j'attendais d'être dans les meilleures conditions pour commencer mon discours difficile.

Aussi vous comprendrez, Ann, pourquoi, lorsque nous sommes descendus sur la place de l'Ancienne Cathédrale et que j'ai vu, sous la pluie qui commençait à tomber, le rideau de fer peint baissé devant la porte de l'Oriental Bamboo, pourquoi cette circonstance, qui

vous paraissait insignifiante, m'a donné comme une
sorte de vertige, m'a fait presque désespérer de vous
jamais atteindre, m'a fait immédiatement sentir que du
moins ce jour-là, non seulement je ne réussirais pas à
vous déclarer ma misère, mais pas même à vous parler
convenablement de ce que vous lirez, j'en suis sûr, un
jour assez prochain, de ce texte qui vous montrera
comme cette ville est mon ennemie, que c'est elle la responsable de cet échec de samedi, qui vous dévoilera
toute l'ironie de cette fermeture, de cette réponse que
m'a faite, en votre présence, l'ouvrier qui est sorti en se
baissant, son bleu tout couvert de taches de plâtre, tandis que nous entendions ses camarades continuer à tra-
vailler à l'intérieur, comme je lui demandais ce qui
s'était passé :

« Hé, ça a bien failli brûler tout entier, mais ne vous
inquiétez pas pour les propriétaires, c'est l'assurance qui
a payé. »

Vous comprendrez pourquoi ce rideau de fer peint
baissé m'a fait immédiatement sentir que tout était
manqué pour ce jour-là, que tous mes efforts seraient
vains pour arranger les choses comme vous avez pu,
hélas, le constater, Ann avec qui j'ai dû marcher longuement sous la pluie avant de découvrir un autre restaurant en revenant vers White Street parce que, dans
le trouble de mon esprit, j'avais oublié l'existence du
salon de thé près des librairies d'occasion dans Chapel Street, derrière le grand vitrail vide de l'abside où
devrait se trouver le jugement dernier, marcher longuement sans pouvoir parler, en observant votre visage
sur lequel peu à peu, à ma grande confusion, trans-
paraissaient l'ennui, l'agacement et la fatigue, avant
d'entrer enfin, parce que vous en aviez assez et que
moi je n'osais plus rien proposer, dans un établissement au-dessous du médiocre, ce qui était absurde
puisqu'il nous aurait suffi de continuer pendant

quelques minutes encore pour arriver à la place de la
Nouvelle-Cathédrale et à l'« Oriental Pearl » dans un
établissement inférieur à ceux où déjeunent d'habitude
mes collègues de chez Matthews and Sons, James y
compris, qui s'émerveillent que j'aille au Sword, tellement plus cher et plus éloigné, au Sword où je vous
retrouvais chaque jour de semaine au début de l'hiver,
Ann avec qui j'ai dû marcher longuement sous la pluie
avant d'entrer enfin dans un restaurant souterrain mal
éclairé, mal ventilé, bruyant, bondé.

Vendredi 29 août.

Si seulement nous étions restés seuls à notre table
près de la porte de la cuisine battant sans arrêt, vous
m'auriez aidé à me ressaisir ; mais un homme est venu
s'incliner, son chapeau melon à la main, son parapluie
pendu au bras, tirer une chaise et s'installer sans
attendre notre réponse qui ne pouvait être qu'une
acceptation ; puis il a sorti de sa poche le *Bleston Post*
qu'il a déplié en partie pour se plonger dans sa lecture
pendant les longues attentes entre les plats, et, chaque
fois qu'au milieu du tumulte et des relents, j'élevais la
voix pour me faire entendre de vous, il quittait des yeux
son journal pour se mettre à nous écouter, sans doute
parce que mon accent lui paraissait bizarre.

Il n'était pas possible de rester là après avoir terminé
l'ice-cream que l'on nous a servi pour le dessert ; il
n'était pas possible de nous promener dans un parc
parce qu'il pleuvait trop ; il n'était pas possible de nous
réfugier dans un cinéma puisque vous m'aviez dit que
vous seriez obligée de me quitter assez tôt parce que
vous aviez un rendez-vous à trois heures.

Il ne nous restait plus qu'à boire un verre de bière
dans un recoin du pub le plus proche, et c'est là que

je vous ai dit que j'aimerais vous faire connaître ces amis
dont je vous avais déjà parlé, les Burton, à qui Lucien
avait présenté Rose au Royal Hospital, dans la chambre
qui donnait sur Willow Park, le célèbre George Burton, la délicieuse et sage Harriett, dont les journaux
avaient publié des photographies lors de l'« accident »
de Brown Street, qui est en réalité, je ne pouvais pas
encore vous l'apprendre, une tentative de meurtre, un
crime heureusement manqué, commis, dans un moment
de rage insensée, par ce garçon si calme d'apparence,
si merveilleusement délicat, sans lequel nous ne nous
connaîtrions pas, Ann, puisque c'est lui qui m'a mené
pour la première fois dans votre papeterie et qui nous
a présentés l'un à l'autre, ce James Jenkins que vous
charmez, qui vous poursuit, que vous appréciez à bon
droit, mais qui cache, sous sa réserve et sa courtoisie,
une dangereuse fureur que mes imprudences ont fait
exploser ce jour-là, mes imprudences et les vôtres, Ann,
puisque c'est vous qui lui avez prêté une seconde fatale
fois, au début du mois de juillet, l'exemplaire du
Meurtre de Bleston marqué de mon nom que j'avais cru
perdu, que j'avais retrouvé chez vous le soir du
dimanche 1er juin, avec tant de surprise, dont je vous
avais alors fait cadeau, une dangereuse fureur que nos
imprudences ont fait exploser le vendredi 11 juillet dans
cet « accident » de Brown Street.

Je vous ai dit que j'aimerais vous faire connaître le
célèbre George Burton, l'auteur du *Meurtre de Bleston*
sous le pseudonyme de J. C. Hamilton, et de tant
d'autres romans policiers sous ceux de Barnaby Rich et
Caroline Bay, le célèbre George Burton et la délicieuse,
tendre Harriett, à qui j'ai annoncé votre visite lorsque
je suis allé les voir dimanche dans leur maison qui donne
sur Green Park ; et dans ce pub de White Street, où
nous nous étions réfugiés à cause de la pluie après ce
déjeuner manqué, vous m'avez répondu que le lende-

main comme je vous le proposais, cela vous était impossible, vous avez fixé vous-même la date de cette rencontre au dimanche suivant, après-demain, m'invitant à venir d'abord déjeuner chez vous où je ne pourrai encore rien vous dire à cause de la présence de Rose.

Puis vous vous êtes levée soudainement, interrogeant votre montre, achevant votre verre, et me demandant de vous accompagner jusqu'à l'arrêt du bus 27, dans Tower Street, où vous m'avez dit, me regardant plus attentivement sous l'abri, vous apercevant de mon malaise :

« Mais qu'avez-vous, Jacques ? Vous paraissez tout désolé ; vous aurais-je fait quelque peine ? »

Je vous ai laissée partir, essayant de sourire, avec ces quelques mots :

« Mais rien, je vous assure, rien ; je vous expliquerai plus tard. »

Quand je suis resté tout seul, j'ai senti des larmes se mêler aux gouttes de pluie sur mes joues, comme si je vous avais quittée pour toujours.

Pourtant ce n'était là qu'un échec sans importance, Ann qui m'étiez si lointaine pendant ces quelques pauvres heures, je saurai bien trouver mes mots en quelque place que ce soit, car au milieu des plus sombres brouillards de janvier j'ai redécouvert ces quelques instants qui vous lient à moi à jamais, au milieu des plus sombres brouillards de janvier brille ce regard secret que vous m'avez adressé lorsque vous m'avez reconnu dans le grand atelier au premier étage de l'Institut Dentaire, à l'angle de Continent Street et de Surgery Street, tout près de Willow Park aux arbres nus et noirs en ce temps-là, caressés de rayons fugaces parmi l'épaisse brume, ce regard que vous m'avez adressé dans le grand atelier tout bourdonnant de ses cinq rangs de vingt machines saignantes et suppliciantes, où j'étais monté pour la deuxième fois, où je venais de quitter le fauteuil laqué blanc réglable, semblable à celui dans lequel je vous voyais assise, la bouche ouverte, le regard terrorisé, vous maîtrisant, tandis qu'un jeune homme en blouse immaculée vous meulait avec précision une incisive, ce pathétique effort pour me sourire, ce regard que vous m'avez adressé du plus lointain de cette enfance terrifiée que vous ne parveniez plus à contenir au fond de vous-même, prise au dépourvu, ce regard que je suis le seul à avoir vu, qui n'était destiné qu'à moi, et qui m'a fait à tout jamais le confident de cette partie de vous-même qui n'émerge pas lors de la pleine santé.

Je vous avais vue lors du déjeuner au restaurant Sword, mais dans Continent Street où je vous avais attendue, je découvrais votre visage comme jamais encore.

Pour quelques instants nous sommes entrés dans le bois solitaire qu'était Willow Park en cette saison, et sur lequel tombait la nuit hâtive ; je vous ai pris la tête dans mes mains et j'ai longuement caressé vos sourcils avec mes pouces comme pour en effacer toute douleur, sans oser aller plus loin parce que, dans une sorte de rêve très ténu, s'est mise à murmurer la voix de Rose, parlant si agréablement français, la seule à s'adresser à moi dans cette langue en ce temps-là, s'est mise à murmurer la voix de Rose, commençant déjà à m'égarer loin de vous.

5

Il ne me reste plus dans cet effondrement que ce dérisoire amoncellement de phrases vaines, semblable aux ruines d'un édifice inachevé, en partie cause de ma perte, incapable de me servir de refuge contre la torrentielle pluie sulfureuse, contre l'inondation de ces eaux bitumeuses au clapotement vrombissant, contre le perpétuel assaut de ce ricanement grondant qui se propage de maison en maison jusqu'aux papiers peints de ma chambre.

Voici le lamentable aboutissement de ma tentative de lutte ; il ne me reste plus, digne objet de risée, qu'à reconnaître mon indéniable défaite irrémédiable, sans le moindre espoir de revanche, comme si j'étais déjà mort, ton incontestable puissance, terrible ville-larve que je hais, la disproportion de nos forces.

Pour comble de cruauté, de sarcasme, pour bien signer ce coup final, il a fallu que tu choisisses Rose comme innocente exécutrice, il a fallu que ce soit Rose qui vînt m'annoncer, le sourire aux lèvres, la dernière lettre de Lucien à la main, hier à midi, comme je sortais de chez Matthews and Sons, les fiançailles de James et d'Ann.

Alors, submergé, c'est à peine si j'ai pu lui dire que je n'irais pas déjeuner chez elle aujourd'hui, si j'ai pu marmonner un prétexte pour la quitter, si j'ai pu téléphoner aux Burton pour les prévenir que nous ne viendrions pas cet après-midi.

J'aurais voulu brûler mes yeux qui ne m'avaient servi qu'à me leurrer, ces yeux, ce texte, brûler toutes ces pages...

Une nouvelle vague d'horrible rire roule.

V

L'ADIEU

1

Lundi 1ᵉʳ septembre.

Toute la nuit j'étais resté sur mon lit sans pouvoir
dormir, comme l'autre nuit, sans pouvoir me déshabiller
après cette interminable journée vide intermédiaire, ces
longues lentes marches circulaires somnambules sans
destination, dans l'isolement, l'éblouissement, le bourdonnement et le froid, comme poursuivi par un vol de
taons blancs et sales aux ailes trempées dans l'eau de la
Slee, ombre me débattant dans un brouillard de boue,
dans l'accablement et l'humiliation, dans l'extrémité de
mon châtiment et de mon impuissance, toute la nuit,
sans pouvoir dormir, sans pouvoir cesser un seul instant de ressentir sur moi le souffle de ce mufle taché
de sang fumeux, de cette tortue monstrueuse aux
écailles de briques et de fonte, aux cornes de taureau
poussiéreuses, planant immobile, quelques centimètres
au-dessus de moi, grâce à l'imperceptible mouvement
de ses grandes ailes d'énorme mouche, sans pouvoir
seulement me délivrer de mes lourdes chaussures, grelottant dans les heures fraîchissantes, baigné, roulé,
traîné, comme dans une âpre couverture humide, par
les eaux mousseuses et visqueuses de cette mer morte
que draîne la Slee, déposant sur mes vêtements une

337

carapace de bitume, sur mon visage un masque de bitume réservant mes yeux ouverts, mes gantelets de bitume sur mes mains paralysées, comme rivées par des anneaux dans cet enfer de mon enfer, mes mains en vain cherchant à se fermer sur cette tête d'Ann qui m'apparaissait dans les intervalles des vagues opaques, cette tête phosphorescente aux prunelles épouvantées, se balançant sans qu'un seul de ses cils tremblât, sans qu'un seul de ses traits quittât son immobilité de marbre funéraire glacé des humeurs de la lune, toute la nuit, sans qu'une seule de ses minutes me fût épargnée, écoutant le murmure de tous mes jours à Bleston, qui tournoyaient autour de moi comme une neige de soufre crépitant, tous ces jours du printemps, de l'automne, notamment ce lundi de novembre raconté à la fin de juin, dans lequel, au restaurant Sword, j'avais rencontré pour la seconde fois cette Ariane qui m'avait fourni le plan de la ville brûlé aux derniers jours d'avril, tous les jours écoulés de l'été, tous ces jours du début de l'hiver que je m'étais déjà efforcé d'arrimer par cette longue chaîne réticulée de phrases, dont la forge m'avait épuisé et perdu, cette longue chaîne de phrases inachevée, ballante, le murmure de tous ces jours de mars et février pas encore abordés, de cette grande lacune de deux mois qui demeure au milieu de ma recension, le murmure de ce dimanche au début d'avril où j'avais montré à Lucien les fragments du vitrail de Sodome dans l'Ancienne Cathédrale, de ce samedi de la fin janvier où tombaient du très bas ciel jaune d'épais flocons sombres fondant avant d'atteindre les trottoirs tandis que, de librairie en librairie, de Baron's à Lind's dans Continent Street, en face de l'Université, à côté du Royal Hospital, j'allais cherchant *Le Meurtre de Bleston* dont on me répondait qu'il était épuisé, toute la nuit écoutant tournoyer les jours de mon année, tournoyer les rues de la ville déversant comme des glaciers tout

autour de mon lit, tout autour de ce bassin de la Slee
en lequel il s'était changé, de sanglantes brumeuses fer-
railles rongées de rouille, s'amassant en immenses
moraines, toute la nuit à écouter tournoyer les jours et
les rues et se répercuter le rire de maison en maison,
d'âge en âge, lointainement vers d'autres villes et
d'autres ères jusqu'à ces forêts cryptogames du carbo-
nifère, profondément enfouies maintenant dans leur
métamorphose en houille sous les régions avoisinantes,
jusqu'à ces forêts de lépidodendrons et cycadées,
jusqu'à ces palmes et ces fougères arborescentes oscil-
lant au-dessus de leur humus fourré de charognes et de
minerais qu'écrasaient les pas des reptiles, toute la nuit.

Puis la gelante aube allégeante a apaisé la houle, a
aplani, solidifié toute la surface blanchissante de cet
étang qu'étaient mes draps, et sur laquelle se propa-
geaient de plus en plus clairs les murmures parmi lesquels je distinguais le mot « aveugle » inlassablement
répété, mais de moins en moins sarcastique, mais devenant plainte, lamentation ; puis cette couche de bitume
qui m'enfermait comme une cuirasse de chevalier ou
d'insecte, comme une camisole de fou, s'est amincie,
s'est fendillée, s'est divisée en innombrables écailles qui
sont devenues transparentes comme du verre, réson-
nantes aux moindres sons.

Alors, peu à peu, dans l'air délivré, j'ai pu commencer à remuer les doigts, j'ai pu les arracher l'un après
l'autre aux invisibles serres qui les avaient maintenus si
étroitement toute la nuit ; alors j'ai pu lever mes mains
avec douleur et craquement comme si mon corps était
une souche d'arbre et mes bras deux branches que l'on
tord pour les emporter, faisant pleurer la coupure d'un
millier d'échardes poissées de sève ; alors j'ai pu rouler
sur le côté pour laisser tomber jusqu'au sol mes pieds
chaussés de lourds souliers, j'ai pu tituber jusqu'au
lavabo, m'examiner dans le miroir à la lumière qui se

dorait, terreux, tendu, creusé, sentant au milieu de mon front comme la pointe d'un cautère s'enfonçant, m'asperger le visage de telle sorte que les gouttes d'eau roulaient sur mes joues et mes vêtements comme des galets sur une pente d'herbe pourrie, allumer le radiateur à gaz pour la première fois depuis trois mois, me déshabiller, me laver, prendre dans mon armoire et enfiler ce linge, ce costume, ces chaussures, sans rien conserver de ce que j'avais porté toute la nuit, renouvelant cravate et ceinture ; j'ai pu m'asseoir à cette table comme je suis assis maintenant ; j'ai pu regarder au travers de cette fenêtre dont la nuit tombée maintenant fait un miroir, le soleil mouillé du matin illuminant les vitres sur le côté droit de Dew Street, rasant les briques dans Copper Street, les briques d'où il me semblait que me parvenait comme un bruissement, comme il me semblait que j'entendais bruire des roues et des pas dans les rues voisines, comme il me semblait que j'entendais bruire le sommeil des gens entre leurs draps dans leurs chambres aux rideaux tirés, un bruissement étrangement parent de ce murmure qui n'avait cessé de toute la nuit, un bruissement qui était bien la même voix que ce murmure, la même voix qui n'avait pas cessé, mais perçue à un autre niveau, dont la parole était toute autre, cette voix qui n'a pas cessé ; alors j'ai pu écrire sur une page toute blanche ces trois mots qui ne sont pas venus de moi, mais que j'ai lus au travers de ma fenêtre sur certains reliefs du mur de brique à gauche de moi, de l'autre côté de Copper Street, soulignés par l'éclairage frisant, ces trois mots dont je sentais qu'ils résumaient tout ce qui m'était adressé dans cette sorte de bruissement qu'il me fallait entendre, ces mots que je n'ai fait qu'enregistrer :

« Nous sommes quittes. »

Mardi 2 septembre.

Je sais que toute une aventure qui prenait forme depuis mon arrivée ici, est maintenant parvenue à son terme ; toute une figure s'est achevée puisqu'en dehors de moi, malgré moi mais par moi, pour ma douleur et presque pour ma mort, pour ma transformation en ce fantôme que je suis devenu, se sont rejoints cette Ann qui m'avait aimé, guettant mes regards au cœur de l'hiver, les observant secrètement se détourner lentement d'elle, cette Ann que je m'efforçais de rejoindre, seul recours dans mon désarroi, cheminant péniblement, criant vers elle qui ne m'entendait plus, se sont rejoints cette Ann et ce James dont je suis arrivé à me persuader qu'il était coupable d'une tentative de meurtre, des blessures de George Burton, ce qui est sans doute encore une illusion, une de tes ruses pour m'étourdir, encore un piège où tu m'as fait tomber pour te rire de moi, Bleston, se sont rejoints cette Ann et ce James comme il y a un mois s'étaient rejoints Lucien et Rose.

Toute une figure s'est achevée dans cette exclusion de moi-même ; et lorsque j'ai vu samedi, en rentrant dans cette chambre, toutes ces pages empilées rayées de lignes d'écriture, sur cette table cet amoncellement de phrases semblable aux ruines d'un édifice inachevé, en partie cause de ma perte, j'ai été envahi d'une furieuse envie de les brûler complètement, l'une après l'autre, minutieusement, sans en laisser subsister un seul coin, pulvérisant soigneusement toutes leurs cendres, ce qui en apparence aurait bien refermé cet autre cercle se traçant depuis le soir d'avril où j'ai détruit ton plan, Bleston, dans cette chambre, une furieuse envie qui me venait de toi, ville t'insinuant, t'infiltrant dans mon âme à la manière d'un démon possesseur, Bleston qui désirait te servir de moi-même comme instrument, dans l'acharnement de ton ironie, pour achever de te venger de moi, de me faire payer l'injure, la blessure que j'avais su t'infliger, une furieuse envie de les brûler, toutes ces phrases et ces pages, ce qui n'eût été qu'un faux point final, Bleston, car ces flammes, j'en ai maintenant l'expérience, il m'aurait fallu jour après jour les retraverser pour tenter de ressaisir quelques fragments de ce texte qu'elles m'auraient pour la plus grande part rendu inaccessible, mais sans réussir à l'anéantir, j'en ai maintenant l'expérience, Bleston, sans l'empêcher de me hanter.

Toutes ces phrases et ces pages, ce qui les a sauvées, m'a sauvé, c'est leur nombre, c'est le temps qu'il aurait fallu ; toute cette pile de pages, sur laquelle j'ai recommencé à en amasser de nouvelles, cette chaîne de phrases que j'allonge, ce qui m'a permis de les conserver intactes, c'est le poids des heures passées ; c'est ce nombre, ce temps, ce poids qui m'ont permis de ne pas suivre l'insidieux conseil insistant, d'attendre que la voix se lasse ou change, immobile comme celui qui reste allongé derrière un talus tandis que le bombardement fait rage, encore tout étourdi de la grêle de vos sarcasmes, rues de Bleston, qui s'était abattue sur moi, tandis que je me faufilais entre vos mâchoires cariées, qui s'était abattue sur moi avec un bruit vrillant de perforeuse, que les passants ne semblaient point entendre, mais qui résonnait à l'intérieur comme à l'extérieur de ma tête, de telle sorte que je parvenais à peine, dans la cabine téléphonique, à distinguer la voix de Harriett Burton me répondant :

« Mais quel dommage que vous ne puissiez pas venir, cher Jacques, nous aurions été si heureux de faire la connaissance de votre amie ; sa sœur est tellement charmante ; remettons cela, voulez-vous ? Venez donc dimanche prochain. »

J'étais à peine parvenu, quelques instants auparavant, à distinguer celle tellement plus sèche de madame Bailey :

« Mais quel dommage ! Rose vient de me prévenir ; venez donc dimanche prochain. »

Qu'elle était gaie, la tendre Rose, samedi, lorque je l'ai trouvée dans Tower Street au bas de chez Matthews and Sons, ravie parce qu'elle venait de recevoir le matin même une lettre de Lucien qu'elle m'apportait, et que j'étais heureux de la voir, malgré mon agacement, bien loin de me douter, lorsque nous avons commencé à parler de James, qu'elle allait être à son insu la messagère de ma condamnation !

« Il vient souvent nous voir », disait-elle ; « il nous parle de vous et de sa mystérieuse mère aussi, naturellement, de cette vieille femme charmante, si singulièrement silencieuse à certains instants, qu'elle me faisait presque peur, lorsqu'il nous a menées la voir dans leur grande maison presque vide.

– Parfois ne les croirait-on pas coupables, ne voyez dans mes paroles qu'une pure supposition, qu'une simple figure de style, mais répondez-moi, Rose, parfois ne les croirait-on pas coupables d'actions secrètes illicites, que sais-je, d'un meurtre peut-être, admirablement caché ?

– En voilà de jolis soupçons à faire peser sur vos amis ! »

Elle éclatait de rire dans le beau temps.

« J'espère bien que vos imaginations maladives n'ont aucune espèce de fondement, sinon, vous me feriez frémir ; dans quel guêpier nous trouverions-nous toutes fourrées ! Vous savez, les fiançailles d'Ann et de James sont enfin décidées, j'en suis bien heureuse pour elle. Ne leur en dites rien surtout, ce n'est pas encore officiel ; je compte sur votre discrétion. »

Je me suis enfoncé dans les rues, me hâtant sans destination, comme tourmenté par une rage de gencives, tournant et retournant, emprisonné dans ce grand piège dont la trappe venait de claquer, parmi les meules des maisons qui crissaient les unes contre les autres, m'aspergeant de leur terne pluie d'étincelles froides ; et comme je longeais Lanes Park dans le troisième, aux pelouses jonchées de couples, un essaim de mouches s'est mis à bourdonner autour de ma tête ointe de sueur, couronne contre laquelle je me débattais avec les gestes de celui qui sombre et tente d'écarter les algues.

Je suis allé prendre un sandwich au buffet de Hamilton Station ; je suis allé me délivrer des invitations de dimanche dans une cabine d'Alexandra Place ; et, courbé sous la grêle de vos sarcasmes, fenêtres de Bleston dans lesquelles tout semblait s'être définitivement fermé pour moi, je me suis lentement dirigé vers cette chambre, cette table, vers cette pile de pages, cette chaîne de phrases, en partie cause de ma perte.

Mercredi 3 septembre.

Maintenant l'effort et la persévérance de trois jours, les phrases et les pages de trois jours s'interposent entre moi et ces terribles moments.

J'ai pu reprendre ma lecture, me replongeant pendant ces deux dernières heures dans les premières journées de juillet, par le déchiffrement de ce long témoin qui en subsiste intact, de cette longue suite de lignes écrites alors, racontant cette soirée avec James à la foire dans le deuxième, le dernier samedi de mai, au cours de laquelle je lui avais livré, avant de le livrer à Ann et à Rose, le véritable nom de J. C. Hamilton, au cours de laquelle je lui avais montré le visage de George Burton sur la photographie qu'il avait prise de lui-même au tir, et qu'il avait négligé de revenir chercher, racontant cette soirée solitaire du mercredi 2 juillet au cours de laquelle, dans le terrain vague du cinquième que la foire achevait de quitter, j'avais découvert le négatif de cette image, cette pellicule que je conserve depuis ce jour-là, racontant enfin cette courte après-midi du dimanche 1er décembre au cours de laquelle James, le même James, toujours ce James, m'avait fait pénétrer pour la première fois dans Plaisance Gardens.

J'avais oublié cette tentation dont je viens de rencontrer l'empreinte dans mon parcours de ces archives, datée du jeudi 3 juillet, cette tentation que j'avais ressentie de le brûler, ce négatif de la photographie des Burton que j'avais découvert la veille, avec le visage de George clignant un œil derrière le canon du fusil, avec le visage de Harriett, l'air inquiet malgré son sourire, comme si elle appréhendait l'« accident » ; j'avais oublié cette autre de tes tentatives, ville de Bleston, pour me bafouer, pour te servir de moi dans ta vengeance contre moi, voulant mieux m'impliquer dans ta vengeance contre George Burton, voulant mieux m'écraser sous le sentiment de ma complicité, de ma responsabilité dans cette affaire qui, même si ta Police et tes juges établissaient qu'il leur est impossible d'y déceler la présence d'un meurtre avorté, n'en resterait pas moins tout autre chose qu'un simple « accident », demeurant le nœud de ce mauvais rêve agencé pour me perdre, pour me confondre, pour te rire de moi, puisque toutes les illusions par lesquelles tu auras su m'égarer, finalement font aussi bien partie de ta réalité que les aspects de toi-même que tu t'avoues.

Je t'avais touchée à vif, ville de Bleston ; tu as si longuement, si minutieusement, avec tant de raffinement préparé, poursuivi ta vengeance ! Il est donc enfin clair que j'ai su effectivement te l'infliger, cette blessure, que mon écriture te brûle, puisqu'il est clair que je n'ai échappé que de justesse à la destruction de ces pages grâce auxquelles tout cela est enfin clair, gardé contre ton grand travail d'oubli, comme George Burton n'avait échappé que de justesse à l'écrasement dans Brown Street, comme le négatif de son image auparavant, le 2 juillet, n'avait échappé que de justesse à l'embrassement.

C'est pourquoi je te remercie de t'être si cruellement, si évidemment vengée de moi, ville de Bleston que je vais quitter dans moins d'un mois, mais dont je demeurerai l'un des princes puisque j'ai réussi, en reconnaissant ma défaite, à exaucer ton désir secret de me voir survivre à cet engloutissement, à cette sorte de mort que tu m'avais réservée, puisque je suis devenu maintenant, par ce baptême de ta fureur, invulnérable à la manière des fantômes, puisque j'ai obtenu de toi cette proposition de pacte que j'accepte.

Jeudi 4 septembre.

Dans le texte daté du jeudi 3 juillet que je lisais hier, j'ai décelé une importante lacune, due sans doute à l'heure tardive qu'il était quand j'en suis arrivé au passage dans lequel il faut insérer cet incident, et plus profondément au fait que sa véritable liaison avec ce fragment de mon aventure que je m'efforçais alors de fixer ne m'était pas encore apparente.

Comme je marchais à peu près parallèlement à la Slee, depuis Daisy Fields où la foire était déjà en partie installée vers le terrain vague du cinquième qu'elle achevait de quitter, rencontrant l'un des angles de l'enceinte hexagonale de la Prison, je me suis détourné de mon chemin pour faire le tour de cette région dangereuse, rasant, dans le crépuscule, son haut rempart à la cime hérissée de tessons, le tour de cette région qui est comme un trou, Bleston, à l'intérieur de ton tissu, un trou dans lequel tu rassembles, telle une amibe dans sa vacuole, les corps que tu n'as pas assimilés, ne pouvant pas les rejeter à l'extérieur parce que tes limites sont trop imprécises, cette région en résonance avec ce qui est le plus lointain, et qui apporte sa menace jusqu'en ton cœur, avec le bâtiment pénitentiaire au centre, en forme d'étoile à six branches, à la fois ta condamnation et ta sauvegarde, Bleston, dont la représentation sur ton plan, semblable à un cristal de neige noire, m'était apparue à la fin d'avril, lorsque je te brûlais en effigie, comme une sorte de négatif de la marque éblouissante imprimée au front de Caïn.

Je ne me doutais pas alors, le 3 juillet, que j'allais remonter de semaine en semaine jusqu'à ce temps, Bleston, où ma haine à ton égard s'est mise à flamboyer si violente dans ma tête qu'il m'a fallu trouver un moyen d'extérioriser ses flammes, ce temps où je n'écrivais pas encore, où je me ployais sans soutien, me couchais, m'enfonçais de plus en plus sous la terreur léthéenne et hypnotisante, à tel point qu'il m'a fallu à tout prix faire jaillir une lueur au milieu de cet assombrissement qui se poursuivait malgré l'élargissement des jours, puis de plus en plus loin en direction de l'hiver, arrivant presque à ce dimanche où j'avais montré à Lucien dans l'Ancienne Cathédrale déjà presque obscure la célèbre verrière de Caïn, après l'avoir mené pour la première fois à la foire dans le troisième en cette fin du mois de mars, tout près de l'Ecrou.

Avant de te quitter, Bleston, ainsi qu'il a été fixé, mon stage d'un an chez Matthews and Sons terminé, le dernier mardi de ce mois, il faut que je retourne contempler ce prestigieux hiéroglyphe de verre devant lequel en moi tu t'interroges ; il faut que je prenne de toi la plus grande connaissance possible en ces jours comptés, de toutes ces articulations de ton corps, de ce vieux faubourg par exemple, de l'autre côté de la Slee, au sud-est de la Prison, à l'extrémité du neuvième, autour de

347

l'église Saint-Jude qui possède quelques vitraux anciens, avec quelques maisons à poutres apparentes, une taverne décorée d'amusettes, et une petite synagogue, citadelle des juifs pauvres sans doute, que j'avais décidé d'aller voir, que je ne suis pas allé voir, ayant oublié cette décision, terrible ville que je haïssais, qui m'a si complètement séparé d'Ann après m'avoir privé de Rose, si complètement que ma jalousie à l'égard de James s'efface presque devant la honte que je ressens, terrible ville qui m'a tellement bafoué, mais dont les sarcasmes étrangement se sont transformés en une sorte d'imploration, Bleston dont j'étais séparé par un mur que tes propres coups, t'acharnant sur moi, ont fait s'écrouler, la plus grande connaissance possible, pour accomplir ma part dans ce pacte entre nous, dont les conditions peu à peu me deviennent claires.

Vendredi 5 septembre.

Comme je demeurais, lundi, assis à cette table, dans une immobilité de monument funéraire très ancien dressant ses traits rongés au milieu des cultures et des sables, les yeux fixés sur ce texte bref que je venais de transcrire, dessinant méticuleusement chaque lettre, la main tremblante, tel un enfant maladroit qui s'applique dans sa copie, ce texte bref lu dans tes briques à la douce lumière matinale, calmante et purifiante, j'ai entendu frapper à la porte de cette chambre.

C'était madame Grosvenor avec la « morning cup of tea », c'était la machinerie d'un jour de travail qui recommençait à se déclencher.

Mes collègues m'ont demandé, quand je suis entré chez Matthews and Sons :

« Que vous est-il arrivé, monsieur Revel ? »

C'était la première fois depuis onze mois que nous

passons tant d'heures presque chaque jour dans la même pièce, qu'ils s'intéressaient à moi, mais j'ai été incapable de leur répondre.

James qui ne m'a pas encore parlé de ses fiançailles avec Ann, James à qui je n'en ai rien dit, qui ignore toujours que Rose m'en a averti, est venu déjeuner avec moi au restaurant Sword, toute son amabilité d'antan, tout son dévouement retrouvés, avec une sorte d'excès dans ses attentions comme si j'étais un convalescent, m'annonçant que le vieux John Matthews lui avait accordé ses quinze jours de vacances comme à tous ses autres employés à tour de rôle sauf moi, puisqu'il avait été fixé que je resterais une année pleine, ses quinze jours de vacances à partir du quinze septembre où s'achèveraient celles de Blythe qui venaient de commencer, mais que cette fois encore, il ne pourrait bouger d'ici, sa mère se trouvant assez fatiguée en ce moment, et le toit de sa grande maison demandant d'importants travaux.

Comme je revenais ici, Bleston, non seulement lundi mais tous les soirs depuis, les derniers soirs clairs, puisque tout à l'heure c'est avant même d'avoir atteint cette maison que j'ai senti les cils du crépuscule s'abaisser, puisque maintenant c'est déjà la nuit nuageuse qui s'affale derrière les carreaux, comme je revenais ici après avoir dîné au Sword, sans détour par Grey Street, Tower Street et Dew Street, par ces vallées de dérision, sentant dans ma tête un fagot de fêlures, j'étais presque assourdi par ta lamentation sur toi-même, par le crépitement de tes briques, de ce noyau de braise au cœur de chacune d'entre elles, qui voudrait transformer en vitre toute sa gangue, par cette universelle supplication, ce même désir étouffé dans tous les yeux vides passant :

« Quand se délivrera notre force ? Quand s'étendra notre velours ? Quand brilleront nos métaux ? Quand serons-nous lavés, toi et nous, Jacques Revel ? »

Mais, grande ville impitoyable qui tiens mon cœur mordu entre tes dents, cette lueur que tu arracheras de moi, cette lueur que tu t'arracheras par moi, restera inéluctablement faible et vaine tant que d'autres lueurs consonnantes ne viendront pas la renforcer ; aussi, tout ce que je puis faire en ces jours comptés qui me restent, c'est tenter de mener à bien cette description exploratrice, base pour un futur déchiffrement, pour un futur éclairement, c'est tenter en la poursuivant de réduire au mieux les lacunes de cette description exploratrice que je compose, forge et tisse, fils de Caïn, depuis ce meurtre en effigie, l'incendie de ton plan, Bleston, depuis cette déclaration de guerre, depuis mon entrée dans ta guerre, Belli Civitas, Bellista, Bleston, cette longue lacune, par exemple, qui subsiste avant cette journée de mars où je commentais brièvement à Lucien le grand vitrail de l'Ancienne Cathédrale, depuis le début de février dont je ne me souviens que fort mal, ce moment le plus froid de l'année, où souvent le matin, lorsqu'il n'y avait pas d'épaisse brume, toutes les flaques des trottoirs étaient gelées, et de nombreux tuyaux de gouttières éclatés laissaient échapper par leurs fentes de longs glaçons jaunâtres semblables à de la cire, ce moment le plus froid de mon année, où je cherchais assidûment, dans les librairies d'occasion de Chapel Street, un nouvel exemplaire du roman épuisé de J. C. Hamilton,

où, cette Ann qui va se fiancer avec James, je la rencontrais encore tous les jours de semaine en déjeunant au Sword, cette Ann, cette Ariane qui m'aimait alors, dont je me détournais, que j'ai laissée, blessée bien avant qu'elle se soit doutée que je lui étais infidèle, par cette indifférence que je lui témoignais, voulant, je le sais bien, je le reconnais, je l'avoue, me débarrasser d'elle, tout effacer, ne réussissant pour une fois que trop bien, ainsi l'a voulu ta cruelle ironie, Bleston, dans ma misérable entreprise, et à qui je suis devenu indifférent, cette Ann dont bien évidemment je ne puis pas écrire le nom sans jalousie, mais surtout sans cette honte, qui me fait trembler, de ma vilenie, de mon indignité, de ma sottise, de mon aveuglement, sans ce sentiment de gel et d'isolement que doivent éprouver les fantômes,

cette Ann qui ne sait pas encore que je suis averti de ma condamnation, qui ne se doute pas encore, parce qu'elle a oublié la proximité dans laquelle nous étions cet hiver, de ce malheur que sont pour moi ses fiançailles,

cette Ann aimante, en pleine joie, j'en suis sûr, que je vais revoir après-demain, obligé de garder mon calme, de ne rien laisser transparaître ni de mon savoir, ni de mon supplice, en compagnie de sa mère et de Rose, rayonnantes toutes deux, j'en suis sûr, dans la maison d'All Saints Gardens où je ne pourrai rien lui dire,

cette Ann à qui je ne pourrai plus maintenant faire comprendre mon malheur que lorsque je t'aurai quittée, Bleston, que mon départ aura posé la maille finale de ce long filet de phrases enserrant toute notre année, que je lui ferai lire alors pour lui montrer toute ma faiblesse et tout mon désir, pour lui dévoiler enfin mes raisons,

cette Ann qu'il me faudra présenter aux Burton, non point ainsi qu'ils s'y attendent et que moi je l'avais rêvé, comme Lucien leur a présenté Rose, mais les détrompant au contraire, soulignant qu'il n'y a rien de semblable entre nous,

cette Ann dont les yeux gris qui me regardaient si bien cet hiver, me hantent maintenant, fermés pour moi, ces yeux avec lesquels, malgré tous les éloignements, quelque chose d'amer comme la brume alors indissolublement me lie.

2

Ce soir, au Théâtre des Nouvelles, ce n'étaient plus les images d'Athènes, mais celles de cette ville hindoue, Bombay, de ses quais, de ses avenues, de ses temples, de sa misère, Bombay, ces deux syllabes imprimées en grosses lettres noires sur des centaines de caisses pleines de thé que l'on débarque chaque jour dans ton port au nord-ouest, Bleston, car les fragments de feuilles au fond de cette tasse blanche que vient de me monter madame Grosvenor, ne sont pas plus le produit de ce sol, du paysage antérieur à ces maisons qui m'entourent, de cette vallée de la Slee dont les dioramas de l'Université feuillettent les terrains, que les chapiteaux ioniques, aujourd'hui recouverts par la suie, sur la façade derrière laquelle s'illustre l'histoire de Thésée, formes venues d'Athènes à travers Rome, puis la France, se déformant, changeant d'odeur à chaque escale, venues sans doute de plus loin qu'Athènes, ces fragments de feuilles qui contenaient tous les principes réconfortants ayant développé leurs arômes, s'étant répandus dans ce liquide couleur d'automne que je viens de boire après avoir achevé la lecture de cette vaine lettre suppliante que j'avais commencé à écrire le 25 août, de cette lettre à Ann Bailey, qui ne lui parviendra que lorsque mon départ aura posé le point final non seulement de ce texte, mais de l'aventure dont il fait partie, ce breuvage couleur d'automne, ce breuvage de vigilance et de survie ; et pendant cette projection, c'est toi-même qui m'apparaissais comme l'un des foyers d'une immense résonance confuse et fumeuse d'ombre et de froid.

Au sortir de chez Matthews and Sons, reprenant ma navigation coutumière, je suis allé au Théâtre des Nouvelles, mais ce n'est pas à l'Oriental Rose que j'ai dîné, c'est au Bombay, dans City Street, un peu au-delà de la place du Musée, et quand je suis rentré ici, ce n'est pas dans la suite de ce que j'avais écrit au mois de juillet que je me suis plongé, mais dans ce passage de la fin d'août, relatant la séance du lundi 25, la superposition des villes à travers le film sur Athènes, ce sondage dans ton sous-sol, Bleston, à travers les images affleurantes de la Rome des empereurs, de Petra, Baalbeck et Timgad, même de la Crète, véritable patrie de cette Ann, de cette Ariane en qui je mettais encore tout mon espoir, ce passage de la fin d'août relatant mon lamentable échec auprès d'elle, le samedi, comme j'avais trouvé baissé le rideau de fer peint en vert devant la porte du restaurant chinois face à l'Ancienne Cathédrale, mon incapacité de lui parler, ce lamentable échec dont je m'évertuais à croire qu'il n'était pas définitif malgré tous les présages conjugués et les symptômes, qu'il n'était qu'un simple retard, alors que tout était déjà perdu, que j'avais manqué l'ultime occasion, alors que c'était avec James, cela ne m'est que bien trop clair maintenant, qu'elle avait rendez-vous à trois heures et qu'elle devait déjeuner le lendemain, ce passage qui s'enfonce enfin dans l'épaisse brume des derniers jours de janvier, ces jours obscurs où elle m'aimait (ah, de tous mes souvenirs, ce sont certes ceux-là qui me sont les plus douloureux),

cette vaine lettre suppliante à Ann Bailey, que je lui ferai parvenir plus tard pour qu'elle la lise avec tout ce qui l'entoure, pour qu'elle sache comme je l'ai vraiment aimée malgré tout, comme je la regrette en ce moment, pour qu'elle me sache lâche, calculateur, aveugle et haineux, pour qu'elle me connaisse et qu'elle se reconnaisse, afin que lui deviennent plus clairs certains aspects de ma conduite qui l'ont étonnée et même gênée, notamment ce silence du 23 août, en lequel malgré moi culminait celui que j'avais observé à son égard depuis si longtemps, depuis ce jour de fin avril où je n'avais pas répondu à sa question muette au sujet de ce papier sur lequel je continue à écrire, certains aspects de ma conduite et par là même de la sienne, de celle des autres, de celle de Rose à qui je ferai lire aussi ce témoignage sur mes infidélités, mes mon acharnement, ma défaite et ma survivance, pour que, par ces deux sœurs, Bleston, tu commences à déchiffrer ce déchiffrement de toi-même, ce début de déchiffrement que je poursuis, que j'amènerai jusqu'à mon départ, m'efforçant de respecter fidèlement les clauses de ce pacte obscur auquel je n'ai pu que souscrire, m'efforçant de satisfaire ce désir en toi endormi, muselé, enseveli qu'a réveillé ma brûlure, ce désir de mort et de délivrance, d'élucidation et d'embrasement,

pour que par ces deux sœurs, Bleston, grâce à ce texte qui demeurera de mon passage, puis, peu à peu, contagieusement, par d'autres de tes yeux pleins de poussière et de patience, pris au reflet de cette toile que je tisse, tu poursuives ta propre lecture, étaies ta lente guérison, affermisses les plus sûrs de tes rêves, rassembles ton peuple d'étincelles, pour que mes paroles silencieuses se mettent à résonner dans toutes tes poutres, pour que tes propres paroles silencieuses atteignent enfin au chant brûlant, Bleston qui au fond de toi-même désires ta mort autant que moi.

Mardi 9 septembre.

Tandis que je lisais ces pages écrites dans la deuxième semaine de juillet, juste avant, juste après l'« accident » de Brown Street, j'avais la tête comme envahie d'un tourbillon de cette pluie nocturne qui s'acharne contre mes vitres, harcelé de soupçons contre ce fiancé que s'est choisie Ann Bailey, elle que j'appelais déjà mon Ariane à la fin de l'automne, tourmenté par cette question de culpabilité que je ne puis encore résoudre, et par les sentiments anciens, cachés, qui se découvraient en moi-même.

Quand j'ai vu le rideau de fer baissé devant l'entrée du restaurant chinois face à l'Ancienne Cathédrale le 23 août, ah je n'ai même pas eu besoin d'attendre les paroles de l'ouvrier pour me dire : « Je n'ai pas voulu cela, c'est mon arme qui se retourne contre moi », sûr que c'était un incendie qui avait provoqué cette fermeture, allumé par cette même flamme hélas dénaturée, pourrie, contaminée au cours de son long cheminement parmi tes veines, qui avait brûlé ton plan, Bleston, dans cette chambre, cette flamme que tu avais réussi à asservir, à soudoyer pour te jouer de moi, pour parfaire cette vengeance que tu avais si bien commencée en m'impliquant dans ton attentat contre ton autre ennemi, George Burton, dans l'« accident » de Brown Street, qui est ton attentat, Bleston, quel que soit l'instrument dont tu t'es servi et dans lequel je conserverais une part de complicité même si James n'y était pour rien.

Cette mince animosité accordée à ta rage, parce qu'il n'avait pas su voir cette Nouvelle Cathédrale dont m'avaient rapproché les Jenkins, tu l'avais amplifiée, comme un résonnateur, jusqu'à ce que j'en fusse envahi, jusqu'à ce que tu eusses réussi à me faire froisser, défigurer son image, ne pouvant obtenir de moi que je la brûle comme j'avais brûlé la tienne, son image, ce négatif que j'ai inséré, dès lors inutilisable, le dimanche 6 juillet, dans le passage du *Meurtre de Bleston* qui décrit avec force sarcasmes l'immense édifice à l'intérieur duquel, au centre de l'« X » d'ombre, sous le croisement des jubés, le détective Barnaby Morton découvre le cadavre du joueur de cricket Johny Winn assassiné par son frère, le considérant, ce négatif, avant de refermer le livre, avec satisfaction et soulagement, non seulement parce que je l'avais préservé, mais aussi parce que je l'avais mis en cet état, et m'entendant moi-même murmurer, à l'adresse de l'auteur, ces trois mots que j'ai obtenus de toi depuis, prodigieusement amplifiés : « Nous sommes quittes. »

Alors la voix lancinante, étrangère, la voix très basse, taraudeuse, s'est retirée, ta voix, Bleston, ta voix mauvaise, et, à la surface de moi-même, il n'est plus resté que mon amitié pour cet homme qui, quelques jours plus tard, allait être blessé, pour ce J. C. Hamilton dont j'avais déjà par deux fois livré le nom véritable, bientôt proclamé à tous tes carrefours, Bleston, par les manchettes de tes journaux, en ce mois de juillet où je voyais, sans y accorder la moindre attention, que les visites de James chez les Bailey devenaient de plus en plus fréquentes, où je le voyais sans le voir parce qu'alors je tournais vers Rose mes yeux déjà brouillés par les fumées de ce meurtre avorté en suspens, de cet « accident » de Brown Street qui allait s'abattre.

SEPTEMBRE, septembre

Mercredi 10 septembre.

Je me promenais dans tes rues, Bleston, mes pupilles couvertes par toutes sortes de paupières et d'écailles que je relève maintenant une par une, mais qui à chaque instant risquent de retomber à cause de la fatigue, de l'inattention, de tes ruses qui se survivent.

En moi et tout autour de moi, en toi, Bleston, sont tapies d'innombrables sources de brumes, de telle sorte que ces objets mêmes qui peuplent ma chambre et que je regarde, je ne parviens pas à les voir suffisamment, que d'immenses obstacles m'en séparent, me séparent même de cette feuille blanche sur laquelle j'écris, de cette phrase même que je suis en train d'écrire.

C'est pour diminuer ce retard sur ma propre réalité, qu'il faut que je replonge dans mon hiver, que j'établisse une carte de mon propre relief afin de pouvoir suivre le dessin des ombres que mes jours ont projetées les unes sur les autres, en avant et en arrière jusqu'à maintenant ; et si désormais je suis si libre de m'attaquer à cette tâche, pour les quelques semaines qui me restent à vivre ici, hélas c'est bien parce qu'Ann et James se sont rejoints comme Lucien et Rose, c'est bien qu'il n'est plus temps pour moi de faire de nouveaux projets à l'intérieur de mon séjour, que je suis le survivant de moi-même dans cette année.

Je vous vois maintenant, rues de Bleston, vos murs, vos inscriptions et vos visages ; je vois briller pour moi, au fond de vos regards apparemment vides, la précieuse matière première avec laquelle je puis faire l'or ; mais quelle plongée pour l'atteindre, et quel effort pour la fixer, la rassembler, toute cette poussière !

Je me plaignais, dans les jours déjà brumeux du début de cette semaine, après ce dur week-end, hier et avant-hier, quand j'avais peine à me défendre contre la marée d'horreur ancienne qui remontait à travers mes lectures, prêt à crier dans la nuit de ma chambre, tandis que les horizons de ricanement toujours présents se rapprochaient :

« N'avons-nous pas conclu un pacte, ville de Bleston ? Etait-ce encore un jeu, le repos d'un instant qu'on donne au torturé pour ajouter la déception à son supplice ? Tout ce que tu m'as pris ne suffit donc pas à ta vengeance ? »

Mais maintenant, par le beau temps de ce soir, sans aucun doute l'un des derniers soirs où paraisse vraiment l'été, je t'entends me dire, ma complice contre toi-même :

« T'imagines-tu te débarrasser, me débarrasser, dérisoire alchimiste, si rapidement, si commodément de mon immense puissance d'ombre, de ce monstre de lassitude qui ronge ta résolution et qui ne demande qu'à se laisser ignorer pour mieux te perdre ? »

Toute ta patience m'est nécessaire, Bleston, pour me hâter ; toute ta prudence pour empêcher la précipitation de faire tourner court notre entreprise.

Il faut plonger dans mon hiver pour réduire cette grande lacune qui subsiste dans mon récit, plonger dans cette obscurité avant ce dimanche de la fin de mars où j'ai répété à Lucien dans l'Ancienne Cathédrale certaines des explications que m'avait données, il y a très longtemps, un ecclésiastique que je n'ai jamais revu, au sujet du Vitrail de Caïn, plonger dans ce temps où je pensais de plus en plus à Rose, m'éloignant de plus en plus d'Ann, dans ce temps où j'ignorais encore que c'était George Burton qui se cachait sous le pseudonyme de J. C. Hamilton, mais où il y avait déjà pour moi une relation intime entre *Le Meurtre de Bleston* et cet homme qui m'avait introduit chez lui, chez qui j'avais déjà dîné, un samedi après avoir traîné l'après-midi entière avec Horace Buck, à attendre dans les rues pluvieuses l'ouverture des pubs, puis à le regarder s'enivrer seul parce que moi je voulais faire bonne figure devant cette femme inconnue, Harriett, à qui je devais être présenté le soir, un samedi où Lucien devait être de garde à son hôtel, puisque, en ce temps-là, c'était avec lui que je sortais chaque fois que nous étions libres ensemble.

Nous avons parlé de mon pays, ce samedi 22 mars, dans la maison de Green Park Terrace où j'étais entré pour la première fois, de mon pays où ils étaient allés ensemble, où ils avaient l'intention de retourner dès le mois d'août, ce qui n'a pas été possible à cause de l'« accident » qui est intervenu, à cause de moi, à cause de ton animosité, Bleston ; nous avons parlé un peu en français, ce qui était pour moi un grand soulagement parce que j'avais encore bien du mal à m'exprimer dans ta langue ; et quand ils m'ont interrogé sur toi, Bleston à qui j'étais déjà lié par de terribles liens de haine et de curiosité, me plaignant à juste titre, nous avons réussi à rire de toi, tous les trois ensemble, trouvant grand agrément, grand réconfort au jeu des injures délicates où George brillait particulièrement, faisant exploser son rire brusque, déversant sa hargne contre la Nouvelle Cathédrale, ce qui m'a fait penser au *Meurtre de Bleston*, ce qui m'a fait penser à madame Jenkins chez qui j'étais allé souvent les semaines précédentes, contre la Nouvelle Cathédrale que je n'ai pas osé défendre, que je n'ai jamais osé défendre devant lui.

Jeudi 11 septembre.

J'avais déjà remarqué, ce samedi 22 mars, la première fois que je suis entré dans le living-room dont les fenêtres donnent sur Green Park alors invisible dans la nuit pluvieuse, le miroir sphérique dans lequel la pièce entière se trouve reproduite concentrée, semblable à celui de chez les Bailey, ce miroir dans lequel je découvrais, dimanche dernier, tandis que de l'autre côté des vitres, dans le soleil de l'après-midi, les cimes des pins et des sapins se balançaient, rendues plus vertes encore par la proximité des autres arbres jaunissants, l'image d'Ann qui m'avait annoncé la veille, elle-même, ses fiançailles, en compagnie de James, et que j'avais réussi à féliciter, l'image d'Ann, de dos, toute petite, comme si elle était déjà très loin de moi, comme si nous étions déjà séparés par la mer, l'image d'Ann qui s'éloignait encore de moi dans cette pièce du miroir plus fermée que la pièce réelle, dans cette pièce du miroir de laquelle j'étais exclu parce que la main d'Ann tenant à la hauteur de mes yeux le nouvel exemplaire du *Meurtre de Bleston,* qu'elle avait acheté la veille chez Baron's afin de se le faire dédicacer, du *Meurtre de Bleston* qui vient de reparaître, la main d'Ann m'empêchait de m'y voir moi-même, en ce moment où nous venions d'entrer, où Harriett nous avait laissés seuls tous les deux pour un instant, parce qu'elle était allée chercher George absorbé dans son prochain livre.

C'était la veille, samedi dernier, le 6 septembre, que j'avais vu venir vers moi, au sortir de chez Matthews and Sons, James tout intimidé, ne sachant que trop bien ce qu'il allait me dire, quelle cruelle nouvelle il allait me confier avec son sourire qui cache si bien ses fureurs secrètes, mais obligé de feindre l'ignorance ; c'était la veille qu'il m'avait mené, dans la Morris noire, à la papeterie, – je le savais bien, mais je jouais de mon mieux la surprise –, à la papeterie pour prendre Ann, puis au restaurant Sword où a eu lieu la comédie de l'annonce, au restaurant Sword où je me suis efforcé de paraître me réjouir, où j'ai rappelé à Ann que nous étions attendus tous les deux, le lendemain, chez les Burton, avant de les quitter pour aller traîner dans les rues, chassé par ma souffrance semblable à une rage de dents, exacer-

bée par la tension qui m'avait été nécessaire pour
conserver et épaissir mon masque, traîner dans les rues
puis aller frapper chez Horace Buck de nouveau seul
lui aussi, de nouveau en quête de femme, et terminer
cette soirée en visitant pub sur pub, en vidant pinte sur
pinte, en rentrant ici lentement, par un chemin très
détourné, épiant les intimités par les fentes des rideaux
mal joints.

J'étais amèrement heureux, dimanche, de me trouver
seul avec elle chez l'ennemi de mon rival victorieux,
savourant cette pauvre vengeance ; mais quand je l'ai
vue dans le miroir s'éloigner de moi toute seule, j'ai
compris à quel point il était injuste de ma part d'essayer,
si peu que ce soit, de la séparer de son compagnon, et
qu'il fallait se faire rejoindre leurs images même dans
cette petite pièce contractée.

C'est pourquoi, quand George est entré, frais, dis-
pos, comme si rien ne lui était arrivé, comme si l'« accident » de Brown Street n'avait été qu'un mauvais rêve,
après l'avoir félicité sur sa santé si parfaitement recon-
quise, et lui avoir présenté Ann, je lui ai immédiatement parlé de James, son fiancé, en lui taisant bien
sûr, que je le soupçonnais, ce James, d'être le responsable ou plutôt l'instrument de cet « accident », dans
un accès de ressentiment furieux, dans une crise de
folie douloureuse provoquée par cette blessure à vif
que j'avais moi-même infectée et qui semble aujourd'hui s'être cicatrisée complètement, je lui ai immédiatement parlé de James en lui prétendant que celui-
ci m'avait dit avoir grande envie de le connaître, si bien
que j'ai été prié de l'inviter à venir dîner en même
temps que nous dimanche prochain, ce que j'ai fait le
lendemain, lundi dernier, chez Matthews and Sons
avec prudence, presque certain de me heurter à un
refus, recueillant au contraire son accord après une
longue hésitation.

Ce n'est qu'une fois tous ces préliminaires terminés que j'ai demandé à George Burton de nous parler de son travail.

« Un nouveau J. C. Hamilton ?

– Non, *Le Meurtre de Bleston* restera solitaire.

– Barnaby Rich, alors, ou Caroline Bay ?

– Non, c'est autre chose encore ; il me faudra un autre nom. »

Puis il a signé son livre pour Ann, dans sa nouvelle édition chez Penguin, que je n'avais pas encore regardée, au premier abord semblable à la précédente, mais dont la dernière page de couverture est ornée, non plus d'un rectangle blanc, mais d'une photographie médiocre au-dessous de laquelle on peut lire que désormais l'identité de J. C. Hamilton n'est plus un secret pour personne, que le responsable du *Meurtre de Bleston* n'est autre que George William Burton, habitant de cette cité, alias Barnaby Rich, dont la maison Penguin vient de réimprimer d'un seul coup dix romans, et que, détail curieux, la presse a fait tomber le masque de l'auteur à l'occasion d'un accident mal éclairci dont certains se demandent encore si ce n'était pas une tentative de meurtre, énigme qui demanderait sans doute, pour être définitivement résolue, un détective aussi habile que Barnaby Morton.

Il a signé pour Ann *Le Meurtre de Bleston,* dans cette nouvelle édition chez Penguin, que j'ai vue exposée, le lendemain, chez Baron's, entre une *Histoire du Châtiment corporel à travers les Ages,* et un *Nouveau Traité de Cricket,* le lendemain en allant vers la place de l'Hôtel-de-Ville, au sortir de chez Matthews and Sons, pour voir le film sur Bombay, *Le Meurtre de Bleston* dont je me suis acheté le surlendemain, mardi dernier, un nouvel exemplaire, le troisième depuis le début de mon séjour, en même temps que l'un des dix romans de Barnaby Rich, pris au hasard, un troisième exem-

plaire, cette fois avec nom véritable et visage, qui se
trouve maintenant sur le coin gauche de ma table, à
côté de celui de l'ancienne édition que j'avais acheté cet
hiver dans une des librairies d'occasion de Chapel
Street, pour remplacer le premier de tous, que j'avais
marqué de mon nom, qui m'avait servi de guide dans
les premiers mois, que je croyais perdu parce qu'Ann
m'avait assuré qu'il ne se trouvait plus chez elle, que
j'ai vu réapparaître entre ses mains le 1ᵉʳ juin, et que
conserve maintenant son fiancé, James Jenkins.

Vendredi 12 septembre.

Le crépuscule me permet encore d'apercevoir au travers de mes vitres le mur de briques sur lequel la lune
se lève de l'autre côté de Copper Street, ce mur qu'il
n'est possible de voir vraiment, en dehors de quelques
éclairs, de quelques brefs instants de grâce, qu'en mettant en œuvre toute une immense machinerie mentale
afin de démonter ta pesante complexité confuse, Bleston, qui nous englobe et nous sépare, ce mur et moi,
ce mur qu'il me faudrait pulvériser pour en extraire tous
les germes que j'entends bruire dans ses briques ; le crépuscule pour quelques minutes encore me permet de
l'apercevoir et de m'en nourrir, malgré la lampe que j'ai
allumée au-dessus de moi pour éclairer cette page
blanche, ce miroir piège pour te prendre, Bleston, cette
toile pour te filtrer, cette page de moins en moins
blanche pour t'éclairer, Bleston, ainsi que les trois
images rectangulaires sur ces trois livres retournés, ces
trois images d'un même homme plus ou moins masqué,
celle entièrement blanche sur l'ancienne édition du
Meurtre de Bleston, le maquillage ayant complètement
recouvert le visage, celle où il est possible de retrouver,
sous le grimage de Barnaby Rich, l'aspect familier de

l'auteur, la dernière enfin, sur l'édition nouvelle du roman de J. C. Hamilton, cette photographie pour laquelle George Burton a posé en tant que George Burton, où il est évidemment moins masqué, mais où il est encore masqué, d'un masque particulièrement trompeur puisqu'il ne se présente pas comme un masque, puisque l'on peut s'imaginer que l'on se trouve enfin devant l'homme lui-même mis à nu, ces trois images qui me servent en quelque sorte d'alphabet pour me représenter ses airs, ses attitudes, ses expressions diverses, telles, en beaucoup plus développé, les statues des Arts et des Sciences sur les porches de la Nouvelle Cathédrale en ce qui concerne madame Jenkins, d'alphabet dont je sais qu'il est incomplet, qu'il lui manque au moins une lettre, de clavier dont je sais qu'il lui manque au moins une touche, de tarot dont je sais qu'il lui manque au moins un arcane, puisque le dos du livre futur sera évidemment orné d'une photographie nouvelle correspondant au nouveau nom, d'un nouveau masque dont j'ignore encore s'il sera volontaire ou involontaire, déguisement calculé ou instantané pris au dépourvu, d'une nouvelle carte qui m'aidera à démasquer la carte blanche, le rectangle blanc sur l'ancienne édition du *Meurtre de Bleston,* la carte blanche qui elle-même me démasque ce qu'il y a de blanc, de muet, de trompeur, de fermé dans les autres, d'un nouveau document qui m'aidera à reconstituer, derrière le résultat final du camouflage, le visage de l'homme en train de se masquer.

Quant à la blancheur de cette feuille sur laquelle j'écris, de cette feuille que j'ai achetée avec toutes ses sœurs à Ann Bailey après avoir brûlé ton plan, Bleston, ton plan que je lui avais acheté, il y a très longtemps, tout au début de mon séjour, la première fois que je l'avais vue, cette Ariane qui m'est aussi interdite maintenant que Rose, quant à la blancheur de cette feuille,

c'est encore une épaisse couche de peinture comme
celle de ce rectangle, au dos du livre que j'ai sous les
yeux, au dos du livre que j'ai acheté en plein hiver dans
une librairie d'occasion de Chapel Street ; mais, ce
qu'elle recouvre, c'est un miroir, cette épaisse couche
de peinture que ma plume gratte, telle une pointe de
couteau, que ma plume fait s'écailler, telle une flamme
de chalumeau, pour me révéler peu à peu, au travers
de toutes ces craquelures que sont mes phrases, mon
propre visage perdu dans une gangue de suie boueuse,
mon propre visage dont mes malheurs et mon acharnement lavent peu à peu le noyau de quartz hyalin, mon
propre visage et le tien derrière lui, Bleston, le tien miné
de guerre intime, le tien qui transparaîtra de plus en
plus fortement, au point que l'on ne distinguera plus
pour ainsi dire, de moi-même, que le brillement des iris
autour des pupilles, et celui des dents autour de la
langue, le tien se consumant enfin dans son incandescence amplifiée, cette blancheur que je dénonce, semblable au silence du dormeur que lézarde après coup le
souvenir de ses rêves.

   Cette nuit, en plein sommeil, je me trouvais sur cette
place de la Nouvelle-Cathédrale où j'étais passé,
dimanche dernier, revenant à pied de chez les Burton
après avoir reconduit Ann jusqu'à sa porte dans All
Saints Gardens, après avoir longé Willow Park jaunis-
sant, je me trouvais sur cette place où j'avais lu,
dimanche, sur une longue banderole tendue à la hauteur du premier étage, d'un bout à l'autre du nouveau
grand magasin presque achevé, débarrassé de sa palis-
sade, « ouverture au mois de novembre avec une grande
vente-réclame », je me trouvais sur cette place au milieu
d'une immense foule terrorisée, nos milliers d'yeux fixés
sur la flèche grise, sur les tours, sur les porches, non
plus immobiles comme il convient à des constructions
de pierres, mais animés d'une scandaleuse respiration,

nos milliers d'yeux fixés sur la nef qui s'enflait et désen-
flait, ses arcs-boutants s'écartant et se rapprochant
comme les côtés d'un thorax, nos milliers d'yeux fixés
sur cette nef qui s'agrandissait à chaque souffle ainsi
pris, sur ces murs ayant rompu leurs amarres, qui
s'approchaient de nous comme d'énormes vagues, qui
nous acculaient au nouveau grand magasin presque
achevé à la porte duquel nous frappions pour qu'on
nous laissât nous y réfugier, nos milliers d'yeux fixés
sur ces murs qui léchaient nos pieds comme de grandes
lèvres sèches qui se sont arrachés du sol tout d'un coup,
qui se sont retournés presqu'entièrement comme le pan
d'une tente que l'on ouvre, et sont allés se déverser loin
derrière nous, de telle sorte que nous nous sommes
retrouvés, la foule entière et tous les édifices de la place,
à l'intérieur de la Nouvelle Cathédrale dont la respiration et la croissance continuaient, dont tous les animaux
sur les chapiteaux étaient doués maintenant de mouvement et de regard, dont les jubés se multipliaient
comme des barreaux d'échelles, dont les verrières
n'étaient plus blanches, mais peintes de scènes changeantes avec des personnages beaucoup plus grands que
nature devant des villes, les verrières qui se sont éloignées avec les murs, qui se sont assombries, qui ont disparu peu à peu derrière la brume qui nous envahissait,
la foule entière et tous les édifices de la place tenant
bientôt à l'aise sous l'« X » d'ombre de la croisée du
transept, sous une énorme mouche d'or et d'émail, aux
yeux de houille, entrouvrant et refermant avec lenteur
ses ailes de verre tremblant, la foule entière et tous les
édifices de la place à l'exception de la Nouvelle Cathédrale dont l'emplacement était occupé par un bâtiment
tout nouveau que je ne pourrais pas décrire parce que
je n'ai pu que l'entrevoir, dont je n'ai aperçu véritablement qu'une porte, et encore seulement la poignée et
la fente, au travers de la brume qui s'épaississait.

Avant de me laisser de nouveau me dérober à moi-même dans les plis du sommeil, il me faut consacrer quelques instants et quelques lignes à cette soirée du milieu de l'hiver, un mois environ, un peu plus peut-être, avant ma première visite chez les Burton, à cette soirée où pour la première fois je suis allé dîner chez les Bailey, où pour la première fois, tandis que je regardais Ann assise à ma droite, j'ai levé les yeux vers le miroir sphérique au-dessus de la cheminée dans laquelle le radiateur à gaz brûlait en sifflant (dehors la neige tombait fondante dans l'épaisse nuit), j'ai levé les yeux vers le miroir sphérique et j'y ai rencontré le sourire de Rose qui avait pris la place d'Ann dans ce living-room contracté puisqu'elle y était assise à ma droite, en ce temps où Lucien Blaise n'était pas encore arrivé, en ce temps où je n'avais pas encore déniché cet exemplaire du *Meurtre de Bleston* à rectangle blanc, en ce temps où je ne connaissais pas encore George Burton que j'avais pourtant déjà aperçu, je crois, seul à une table au premier étage de l'Oriental Bamboo, sous le regard de bienveillant reptile du garçon chinois un peu gras, sans me douter qu'il pût y avoir un rapport entre ce monsieur distingué qui évidemment ne m'avait pas accordé la moindre attention ce jour-là, et le livre que je cherchais, en ce temps où déjà je ne rencontrais plus tous les jours de semaine au Sword Ann Bailey, en ce temps où je te haïssais, Bleston ; comme je te haïssais, déjà !

3

Lundi 15 septembre.

Hier, dimanche 14 septembre, comme je traversais,
à la fin de l'après-midi, la place de la Nouvelle-Cathédrale, en allant à pied vers la grande maison de Geology Street où James m'attendait parce qu'il était
entendu que nous irions ensemble chercher Ann avec
la Morris noire pour nous rendre chez les Burton, James
dont les vacances ont commencé, dont la table à côté
de la mienne était vide aujourd'hui chez Matthews and
Sons, James au sujet de qui j'ai longtemps craint que ce
fût lui l'instrument de ta vengeance lors de l'« accident » de Brown Street, ce qui, je le pense maintenant,
du moins au sens littéral et légal est inexact, comme je
traversais hier cette place où la nuit nuageuse achevait
de tomber sur la Nouvelle Cathédrale vide et le nouveau grand magasin presque achevé dont j'apercevais à
peine la longue banderole déjà salie avec son annonce
de l'inauguration en novembre, éclairée par de maigres
projecteurs, hier, dimanche 14 septembre, à la fin de
l'après-midi, j'ai retrouvé au fond de moi cette terreur,
cet accablement, ce découragement que j'avais éprou-
vés, il y a un mois, devant cette façade en plein soleil,
j'ai retrouvé au fond de moi, très atténuée, la voix ton-

nante et dure avec laquelle tu me proclamais ce discours impitoyable dont je viens de lire le texte au milieu
des pages écrites pendant la semaine qui a suivi, la troisième semaine du mois d'août, ta voix hargneuse, auto-
ritaire et satisfaite, qui certes subsiste, mais que traverse
maintenant en ma faveur une toute autre voix bien plus
profonde, une voix de lamentation réveillée par mes
flammes, par la blessure que je t'ai infligée, Bleston, la
voix de ta guerre intime dont je me fais l'écho maintenant, ayant été forcé d'abandonner, par ton inévitable
victoire, ma querelle particulière, la voix de ton désir
de mort et de délivrance, que je m'efforce d'amener au
jour, à la parole, en accomplissement de ce pacte qui
est intervenu entre nous.

Au sortir de chez Matthews and Sons, je suis allé au
Théâtre des Nouvelles voir le film sur la Nouvelle-
Zélande ; puis, traversant la place de l'Hôtel-de-Ville
sur laquelle la nuit achevait de tomber, je suis allé dîner
au premier étage de l'Oriental Rose, d'où j'ai regardé
les derniers verdoiements disparaître derrière les ridicules tours crénelées du bâtiment municipal.

Tout naturellement se mêlent à mes phrases de ce
soir certains fragments du texte ancien que je viens de
lire : « les jours baissent, le temps de plus en plus se
gâte, mais il y aura encore d'assez belles heures jusqu'à
mon départ, d'assez belles heures comme celles que
j'étais incapable d'apprécier en octobre, écrasé par la
désolation étrangère qu'elles m'éclairaient », certaines
expressions de ce moi ancien qui vient me hanter, se
teignant d'une autre lumière comme si leur signification
avait mûri, comme si les lignes d'alors n'étaient que la
préfiguration de celles de ce soir, car si les jours bais-
saient, ils ont baissé depuis, ils baissent plus vite, et les
assez belles heures que j'aurai encore jusqu'à mon
départ seront de plus en plus précieuses, de plus en
plus éclatantes par opposition à la nuit, à la brume, à

la pluie flagellante qui gagnent, jusqu'à ce nouveau mois d'octobre tout proche que je ne verrai pas ici.

En août, chaque lundi, avant de me remettre à mon texte, j'achevais de lire ce que j'avais écrit pendant une semaine du mois de juin, et maintenant, continuant ce mouvement, je lis les pages de juillet, mais non plus le lundi, le mardi seulement, car le 1er septembre, encore tout étourdi par la violence de ton choc, Bleston, c'est lui qu'il m'a fallu m'efforcer de circonscrire, car il y a huit jours, épuisé par cette tension dont j'avais eu besoin pour garder bonne contenance, pour ne rien laissez transparaître, chez les Burton et les Bailey, de mon savoir et de mon supplice, j'ai cherché un amer réconfort dans ce long cri suppliant lancé du désert où je m'enfonçais, vers Ann qui ne pouvait l'entendre, car, ce soir, c'est dans ce que j'écrivais la semaine précédente, la troisième semaine du mois d'août, que je me suis plongé, de telle sorte que je remonte dans ma lecture, semaine par semaine le cours de ce mois, comme je remontais dans mon récit en juillet, semaine par semaine celui de mai, comme je remontais avril en août, et comme je remonte maintenant, continuant ce mouvement, le mois de mars, parce que les événements qui nous frappent, provoquent une mise en lumière progressive de ce qui a mené vers eux.

Mardi 16 septembre.

Je le sais maintenant, l'automobile qui, le vendredi 11 juillet à six heures et demie, dans Brown Street, a brusquement changé de direction pour se précipiter sur George Burton, ce n'était pas celle de Richard Tenn ; je pense maintenant que ce n'était pas non plus la Morris noire de chez Matthews and Sons, que l'homme au volant, ce n'était pas James, comme je ne pouvais

m'empêcher de le craindre encore jusqu'à dimanche
soir, que c'était un autre homme, un homme que je ne
connais pas, que je n'ai sans doute jamais vu, qui n'a
sans doute jamais entendu parler de moi, un autre
homme dans une autre Morris noire ; mais cela ne
réduit pas le moins du monde cette affaire à un simple
« accident », et ma responsabilité n'est nullement dimi-
nuée par le fait que la chaîne des intermédiaires est plus
longue et plus compliquée que je me l'imaginais auparavant, peut-être impossible à reconstituer avec certitude ; je pense maintenant que c'est d'un autre homme
dont tu t'es servie, Bleston, pour te venger de
J. C. Hamilton, pour m'atteindre à travers lui, pour me
bafouer, pour me perdre, pour m'enfermer dans
l'épaisse fumée de possibilités et de remords, jaillie de
cet événement obscur, comme d'une bouche qui
s'entrouve dans une terre volcanique les aveuglantes
vapeurs du soufre ; mais cela ne met James hors de
cause que sur le plan légal et littéral, parce que l'aveu
qu'il m'a fait, bien loin de réduire à néant mes soupçons à son égard, les confirme dans une large mesure,
me montre jusqu'à quel point exactement ils étaient justifiés, me montre qu'il n'aurait fallu que fort peu de
choses, un arrangement de circonstances très légèrement différent pour que James jouât réellement le rôle
que je lui ai longtemps attribué, dans cette scène qu'il
n'aurai pu me raconter ainsi, dimanche soir, s'il l'avait
vécue autrement qu'en rêve, comme il n'aurait fallu que
fort peu de choses, une différence infime dans les
vitesses, pour que George Burton mourût, au lieu d'en
être quitte pour quelques semaines d'hôpital.

Nous revenions de Green Park Terrace avec la Morris noire ; nous avions déposé Ann devant le 31, All
Saints Gardens ; nous étions passés sous le pont de chemin de fer, sous les voies qui vont de Hamilton Station
vers le sud, et que j'emprunterai le dernier mardi de ce

mois ; nous longions, dans Surgery Street, le terrain
vague du dixième dans lequel les dernières boutiques
de la foire éteignaient leurs lampes et fermaient leurs
volets, d'où partaient les derniers clients serrant le col
de leur imperméable sous la pluie noire et froide,
lorsque James a ralenti jusqu'à nous arrêter au bord de
la chaussée quasi déserte, et tournant son visage vers
moi dans l'obscurité, dans le ronronnement du moteur
et le ruissellement des gouttes, s'est mis à me faire
l'éloge de George Burton et de sa gentillesse : puis les
yeux de nouveau fixés sur la route brouillée à travers
le battement des essuie-glaces, il a continué :

« J'ai fait un étrange rêve à son sujet, le soir même
de cet accident dont il a été la victime.

Je me trouvais dans Brown Street au moment de la
plus grande affluence ; je tenais entre mes mains ce
volant comme je le tiens maintenant, mais je n'étais plus
maître de ma direction, j'avais les bras paralysés, je fon-
çais tout droit au milieu de cette foule qui s'enfuyait en
panique à mon approche, et j'ai vu un homme qui traversait au loin devant moi, un homme que je ne pourrais pas éviter, je le sentais, qui s'est arrêté juste en face,
qui m'a regardé soudain comme s'il me visait avec un
fusil, fermant un œil, un homme que je reconnaissais,
que j'étais sûr d'avoir déjà vu.

Tout d'un coup, il a disparu ; alors j'ai pu remuer de
nouveau, j'ai repris les commandes, et j'ai réussi à
m'échapper par une rue à droite.

Or, le visage de mon cauchemar, je l'ai compris dès
mon réveil, n'était autre que celui de George Burton
dans la photographie qu'il avait prise de lui-même à la
foire dans le deuxième, le soir où vous vous êtes lancé
à sa poursuite, et où vous m'avez dit que c'était lui
l'auteur du *Meurtre de Bleston*.

Quand j'ai appris, la semaine suivante, par les journaux qu'il avait été renversé par une automobile, le

vendredi à six heures vingt dans Brown Street, j'ai eu un moment d'horrible angoisse, je me suis demandé si ce que j'avais pris pour un rêve n'était pas la réalité, si ce n'était pas moi le coupable, moi dans un moment de folie ; et je ne suis parvenu à me rassurer qu'après avoir minutieusement reconstitué mon emploi du temps de ce soir-là entre six et sept heures, qu'après avoir constitué qu'il était à peu près impossible que je me sois trouvé dans Brown Street pendant l'accident. »

Mercredi 17 septembre.

Il a remis en marche, et nous nous sommes éloignés, par Surgery Street et Continent Street, de ce terrain vague du dixième habité ce mois-ci par la foire où j'avais passé la soirée précédente, humide, noire, froide, mais non pluvieuse, en compagnie d'Horace Buck qui ne cessait de me parler de sa dernière amie et de son départ, tandis que je pensais à Ann et à lui, James, à leurs fiançailles officielles qui auront lieu samedi prochain dans la maison d'All Saints Gardens toute proche, à cette visite aux Burton que nous devions faire tous les trois le lendemain.

Il s'est tu, James Jenkins, jusqu'à la place de l'Hôtel-de-Ville où les cinémas fermaient leurs grilles, et là, toujours sans me regarder, il m'a demandé :

« Est-ce bien vous que j'ai aperçu hier, en train d'attendre le bus 24 ? »

Puis, sans transition, il a ajouté :

« Je n'aurais jamais cru les cheveux de George Burton si clairs ; je l'imaginais, d'après sa photographie, très brun, plus que vous ; j'en faisais presque un nègre ! »

Ces deux phrases au premier abord indépendantes, je sais bien ce qui les reliait étroitement, je sais bien que

c'était « that very brown man », cet homme beaucoup
plus brun que moi, ce nègre, Horace Buck, qui était à
côté de moi, la veille, en train d'attendre le bus 24 qui
devait nous mener jusqu'à la foire, en son terrain du
dixième devant lequel James avait arrêté la Morris noire
pour me faire le récit de son rêve, Horace Buck en compagnie duquel il m'avait vu au mois de mars à la foire
alors dans le troisième, le long de Lanes Park, le lendemain ou le surlendemain du jour où j'y avais amené
pour la première fois Lucien qui était arrivé depuis une
quinzaine et que je commençais à promener à travers
tes rues et tes pauvres divertissements, Bleston, le lendemain ou le surlendemain de ce jour où je l'y avais
rencontré pour la première fois, lui, James ; je sais que
ces deux phrases étaient étroitement reliées entre elles
et à l'« accident » rêvé de Brown Street, par cet Horace
Buck qu'il n'avait pas pu ne pas voir la veille en même
temps que moi, et en compagnie duquel je traînais à la
foire sous la pluie fine au mois de mars, lorsque je l'y
ai aperçu de nouveau, lui, James, pour la deuxième fois
en deux ou trois jours, à ma grande stupéfaction, parce
que j'ignorais alors totalement ses relations avec la petite
ville mobile qui fait le tour de ton noyau, Bleston, régulièrement en huit mois, avec le peuple de ta foire dont
il ne m'avait jamais dit un mot, tout cet aspect de sa
personne, étroitement reliées entre elles, ces deux
phrases, et à l'« accident » rêvé de Brown Street, par
cet Horace Buck en compagnie duquel il avait été scan-
dalisé de me voir, je m'en souviens fort bien, lorsque je
l'avais rencontré pour la seconde fois en deux ou trois
jours au milieu de ces baraques et de ces roulottes, au
milieu de ces toiles, de ces planches, de ces tôles, et de
cette foule humide, car cet Horace Buck que je lui avais
présenté alors, qui lui avait offert de venir prendre un
verre de bière, mais auquel il n'avait même pas pu
répondre, détournant son visage empreint d'une véri-

table horreur, comme d'un insurmontable dégoût, nous quittant précipitamment.

Jamais il ne m'avait reparlé de cette scène, alors qu'Horace, profondément humilié, y avait fait souvent, dans nos conversations peu variées, des allusions sarcastiques ; mais il est clair que son souvenir caché alimentait son ressentiment secret à mon égard, ce ressentiment né de la lecture du *Meurtre de Bleston,* et surtout de la blessure que j'avais infligée à sa mère par le prêt de ce livre ; aussi, dans l'attentat rêvé de Brown Street, l'homme contre lequel il s'était précipité, s'il avait le visage de George Burton, possédait aussi quelques traits d'Horace ; c'étaient tous les deux qu'il voulait atteindre, et moi aussi à travers eux, moi qui en étais pour lui le trait d'union, de même que ce n'était pas seulement de J. C. Hamilton, mais de moi aussi que tu cherchais à te venger, Bleston, dans l'« accident » réel de Brown Street.

Jeudi 18 septembre.

Comment aurais-je pu faire comprendre à James, alors, que ce qui m'unissait à ce nègre, c'était que je retrouvais en lui ma propre haine noire à ton égard, Bleston, avec la même intensité, ma propre haine noire que tu as réussi à rendre incandescente par la violence de tes coups répétés, à transmuer en cet attachement destructeur tout aussi passionné mais clair, ville qui désire ta mort autant que nous, comment aurais-je pu le faire comprendre à James ? Je savais que je n'y parviendrais pas, même avec Lucien qui s'étonnait de me voir le fréquenter, se demandait de quoi nous pouvions bien parler ensemble, alors que nous avions ce sujet inépuisable de plaintes et d'injures, alors que nous t'avions, Bleston, comme aliment perpétuel de nos entretiens monotones coupés de longs silences ; je savais que je ne parviendrais même pas à le faire comprendre à Lucien qui t'était resté trop étranger, Bleston, pour estimer encore son futur beau-frère, James Jenkins, à sa véritable valeur.

Il a plu chaque jour de cette semaine, il pleut de plus en plus chaque jour plus court, il pleuvait samedi quand je suis sorti de chez Matthews and Sons et que je suis allé sur la place de l'Ancienne-Cathédrale pour constater que l'Oriental Bamboo était toujours fermé, qu'il ne rouvrirait que le samedi suivant, après-demain, puis sur la place de l'Hôtel-de-Ville pour déjeuner à l'Oriental Rose, solitaire, regardant le manège des autobus sous la pluie, les files d'attente se former devant les cinémas sous la pluie, la grande aiguille sur l'horloge du beffroi ridiculement crénelé au centre du bâtiment municipal atteindre le sommet du cadran puis tomber par saccades sous la pluie, regardant la couverture des nuages se déchirer, leur laine devenir plus claire, un lointain bleu laiteux apparaître dans une fente, et bientôt l'asphalte luire de reflets soyeux.

Alors, dans cette après-midi devenant de plus en plus lumineuse, je suis allé revoir Oak Park, dans le premier arrondissement, au nord-est, revoir le grand chêne, à l'écorce minéralisée, semblable à ceux de la quatrième tapisserie du Musée, le grand chêne dont les feuilles rousses tournoyaient dans les allées alentour, s'étalaient sur les flaques et les pelouses ; je suis allé revoir Birch Park dans le deuxième arrondissement, le long de la Slee cachée par un mur au-dessus duquel on aperçoit les cheminées des remorqueurs et le sommet des grues, je suis allé revoir l'argent des branches des bouleaux transparaissant de nouveau au milieu du frémissement de leurs feuilles d'or pâle humide ; puis j'ai remonté lentement la rivière bouillonnante et noire, tandis que le ciel se couvrait de nouveau, tandis que le soleil commençait à baisser, et lorsque je suis arrivé dans Iron Street, à la maison d'Horace Buck, c'était déjà le crépuscule et déjà de nouveau la pluie, mais une pluie légère qui ne nous a pas empêchés de sortir, d'aller dîner dans un snack-bar de Continent Street, et de prendre ensuite le bus 24 jusqu'à la foire dans son terrain du dixième où nous avons bu pinte sur pinte, afin de lutter contre le froid qui nous surprenait, d'où nous sommes revenus à pied parmi tes rues humides et désertes, tandis que j'entendais bruire, derrière les vitres obscures, les sommeils de tes habitants qui désirent ta mort autant que moi, Bleston, tout au fond de leurs os, sous leur carapace de fatigue et d'acceptation.

De grands nuages passaient au-dessus de Dew Street, lorsque je me suis réveillé, tard, dimanche ; les rayons pâles, mobiles, du soleil allumaient des reflets passagers dans les fenêtres de City Street, comme je me dirigeais vers le Bombay pour y déjeuner solitaire, dans les façades de Dudley Station et de New Station, comme j'attendais le bus 31 au milieu d'Alexandra Place, moiraient les remous noirs de la Slee, comme je traversais Brandy Bridge en direction de Ferns Park où je me suis promené, continuant mon adieu à tes jardins, Bleston, parmi les sous-bois rouillés sur lesquels les premières grosses gouttes tombaient illuminées, tandis que les femmes relevaient leurs capuchons.

Puis sous l'averse, longeant les grandes usines muettes sous les grandes cheminées sans fumées, longeant les grandes portes de grillage ou de tôle peinte fermées, je suis arrivé jusqu'aux allées boueuses d'Easter Park, parmi les massifs de fleurs fanées perdant leurs pétales pourrissants et leurs feuilles recroquevillées.

J'ai dû me changer en rentrant ; mais la pluie s'était arrêtée, laissant le ciel bas couleur de poussière s'assombrissant, et je suis descendu à pied vers le sud, vers la grande maison de Geology Street où m'attendait James,

la grande maison des Jenkins dans laquelle je n'étais pas
entré depuis le mois de juillet, je suis descendu par
Tower Street et White Street, traversant la place de la
Nouvelle-Cathédrale puis longeant Willow Park, lentement, à pied, aux aguets, épiant toutes tes paroles, Bleston, se murmurant à mon passage dans l'ombre qui
s'épaississait.

Vendredi 19 septembre.

Au milieu du jardin presque inculte, James m'a fait
monter dans la Morris noire de chez Matthews and
Sons, tandis que, dans l'embrasure éclairée de la porte,
au-dessus des trois marches disjointes, sa mère agitait
en signe d'au revoir sa main droite où brillait le chaton
de verre enfermant la mouche ; et nous sommes passés
prendre Ann au 31, All Saints Gardens, où c'est Rose
qui nous a ouvert, Rose toute heureuse de me lire, pendant que sa sœur se préparait, certains passages de la
dernière lettre de Lucien, lui annonçant qu'il était à peu
près certain maintenant de pouvoir venir la retrouver à
Noël, nous sommes passés prendre Ann pour aller dîner
tous les trois chez les Burton.

Ah, ce qui m'importe, ce n'est pas tant la conversation dans laquelle James, après quelques instants de
gêne, surmontant sa timidité, son appréhension, les derniers vestiges de son ancienne aversion violente, grâce
à la présence encourageante et aiguillonnnante de sa
fiancée, s'est montré plus charmeur et surtout beaucoup
plus brillant que je ne l'avais jamais vu, ce qui
m'importe c'est que dans la maison de cet ennemi qui
avait tourmenté ses rêves, dans ce living-room où
George Burton, le troisième dimanche de mai, avait été
forcé, par les questions de Lucien, de reconnaître
devant nous sans laisser subsister d'équivoque que

c'était bien lui, J. C. Hamilton, comme nous le soupçonnions depuis longtemps, que c'était bien lui l'auteur
du *Meurtre de Bleston,* ce qui m'importe c'est que dans
le miroir sphérique au-dessus de la cheminée où brûlait de nouveau le charbon sur sa grille, se sont inscrites
les deux images des fiancés entre les deux visages des
époux qui nous recevaient, les images d'Ann et de James
et la mienne aussi, tout près du bord, minuscule dans
l'embrasure d'une minuscule porte courbée, les images
d'Ann et de James qui se rejoindront de nouveau sous
mes yeux demain soir, dans le miroir sphérique au-dessus de la cheminée chez les Bailey, au milieu de l'agitation chaleureuse et de la cohue, pour leurs fiançailles
officielles.

J'irai revoir une dernière fois George Burton l'avant-
veille de mon départ, le dimanche 28 septembre ; ainsi
s'achèvera le long entretien commencé entre nous au
moment le plus froid de l'année, au cœur de l'hiver, au
milieu de ces quelques jours de ciel clair glacé, de gelée
blanche le matin sur les toits de Dew Street, de flaques
dures dans les rues et les allées des parcs, entretien qui
a commencé entre nous le samedi 15 février au premier
étage de l'Oriental Bamboo, à cette table dont il est
question dans les premières pages du *Meurtre de Bleston,* où celui qui sera le détective, Barnaby Morton,
déjeune avec celui qui sera la victime, le joueur de cricket Johny Winn, à cette table près de la fenêtre qui
donne sur la façade de ton Ancienne Cathédrale, Bleston, célèbre par ton Vitrail du Meurtrier, la façade toute
luisante, ce jour-là sous sa mince carapace de glace
vitreuse, dont les tours gothiques tardives se détachaient
devant le ciel couleur d'eau savonneuse, près de la
fenêtre qui donne sur ses porches romans avec leurs
rois et leurs prophètes, sur ces marches où je m'étais
étalé, il y a très longtemps, devant une jeune fille qui
était vraisemblablement Rose Bailey, à cette table où

j'aurais tant voulu, le mois dernier, m'installer seul en compagnie d'Ann, à cette table où je les amènerai tous les deux, je l'espère, elle et son fiancé James Jenkins, comme je le leur ai proposé dimanche dernier dans la Morris noire de chez Matthews and Sons, tandis que nous nous éloignions de la maison de Green Park Terrace pour aller vers celle d'All Saints Gardens.

J'avais posé à côté de mon couvert, sur la nappe, ce samedi 15 février, comme Lucien un peu plus de deux mois plus tard, l'exemplaire du *Meurtre de Bleston* que je venais enfin de découvrir dans une des librairies d'occasion de Chapel Street, et qui est maintenant à ma gauche, sous celui de la nouvelle édition, avec nom véritable et photographie ; et je sais bien aujourd'hui que c'est pour cette raison qu'il est venu s'asseoir en face de moi, je sais bien aujourd'hui qu'il était à l'affût du moindre prétexte pour entrer en conversation avec cet étranger lecteur de celui de ses livres qui lui tenait le plus à cœur, mais il réussissait admirablement à le dissimuler, à donner à notre rencontre toutes les apparences du hasard.

Ses premières paroles avaient été pour me demander conventionnellement si la place était libre ; puis il avait examiné le menu, commandé un chop-suey, et il avait déplié son journal qu'il s'était mis à lire tout en mangeant et en m'observant discrètement.

Il l'a replié, enfoncé dans la poche de son veston de tweed ; il a croisé ses mains sur le rebord de la table, derrière son assiette vidée, barrée par son couvert ; c'est alors que le garçon jaune un peu gras s'est approché entre nous deux, nous demandant si nous désirions encore quelque chose ; et tous les deux, l'un après l'autre, moi le premier, nous lui avons répondu :

« Un gâteau aux amandes et un peu plus de thé. »

Il n'avait qu'une seule théière sur son plateau, une théière pour deux personnes, lorsqu'il est revenu vers nous, le garçon jaune, petit, un peu gras, avec ce même air, avec ce même dessin de lèvres qui était peut-être un sourire ; et cet homme assis en face de moi, de l'autre côté de la table fatidique, cet homme dont je ne savais pas encore qu'il s'appelait George Burton, dont je ne me doutais pas encore qu'il était ce J. C. Hamilton dont le nom s'étalait sur la couverture du livre que j'avais posé à côté de moi, cet homme a servi nos deux tasses, approchant la tête pour me dire avec amabilité :

« Il a cru que nous étions ensemble. »

A partir de ce moment-là, nos pensées se sont mises à se pousser l'une l'autre comme les dents d'un engrenage, si bien que nous avons parlé de mon pays qu'il connaissait, et de toi, naturellement, Bleston, de la mauvaise nourriture que dispensent tes restaurants ordinaires, si bien que pour la première fois j'ai entendu le grincement de son rire qui soulageait si merveilleusement ma haine obscure.

Sur cette conversation du milieu de l'hiver, sous l'œil de bienveillant reptile du génie jaune, quelle végétation s'est développée soutenant cet instant présent, cet observatoire d'où je la repère, quelle végétation d'événements et de pensées, d'oublis, de réflexions, de tentatives, immense échafaudage de branches bourgeonnantes, se ramifiant, se rencontrant, se faisant ombre, se traversant, se réunissant, se faisant guerre, immense échafaudage de poutres vivantes que toutes les pages de cette semaine explorent, reconnaissant à des niveaux intermédiaires toute une série de relais ou d'échelons sur lesquels mon effort de mémoire ce soir prenait appui pour parvenir jusqu'à ce sol d'antan ?

4

Lundi 22 septembre.

Ce que j'avais écrit pendant la deuxième semaine du mois de juin, je m'étonnais de son insuffisance lorsque je le lisais le lundi 11 août, après avoir vu au Théâtre des Nouvelles un documentaire sur San-Francisco dont je n'ai pas parlé, dont je me souviens mal, après avoir dîné à l'Oriental Rose ; je le trouvais insuffisant entre autres raisons parce que j'avais négligé d'enregistrer ma dernière visite aux tapisseries du Musée, le dimanche précédent, le 8 juin, en compagnie de James Jenkins, je le trouvais insuffisant lorsque je le lisais le lundi 11 août, avant de commencer à écrire cet ensemble de pages que je viens de lire ce soir, en ce lendemain d'équinoxe, Bleston, après avoir vu au Théâtre des Nouvelles ce médiocre documentaire sur la Sicile qui m'a rendu, malgré la mauvaise qualité de ses images et de ses couleurs, pour quelques instants l'azur de la Crète, ce bleu du ciel qui s'éloigne de plus en plus au-dessus de tes rues, de tes parcs, de tes cheminées, de tes habitants, de tes animaux, de tes lents meurtres, de tes lentes putréfactions, Bleston, ce bleu du ciel qui va s'éloigner de plus en plus derrière les brumes et les pluies de ton automne, après ce dernier week-end de

382

l'été, après ces deux derniers jours de très beau temps
changeant et flamboyant, cet ensemble de pages daté
de la deuxième semaine du mois d'août que je viens
de lire hâtivement, alors qu'il m'aurait fallu en étudier
chaque phrase pour déceler le plus grand nombre possible des changements d'optique survenus en moi par
rapport à ces régions de notre année, à ces événements,
à ces personnages, à ces objets, à ces images, depuis
ce moment de ma description et de notre lutte, Bleston, ces pages que j'ai été contraint de parcourir trop
rapidement parce qu'il était déjà tard, après avoir dîné
à l'Oriental Rose, parce qu'il est tard, Bleston, dans
notre année, parce qu'il ne me reste plus que neuf
jours avant de quitter tes murs de fonte, tes murs de
pluie, tes murs de braise étouffée, pas même neuf soirs
pour terminer ce texte, pour tenter de combler ses plus
importantes lacunes, pour tenter de satisfaire à cette
clause de notre pacte, indispensable condition de ma
survie.

Ces pages datées de la deuxième semaine du mois
d'août, elles aussi sont insuffisantes, et, entre autres raisons, parce que j'ai négligé d'insister sur ma dernière
visite aux tapisseries du Musée, le samedi précédent en
compagnie de Rose, au cours de laquelle nous avions
eu cette brève conversation dont quelques paroles sur-
nageaient tout à l'heure dans ma tête, tandis que, sur
le bleu du ciel méditerranéen qu'évoquait mal l'écran
du Théâtre des Nouvelles, se superposaient dans ma
vision les images de Crète, d'Athènes, de Rome et
d'autres terres, d'autres villes, d'autres temps encore,
cette brève conversation dont quelques paroles surna-
geaient avant-hier dans ma tête, comme j'examinais
encore une fois ces tapisseries après avoir contemplé
encore une fois le Vitrail dans l'Ancienne Cathédrale,
cette visite du samedi 9 août en compagnie de Rose qui
s'était étonnée lorsque je lui avais déclaré, dans le des-

sein de l'intriguer, de lui en imposer, de me venger de tout ce qu'elle me faisait souffrir innocemment dans cette après-midi de supplice, que ce que je cherchais dans ces panneaux, c'était des lumières sur ton origine, Bleston, ajoutant en moi-même : par conséquent sur mon malheur, en compagnie de Rose qui s'était étonnée mais pas du tout comme je l'avais prévu, me répondant qu'il y avait en toi, Bleston, des monuments bien plus anciens, ces pages de la deuxième semaine du mois d'août que j'ai lues insuffisamment ce soir avant de commencer à les compléter insuffisamment, avant de commencer à écrire cet ensemble de pages qui sera daté de la quatrième semaine du mois de septembre, la dernière semaine complète que j'aurai passée parmi tes murmures, parmi tes mirages, parmi ta fermentation triste, parmi ta sueur chaque soir plus âcre et plus glacée, cet ensemble de pages qui sera inévitablement insuffisant, inévitablement lacunaire, entre autres raisons parce que je n'arriverai pas à dire tout ce que je voudrais sur ma dernière visite aux tapisseries du Musée, la dernière de notre année certainement, avant-hier, le samedi 20 septembre, avant de rentrer ici me changer pour me rendre ensuite à All Saints Gardens assister à la réception donnée en l'honneur des fiançailles d'Ann Bailey.

Mardi 23 septembre.

Ce qui se présentait à ma mémoire, hier, pendant que j'écrivais, en dehors de ce que j'avais vécu le soir même, la séance de cinéma, le dîner à l'Oriental Rose, en dehors de ce que j'avais vécu la veille et surtout l'avant-veille, samedi, la réception chez les Bailey, ma dernière visite aux tapisseries du Musée, ma dernière visite au Vitrail de Caïn, et le déjeuner à l'Oriental Bamboo rouvert, ce qui se présentait à ma mémoire ce n'était pas d'abord, avec le plus de précision et d'insistance, les événements de la semaine précédente, puis de moins en moins clairs, jour après jour, en remontant vers le passé, dans l'ordre inverse de celui du calendrier, les événements antérieurs ; pendant que j'écrivais hier, ce qui se détachait sur le fond confus et obscur de notre année entière, Bleston, ce qui conditionnait mes phrases, ce qu'il serait donc nécessaire d'interroger pour les éclaircir, c'était cette région du mois d'août pendant laquelle j'avais écrit les pages que je venais de lire, et les régions plus anciennes qu'elles concernaient, fragments d'avril, janvier, et juin, et, grâce à ce dernier, un fragment de novembre, donc toute une série de bandes plus ou moins claires séparées par de larges zones d'ombre, comme les raies en quoi se décompose l'éclat d'un corps incandescent sur l'écran noir d'un spectroscope, toute une série de résonances plus ou moins intenses séparées par de larges intervalles à peu près muets, comme les harmoniques en quoi se décompose le timbre d'un son.

Elles subsistent encore ce soir, ces bandes de souvenir, mais à travers la lecture des pages datées de la quatrième semaine de juillet, que je viens d'achever avant de commencer à écrire, ce sont d'autres régions de notre année, Bleston, qui sont venues au premier plan, c'est ce fragment ancien aujourd'hui de deux mois, au cours duquel je les ai rédigées, ces pages insuffisantes, toutes fissurées, toutes teintes par l'explosion publique du véritable nom de J. C. Hamilton, et par mes tergiversations au sujet de Rose dont j'ignorais alors qu'elle était déjà conquise par Lucien, ce fragment de juillet s'éveillant dans la zone d'ombre séparant ceux de juin et d'août qui s'étaient éveillés hier, leur faisant rendre un son nouveau, s'enrichissant lui-même à cet accompagnement, s'affermissant, s'éclaircissant, se corrigeant, c'est ce fragment de décembre que je décrivais dans quelques-unes de ces pages, ce fragment de décembre autour de l'atroce jour de Noël, qui s'est éveillé dans la zone d'ombre séparant ceux de janvier et de novembre qui s'étaient éveillés hier, comme entre ceux d'avril et juin s'est éveillé celui de mai au cours duquel George Burton, nous parlant du roman policier, avait commencé à me donner quelques indications sur le labyrinthe du temps et de la mémoire, qui m'ont considérablement aidé à m'orienter dans notre année, Bleston, notre année qui va s'achever dans huit jours, puisque mardi prochain, à cette heure-ci, je serai déjà loin de toi, loin de ton horrible puissance de fatigue et d'étouffement, ce fragment de mai au cours duquel j'avais mené Lucien voir les tapisseries du Musée.

Ce sont ces régions-là qui sont venues au premier plan ce soir, passant entre celles qui s'étaient éveillées hier, comme les doigts d'une main entre ceux de l'autre lorsqu'elles se croisent ; et dans le seul intervalle laissé intact, entre les fragments d'avril et de janvier, va s'intercaler, conformément à l'ordre complexe qui s'est peu à peu imposé à moi dans ce récit, conformément à cette figure incomplète qu'il dessine maintenant et dont il s'agit de combler au mieux les lacunes en ces quelques jours qui nous restent, la deuxième semaine de mars.

Mais, auparavant, dans ces derniers instants dont je puisse profiter ce soir avant que le sommeil me gagne, je désire ajouter quelques lignes au sujet de ces mouches qui se sont remises à bourdonner au travers de mes lectures d'aujourd'hui et d'hier (celle qui tourmentait George Burton à l'hôpital, le samedi 19 juillet, et celle qui le tourmentait dans sa maison de Green Park Terrace, le dimanche 10 août), au sujet de ces mouches qui t'appartiennent, Bleston, qui te sont attachées, qui font partie de toi.

Car il peut sembler tout d'abord que tu ne sois formée que de pierres et d'hommes, et que les animaux ne participent point à ta constitution, mais si l'on prend en considération les enfermés du jardin zoologique dans Plaisance Gardens, les derniers chevaux de trait et les cortèges qui se rendent aux abattoirs dans le onzième, les innombrables chats et la vermine, on est obligé de s'apercevoir qu'ils sont eux aussi hantés dans ton aire, qu'ils sont devenus eux aussi des organes de ta machine et que, vivants ou morts, viandes ou charognes, spectacles ou parasites, ils incarnent certaines de tes puissances.

Mercredi 24 septembre.

C'est dans le restaurant de City Street, où je suis retourné déjeuner dimanche, que j'avais adressé pour la première fois la parole, le samedi 8 mars, à Lucien Blaise que j'avais déjà remarqué, huit jours auparavant, dans un snack-bar d'Alexandra Place, parce qu'il avait l'air d'un Français.

L'ayant reconnu dès que j'étais entré, j'étais allé m'asseoir à la même table que lui, à la table sur laquelle il avait posé un livre dont j'ai déchiffré le titre à l'envers, un titre français, dont j'ai déchiffré le nom de l'auteur, un nom anglais bien connu des amateurs de roman policier, et lorsque je l'ai vu sortir de sa poche un paquet de gauloises bleues, je n'ai pu y tenir, j'ai engagé la conversation, en anglais d'abord (et quel plaisir c'était de l'entendre parler avec un accent plus sensible encore que le mien !) puis, naturellement, très rapidement en français (et quel plaisir c'était de pouvoir employer ma propre langue familièrement, sans faire d'effort particulier pour me faire comprendre ! ce qui était alors nécessaire avec Rose, et bien plus encore avec George

Burton), apprenant qu'il venait de commencer un stage de cinq mois comme serveur au Grand Hôtel, en face de Prince's Restaurant, à l'angle de la place de l'Hôtel-de-Ville que nous avons traversée ensemble pour aller boire à la Licorne, à côté du Théâtre des Nouvelles.

Toute l'après-midi, nous l'avons passée ensemble à nous promener dans tes rues, Bleston, et le lendemain nous nous sommes retrouvés pour aller à Plaisance Gardens en compagnie des sœurs Bailey qui l'ont tout de suite adopté.

Ainsi, chaque jour, éveillant de nouveaux jours harmoniques, transforme l'apparence du passé, et cette accession de certaines régions à la lumière généralement s'accompagne de l'obscurcissement d'autres jadis éclairées qui deviennent étrangères et muettes jusqu'à ce que, le temps ayant passé, d'autres échos viennent les réveiller.

Ainsi la succcession primaire des jours anciens ne nous est jamais rendue qu'à travers une multitude d'autres changeantes, chaque événement faisant en résonner d'autres antérieurs qui en sont l'origine, l'explication, ou l'homologue, chaque monument, chaque objet, chaque image nous renvoyant à d'autres périodes qu'il est nécessaire de ranimer pour y retrouver le secret perdu de leur puissance bonne ou mauvaise, d'autres périodes souvent lointaines et oubliées dont l'épaisseur et la distance se mesurent non plus par semaines ou par mois mais par siècles, se détachant sur le fond confus et obscur de notre histoire entière, bien au-delà des limites de notre année, Bleston, d'autres périodes et d'autres villes bien au-delà de tes frontières comme celles qui se superposaient dans ma vision samedi, tandis que je regardais les tapisseries du Musée, ces grandes illustrations de laine, de soie, d'argent, et d'or, qui m'ont si souvent servi de termes de référence dans ton déchiffrage, Bleston, dont les arbres m'ont fait

découvrir certains de tes arbres, et les saisons voir tes
saisons, qui ont si fort pesé sur mon destin, ces points
noués en France au dix-huitième siècle, par lesquels
m'atteignaient, nous atteignaient, Bleston, une légende
très antique transmise par la culture latine, par ce grec
impérial Plutarque (« ici finit la ville de Thésée, ici commence celle d'Hadrien »), une légende dont l'ordon-
nance datait de la puissance d'Athènes, et à travers
laquelle toute une histoire antérieure se transmettait,
perpétuant le nom de Minos, rappelant un arrangement
de la réalité très fondamental et très recouvert.

Chaque monument, chaque image nous renvoyant à
d'autres périodes et à d'autres villes comme celles qui
accompagnent le Vitrail de Caïn, ce signe majeur qui a
organisé toute ma vie dans notre année, Bleston, le
Vitrail de Caïn dans cette cathédrale à laquelle Rose
pensait évidemment quand elle me parlait de « monuments bien plus anciens », ces morceaux de verre taillés
et joints dans la France du seizième siècle, dont les harmoniques historiques principales s'intercalent entre
celles des tapisseries du Musée comme les doigts d'une
main entre ceux de l'autre lorsqu'elles se croisent, le
Vitrail de Caïn fondateur de la première ville, cette
grande énigme dans la lumière de laquelle j'étais allé
reprendre force samedi, juste après avoir déjeuné avec
Ann et James au premier étage de l'Oriental Bamboo
rouvert, à cette table près de la fenêtre qui donne sur
la façade noire, à cette table de rencontres, à cette table
décisive, sous le regard de bienveillant reptile du garçon chinois un peu gras avec toujours ce même dessin
de lèvres que l'on peut appeler un sourire.

Au Théâtre des Nouvelles lundi soir, comme je regardais ce mauvais documentaire sur la Sicile, s'enlaçaient
à l'intérieur de ma vision les deux séries de villes et de
périodes dont témoignent tes deux grands hiéroglyphes,
Bleston, séries de villes et de périodes qui se survivent

en toi douloureusement, étouffées démembrées, falsi-
fiées, qui poursuivent en toi, en chacun de tes habitants,
en chacun de tes coins de rues, en pleine obscurité, leurs
guerres et leurs méprises, ces deux séries de traditions
et traductions devant le bleu du ciel sicilien au cœur
duquel je sentais poindre le rouge prodigieux de tes
plus intimes braises enfin délivrées, ce rouge au-delà de
toute couleur, dont les plus superbes incendies n'offrent
qu'une lointaine préfiguration impure.

Jeudi 25 septembre.

Fantôme samedi dans la maison d'All Saints Gardens,
j'assistais sans pouvoir m'y mêler à la petite réception
donnée en l'honneur des fiançailles d'Ann et de James,
songeant à l'autre, à celle du 2 août.

Fantôme, dans l'après-midi de dimanche, sous le
beau ciel changeant, après être allé m'enquérir à Hamilton Station de l'heure exacte de mon train mardi matin,
dans six jours, après être allé revoir l'Ecrou, poursuivant mon adieu à tes jardins, Bleston, je me suis promené dans la rouille de Lanes Park, dans le vert sombre
de Green Park, parmi les chrysanthèmes du grand cimetière du sud et d'All Saints Park, puis parmi les roseaux
brumeux de Willow Park.

Fantôme, chaque soir utilisant un trajet de retour différent pour venir du restaurant Sword après avoir quitté
Matthews and Sons, faisant des détours de plus en plus
amples et compliqués, la lenteur de mes pas augmen-
tant avec leur nombre, je regarde dans la nuit de plus
en plus noire et froide, dans la pluie de plus en plus
fine et serrée, ces visages que tes réverbères détachent,
blafards, sur la noirceur luisante de tes trottoirs et de
tes façades, Bleston, ces visages qui se hâtent vers leurs
abris en marmonnant ou conversant ; et quand je passe

auprès d'eux, quelques bribes de leurs paroles m'atteignent que j'accueille comme un minerai précieux, mais qui sont si terriblement opaques la plupart du temps, Bleston, que je me sens bien plus capable d'interpréter le signe qui s'inscrit dans la succession de deux briques sur un mur lézardé, Bleston dont je ronge la carapace par cette écriture, par cette lente flamme acharnée issue de tes propres entrailles, cette flamme qui peu à peu, se reflétera, se réveillera dans leurs yeux, s'affermira par cette résonance ; je regarde, dans la tapisserie de la nuit de plus en plus fine et mouillée, tous ces visages condamnés à ton malheur jusqu'à leur mort, Bleston, tous ces visages que la pluie détruira avant qu'elle soit redevenue bénédiction, avant que la cuisson trop lente ait transformé leur sable en verre.

Il y avait une rainure entre deux briques sur un mur ruisselant, et j'ai bu à cet œil entrouvert de ton or une gorgée de larmes si mélangée de poisons que j'ai sans doute précipité ma décrépitude, que des tourments m'attendent, que mon visage se marquera d'une étoile de lèpre ; mais c'était le philtre des fantômes, l'élixir d'immortalité, son goût amer ne pouvait me laisser aucun doute.

Tout d'un coup la fatigue accumulée depuis des mois, tout d'un coup ta fatigue, Bleston, s'est abatttue sur moi, enveloppant mes os comme les replis d'un linceul humide, et je suis resté longuement immobile à considérer, au travers de mon propre reflet dans la pupille de la fenêtre, les innombrables gouttes d'eau, minuscules miroirs sphériques, tomber inlassablement dans Dew Street, alors qu'il ne me reste plus que quelques instants pour terminer les pages de cette semaine puisque les Burton, appelés à Londres pour le weekend, m'ont écrit pour me demander de venir dîner chez eux pour la dernière fois demain soir au lieu de dimanche, alors qu'il ne me reste plus que quelques instants pour évoquer cette semaine de février à partir de laquelle je n'ai plus jamais rencontré Ann au Sword pour déjeuner, l'autre vendeuse de chez Rand's étant guérie, pour évoquer ce samedi de février où George Burton, au cours de notre seconde conversation au premier étage de l'Oriental Bamboo à cette table près de la fenêtre qui donne sur la façade de ton Ancienne Cathédrale m'a déclaré qu'il m'inviterait à venir dîner dans sa maison de Green Park Terrace dès que sa femme serait rentrée, cette sinistre région de février à laquelle je voudrais ne plus penser, mais qu'il me faudrait au contraire saisir au milieu des broussailles de mes souvenirs de l'hiver, avec de solides et souples tenailles de langage, qu'il me faudrait garder devant les yeux, cette région de février pendant laquelle j'attendais avec tant d'impatience le moment où j'en aurais fini avec Matthews and Sons, où je te quitterais, Bleston, ce moment de ma délivrance qui me semblait immensément lointain, où le wagon s'ébranlerait, m'emportant loin de ta face et de ton haleine horribles, le matin du 30 septembre que j'attendais avec tant d'impatience, en cette sinistre région de février, que je ne pouvais m'empêcher de rôder de plus en plus souvent du côté d'Alexandra Place, d'entrer de plus en plus souvent dans Hamilton Station pour regarder les trains partir au milieu de la vapeur froide et des sifflements.

5

Dans ce coin de compartiment, face à la marche, près de la vitre grise couverte à l'extérieur de gouttes de pluie, par laquelle je viens d'apercevoir, s'en allant après m'avoir dit adieu, Ann et Rose Bailey, James Jenkins et même Horace Buck, il ne me reste plus que quelques instants, Bleston, avant que la grande aiguille soit devenue verticale sur l'horloge, avant que le train s'ébranle m'emportant loin de toi, quelques instants pour esquisser les pages que je n'ai pas pu écrire hier soir comme je l'aurais voulu parce qu'il était bien trop tard, que je ne pouvais plus lutter contre le sommeil, au moment où j'ai fini de lires les phrases que j'avais tracées à la fin de juillet et au début d'août, avant et après les fiançailles et le départ de Lucien, de lire ces phrases, ce que je n'avais pas réussi à faire pendant le week-end comme je l'aurais voulu, ce week-end au cours duquel je n'ai même pas pu aller regarder enfin la vieille église Saint-Jude, de l'autre côté de la Slee, ce week-end trop encombré de courses et de dernières visites que je n'ai pas le temps de détailler parce que la grande aiguille se redresse de plus en plus sur le cadran de cette horloge que je surveille sur le quai, sur ce quai de Hamilton Station que j'avais contemplé le samedi 1er mars comme tous mes jours de liberté en cette région de notre année, Bleston, que j'avais contemplé depuis le hall, appelant de toute ma haine le moment lointain de ma délivrance, ce moment de notre séparation, Bleston, qui est sur le point de sonner,

le samedi 1er mars, avant d'apercevoir, dans un snack-bar d'Alexandra Place où j'étais entré pour me réchauffer en buvant une tasse de thé, un jeune homme avec une valise qui manifestement venait de débarquer, et qui avait tellement l'air d'un Français que je n'ai pas pu m'empêcher de l'aborder huit jours plus tard quand je l'ai aperçu à l'intérieur d'un restaurant de City Street, ce jeune homme qui s'appelait Lucien Blaise ;

il ne me reste plus que quelques instants, Bleston, pour évoquer une dernière fois la grande salle de chez Matthews and Sons où je ne retournerai plus, où tous les employés de cette année se trouvaient réunis hier pour la dernière fois, Blythe, Greystone, Ward, Dalton, Cape, Slade, Moseley, Ardwick, et même James Jenkins dont les vacances étaient terminées ;

et je n'ai même plus le temps de noter ce qui s'était passé le soir du 29 février, et qui va s'effacer de plus en plus de ma mémoire, tandis que je m'éloignerai de toi, Bleston, l'agonisante, Bleston toute pleine de braises que j'attise, ce qui me paraissait si important à propos du 29 février, puisque la grande aiguille est devenue verticale, et que maintenant mon départ termine cette dernière phrase.

MICHEL BUTOR

LA MODIFICATION

Le personnage central et presque unique du livre – ce chef de famille déjà mûr à qui lecteurs et lectrices, attrapés dans les rets du vous *et de l'indicatif présent, ne peuvent pas ne pas tendre à plus ou moins s'identifier – prend un matin comme voyageur de troisième classe et sur sa seule initiative le rapide Paris-Rome, modifiant ainsi l'habitude qu'il a d'effectuer ce parcours en première classe et dans le train du soir quand il lui faut, aux frais de ses employeurs, se rendre au siège romain de la firme de machines à écrire dont il est le directeur pour la France. Son intention est de surprendre à Rome – ville dont il est féru depuis l'âge lycéen – une maîtresse qu'il retrouve à chacun de ses voyages d'affaires et à qui, cette fois, il annoncera qu'il a trouvé pour elle (conformément au vœu qu'elle avait formulé) une situation lui permettant de*

396

s'établir à Paris, où désormais ils pourront vivre ensemble car il entend se séparer de sa femme et de ses enfants et apporter ainsi une grande modification à sa propre existence, fastidieuse et terne en dehors des quelques rayons qu'elle reçoit de la lumière romaine. En cours de route, cet évadé en puissance est le jouet d'une quantité de réminiscences, parmi lesquelles (passé le tunnel de Mont-Cenis) le pénible souvenir de ce qui fut une fête manquée pour son amie et pour lui : des vacances qu'elle vint passer à Paris. Il s'abandonne aussi à nombre de réflexions et de constructions imaginaires, ces dernières prenant la forme d'abord de rêvasseries pures et simples (les espèces de petits romans qu'il bâtit à propos des inconnus qui sont ses compagnons de route), puis de rêveries, et d'un rêve dont le sens général, lié à l'anxiété du rêveur et aux conditions peu confortables dans lesquelles il voyage, est celui d'une descente aux enfers, avec pour dernière séquence l'épiphanie hostile des dieux et des empereurs romains. A la fin du parcours, l'état d'esprit du personnage s'est à tel point modifié qu'il renonce au changement même en vue duquel il était parti : il passera trois jours à son point de destination sans aller voir l'amie dont il sait maintenant qu'il l'aime dans la mesure où elle est « le visage de Rome », de sorte qu'il aboutirait à un échec en la séparant de ce haut-lieu. Il optera pour le maintien du statu quo et se promettra de donner ultérieurement ce plaisir à sa femme : un voyage qu'ils feront à Rome, leur troisième visite commune de cette ville qui les avaient enchantés la première fois (lorsqu'ils étaient de jeunes mariés), mais déçus la seconde alors que le pourrissement de leur vie à deux était déjà sensible. En montant dans son wagon, le personnage tenait en main un livre qu'il avait acheté à la bibliothèque de la gare, sans se soucier de son titre ni de son auteur et se fiant au nom de la collection. Descendant à la Stazione Termini, il tient en main ce livre que finalement il n'a

pas lu et qui lui a seulement servi de garde-place quand,
pour une raison quelconque, il sortait de son comparti-
ment. L'issue impossible à trouver, qu'il se tourne vers
la maîtresse ou vers l'épouse, vers Rome (dont il a décou-
vert qu'elle est un mythe pour lui) ou vers Paris (dont la
grisaille le détériore), c'est un livre – matériellement ana-
logue à celui-là – qui la lui fournira : l'ouvrage qu'il
décide d'écrire « pour tenter de faire revivre sur le mode
de la lecture cet épisode crucial de votre aventure », à
vous lecteur que l'usage, en ce livre, de la deuxième per-
sonne du pluriel a fait entrer tant soit peu dans la peau
du personnage auquel sont dues, censément, les pages
mêmes que vous avez lues.

Extrait de la postface de Michel Leiris
à *La Modification* de Michel Butor

Cet ouvrage a été achevé d'imprimer le vingt-quatre juillet deux mille treize
dans les ateliers de Normandie Roto Impression s.a.s., 61250 Lonrai (France)
N° d'éditeur : 5463 – N° d'imprimeur : 132652 – Dépôt légal : août 2013